Vuslat Muştusu

Gazeteciler ve Yazarlar Vakfı Yayınları: 35
Kırık Testi Serisi: 8

ISBN: 978-975-6714-43-0

Kapak:
İhsan DEMİRHAN

İç Düzen:
Nezaket KIZILKAYA

Baskı-Cilt:
Kitap Matbaası
Davutpaşa Cad. No: 123/1
Topkapı/İstanbul
Tel: (0 212) 482 99 10

1. Baskı: Mayıs 2008
2. Baskı: Ekim 2008

Gazeteciler ve Yazarlar Vakfı Yayınları
Cumhuriyet Cd. No: 129 Kat: 5. 34373 Harbiye, İstanbul
Tel: 0 (212) 232 17 10 Faks: 0 (212) 232 15 88
www.gyv.org.tr

Fethullah Gülen

Kırık Testi 8

Vuslat Muştusu

İÇİNDEKİLER

Barış ve Diyaloğa
Vuslatın Muştusu

Hangi kavuşmanın müjdesidir bu? Irmağın denize; kurak, çatlamış toprağın suya; sevenin sevgiliye; insanlığın barışa; insanın evrenselliğe kavuşmasının muştusu mu? Bilinmez ki...

Belki de hepsi...

Sayın Fethullah Gülen'in, "Kırık Testi Külliyatının" sekizinci kitabının adı, 'Vuslat Muştusu'. Onunla yapılan söyleşilerde, evrensel ahlak ve hakikat karşısında bireyin, toplulukların ve inanç gruplarının konumu ele alınmış. 'Olan' karşısında 'olması gereken' irdenlenmiş.

Bu dünyada çile çeken, acılar içinde umutsuzluğa kapılan insanın kurtuluşu nerede olabilir? Sabır, alçak gönüllülük, öfkeye hakim olabilme, denge, insaf, provokasyonlara alet olmama, salih amel... Tüm bunlar, İslam'ın emri, Muhammedî Ruhun gereği... Ancak bu tür tutumlarla evrenselliğe kavuşmak mümkün olabilir. Vahdet-i Vücud; tikelin tümelde bütünleşmesi belki de budur.

Tasavvuf geleneğindeki 'aşkın'ın akılla sentezi mümkün müdür? Bilemiyorum. İlahiyatçılara sormak gerekir. Fakire öyle geliyor ki, akıl aracılığıyla Hakikati arama çaba ve süreci O'nunla bütünleşmeyi hedefler. Vahdete ulaşma aşkında akılın ve bilimin yeri önemlidir. Bir kez O'nu tanıma seyrine girildiğinde, O'na sadakat ahlaksal davranışın ifadesi olarak görünüm kazanır. Bu tür davranış aynı zamanda, estetik bir tutumu sergilemektedir. Tüm değerler iç içedir: etik, estetik ve hakikat değeri. Tümelliğin güzelliğinin, doğruluğunun ve iyiliğinin bilincine ulaşma felsefî bir tutumdur. Öğrenme, bilme, tanıma; varoluşu tümelliği itibariyle derinliğine kavrama arzu ve isteği insana özgü bir yapılanmadır. Akıl sahibi insan, varoluşu tümelliği itibariyle tanıyıp anlamaya çalışırken, yüreğiyle de O'na aşk duymaktadır. Akıl-yürek beraberliği madde-mana iç içeliğinin de göstergesidir. Vahdete ulaşma ceht ve çabasında akıl ve yürek elele tutuşarak birbirini tamamlayıp zirveye yönelmektedir. Ne tek başına akıl, ne de tek başına yürek... Ne tek başına maddi varoluş, ne tek başına soyutluk... Mutlak Hakikate ulaşma O'nda erime, yok olma veya bütünleşme serüvenimizdeki kader belki de böyle tezahür ediyor.

Fethullah Gülen Hocaefendi'nin 'Vuslat Muştusu' evrensel hakikat yolculuğunun sevincini, görkemini taşıyor. Yollar anlatılıyor, gerçekler dile getiriliyor. Düşmanlıklardan, yanlış anlamalardan, cehaletten uzak durulması tavsiye ediliyor. Diyalog, sevgi, karşılıklı saygı ortamlarının yaratılması isteniyor. Hoşgörünün erdemi dile getiriliyor.

Geri kalmış toplumların insanları 'ötekini' karalamayı pek sever. 'Kürt öteki', 'dindar öteki', 'gâvur(!) öteki', 'Alevi öteki', 'Sünni öteki' vs. vs. Ötekini tanımak istemez; cehaletin boyunduruğundan kurtulma bilincinden uzaktır onlar.

Sayın Gülen'le yapılan ilk söyleşide, belli çevrelerce 'öteki' olarak görülen ve bu nedenle iftiralara maruz kalan Alevîlik konusu ele alınmış.

Büyük iftira, 'Mum söndürme'... Aynı kültür ortamında yetişen insanları birbirlerine düşürmek, dayanışmayı ortadan kaldırmak için benzer iftiraları tarih boyunca hep görmüşüzdür. Anadolu Alevî anlayışın Ayin-i Cem ibadetinde, ayin başlarken mum yakılır, ayin bittiğinde mum söndürülür. Kur' an-ı Kerim'in Nur Suresi'ne dayanılarak, simgesel bir kulluk modeli sergilenir. Kur' an' dan ayetlerle ateş yakılır, ayetlerle ateş söndürülür. Sünni zikirde, ayinde de benzer yorumlarla karşılaşabiliriz. Kötü niyetli veya cahil biri , kolaylıkla o yoruma bir kulp takabilir ve iftirada bulunabilir. Aleviliğin şiarı 'eline,beline,diline sahip olmadır.' Bunu ilke edinen bir cemaatin sapkınlığa düşmesi mümkün değildir.

Ehli-i Beyt ve Hz.Ali sevgisi ise, Sünnilik açısından da önemlidir. Sayın Gülen, bu hususu da vurguluyor. Hz.Muhammed' in Hz.Ali'ye ilişkin sözleriyle durum ortaya konuluyor. Hz.Ali'nin, Hz.Fatima'nın çocuklarına ve nesline yapılan zulmü kim kınamaz?Hangi Sünni, Yezid' ten yana bir tutum içinde olabilir? Kim Kerbela' ya ağıt dökmez?

Sünni ve Alevî birbirinin kardeşi olduğunun farkına varmalıdır. Diyalog talebi, barış ve sevgi arzusunun ifadesi hemen karşılık bulmalıdır. Sünni, Muharrem orucunun iftarına katılmalı, Alevî Ramazan iftarına... Alevi vatandaş, Sünni gelenekten gelen toplum ileri gelenlerinin, devlet adamlarının sorun çözme arzuları tepkiyle karşılamamalıdır. Sünni ve Alevî her alanda, sanatta, ticarette, eğitimde, siyasette işbirliği ortamına girmelidir. Düşmanlıklar silinmeli, karşılıklı saygı ve sevgi ortamı yaratılmalıdır. Diyanet İşleri Başkanlığı'nın başlattığı Alevî kültürüne ilişkin yayınlar olumlu çabalardır. Cem Evlerinin hukuki statü kazanması gerekir. Hukuki statü kazanma, barış ve diyalog sürecine ivme getirir.

Anadolu Aleviliği, Anadolu'yu vatan yapan harcın toprağıdır, çimentosudur. XI.yüzyılda Anadolu Türkleşme sürecine girerken, İslam Misyonerleri diye adlandırılan Horasan Erenleri Anadolu'ya gelmiş ve bu topraklarda yaşayan gayrimüslim halka İslam'ı anlatmıştır. Anadolu'nun kısa süre içerisinde Türk ve Müslümanlaşma sürecine girmesinde Horasan Erenlerinin büyük rolü ve etkisi vardır. Horasan Erenleri, Hallac-ı Mansur geleneğine bağlı Hoca Ahmet Yesevi'nin öğrencileriydiler. İslam dininin özündeki sevgi, barış, diyalog ve hoşgörünün ruhunu yansıtan Yesevi geleneği, bu insanların kalbini kolaylıkla kazandı. İslam'a Çağrı böyle olmalıdır. Dinde zorlamanın kabul edilmediği bir dininin, tebliğ işlevini yerine getirmesi başka türlü nasıl olur ki?

Her coğrafyada olduğu gibi, Anadolu topraklarında da, Müslüman olan topluluklar eski dinlerinin bazı kültleriyle yeni dinin kurumları arasında bağdaşım kurmuşlardır. Bu tür bağdaşımları hoş karşılamak gerekir.Örneğin Afrika coğrafyasındaki bazı Müslüman zencilerin zikir ayinlerinde animist biçimsel yapılara rastlanabilir Tevhide, Allah'a inanıp, Amentü'nün esasları benimsenmişse, örf ve adetlerinin, geleneklerinin getirdiği biçimsel yapılar nedeniyle onları 'öteki' olarak görebilir miyiz?

Benim benimsediğim yöntem, biçimsel yapı ve kurumların dışında kalan küçük değişikliklerin dışlanmamasıdır. Dışlama kargaşa getirir. Onları anlama ,tanıma ve bilmek mecburiyetindeyiz. Onlar da bizi... Kimsenin hakkı yoktur, 'bize karışmayın,bizle ilgilenmeyin' demeye. Birlikte olalım, birbirimizle ilgilenelim,birbirimizin kurum, gelenek ve inanç yapılarını,bunların dayanaklarını öğrenelim. Kim bilir ne hoş şeylerle karşılaşacağız? Aynı topraklarda yaşıyoruz. Ortak bir kültür ürettik. Aşık Veysel'den deyişleri hem Sünni hem Alevi dilinden düşürmüyor. Alevi geleneğinin büyük ismi Hacı Bektaş

Veli'nin en ciddi yorumcularının başında bir Sünni alim, bir Nakşi Şeyhi rahmetli Prof.Dr.Esat Coşan geliyor.

Bu toprakları birlikte vatan yaptık. Bölmeyelim, birbirimizin içinde erimeden bütünleşelim. Nazım'ın dediği gibi; 'Bir ağaç gibi tek ve hür;bir orman gibi kardeşçesine. Bu hasret bizim.' Kimsenin diğerini asimile etmeye hakkı yoktur. Farklılıklarla zenginleşelim. Antidemokratik hareketleri ve eğilimleri, bölücülüğü desteklemeyelim. Sevelim, sevilelim, birbirimizi anlayalım.

Hocaefendi'nin 'Vuslat Muştusu' Alevilikle ilgili bunları söylüyor galiba. Veya bendeniz böyle yorumladı. Kırık Testi'nin sekizinci kitabı Alevi İle Sünni'nin vuslatını da muştuluyor. Bu tür bir vuslat Türkiye'yi esenliğe kavuşturacaktır.

Niyazi ÖKTEM

VUSLAT MUŞTUSU

Tesbih etmeyen var mı Zâtını bu cihanda?
Bütün eşyâ Senin şem'ine pervane döner;
Vuslat duygusu her sînede bir kara sevda,
Kara sevdalı olmak bile pâyeymiş meğer.

***

Yâ esefâ alâ Yusuf!
Ah Yusuf'um ah!..
Yazık oldu sana!..
Hasretinden ak düştü saçlarıma!..
Yetti artık!..
Neredesin?..
Gayri gelip hicranımı dindirmeyecek misin?..

Bu söz, Yusuf'un üzüntüsünden başka kendisine dost olacak bir arkadaş ve hatta sözlerine inanacak bir yoldaş bulamayan bir şefkatli babanın, oğluna seslenir gibi bir iştiyakla onun ayrılık acısına ve "esef"ine nida edişiydi.

Diğer oğulları kınıyorlardı onu; "Ömrün geçti gitti, hâla Yusuf'u dilinden düşürmüyorsun. Vallahi 'Yusuf!' diye diye kederden erieceksin veya büsbütün ölüp gideceksin!.." diyorlardı.

O ise, "Ben, sıkıntımı, keder ve hüznümü sadece Allah'a arz ediyorum." cevabını veriyor; sabr-ı cemil içinde Cenâb-ı Hakk'ın merhametine sığınıyordu. Ne ki, o hem müşfik bir nebî hem de yüreği evladının sevgisiyle dolu bir babaydı. Mum tahtaya dayandığı anlarda, hâlini anlamayanlardan yüz çeviriyor ve Yusuf'unun hüznüyle dertleşiyordu:

Ey esefim, ey bana başka elem ve keder duyurmayacak kadar şiddetli olan acım, ey Yusuf'un yadigârı hüznüm!.. Ayrılma benden, uzaklaşma semtimden ki, şimdi sana muhtacım; imdadıma yetişmenin tam zamanıdır, son haddine ulaştı hicranım!..

Yine bir gün, Yakup Nebî (aleyhisselam) böyle hasbihâl ederken Cân'ının sızısıyla,
Mısır'dan Kenan iline (Filistin'e) doğru bir kervan çıkmıştı yola...
Henüz ayrılmıştı ki şehri kuşatan surların kapısından,
Uzaklarda çok uzaklarda, senelerin firkatini en güzel bir sabırla aşmış baba,
Vicdanının kıpırdadığını hissetmişti acaib bir duygu rüzgarıyla;
Adeta mest olmuştu Yusuf'unun ötelerden gelen râyihasıyla.

Senelerdir "Yusuf, Yusuf!.." diyerek ağladığından gözlerine ak düşmüştü ama,
Ciğerparesinin yaşadığına dair herhangi bir emare mevcut olmasa da,
Vuslat ümidi capcanlıydı gönlünde hâlâ...

Yoksa, bu vuslat muştusu muydu Hazreti Yakub'a;
"Yusuf'umun kokusunu alıyorum" deyivermişti heyecanla.

Hazreti Yakub'un burnunda tüten ve ruhanî bir zevkle bütün vicdanını saran bu koku, bu ledünnî esinti, bu Yusuf râyihası, gelmekte olan müjdenin habercisi bir rahmânî nefes idi. Kutlu Nebî, bunun-la hem birkaç gün sonra kavuşacağı göz nuru gömleğin gelişini, hem senelerdir gönlünü dağlayan firakın bitişini ve hem de az ötede ikbal yıldızının doğuşunu hissetmiş oluyordu.

Komplolara maruz kaldıktan, kuyuya atıldıktan, bir köle gibi çar-şıda satıldıktan, iftiraya uğrayıp zindana konulduktan ve yıllarca tür-lü türlü çilelere maruz bırakıldıktan sonra, gün gelmiş, Hazreti Yusuf Mısır hazinelerinin başına getirilmişti. Kıtlık sebebiyle erzak yardımı talep etmek üzere huzuruna çıkanlar arasında kendi kardeşleri de vardı. Müteselsil hadiselerin akabinde nihayet birbirlerini tanıdıktan sonra kardeşlerinin mahcubiyetle suçlarını itiraf edişi karşısında, Yu-suf Aleyhisselam, onlara kınama ve serzenişle mukabelede bulunma-mış, hepsine hakkını helal ettiğini söylemiş ve şöyle demişti: "Şu gömleğimi alın babamın yanına varıp onun yüzüne sürüverin, o za-man gözü açılacaktır."

İşte, Kenan ilinden yola çıkan kervan, Yusuf'un gömleğini, yani visâlin müjdesini taşıyordu. Onu sahibine teslim edecek olan ema-netçi, ayrılığın bitmek üzere olduğunu, kavuşmaya çok az kaldığını ve artık hicranın sona ereceğini haber vermek için can atıyordu. Sa-hiden, müjdeci gelip de gömleği yüzüne sürünce gözleri açılıvermiş-ti Hazreti Yâkub'un.

Bir manada, vuslatın muştusu bile yırtmıştı karanlıkları, kaldırmış-tı aradan zulmet perdelerini ve fer olmuştu gözlerine Yüce Nebî'nin.

Müjdesi böyle hayatbahş ise, kim bilir, kendisi ne kadar nurlu, ne kadar tatlı ve ne kadar inşirah vericiydi vuslatın...

Can Dostlar,

Bu kitap için isim istediğimizde muhterem Hocamızın dudakla-rından dökülen "Vuslat Muştusu" terkibini duyunca, Yakup Nebî'nin hicranı ve Hazreti Yusuf'un gömleği geldi hemen aklıma.

Çünkü, bizim iklimin ikindi sohbetlerinde de Yusuf'un bişâret kokulu gömleğinden akıp geliyormuş gibi bir râyiha yayılır etrafa... Heyecana kapılır Muzdarip Hatibi dinleyenler, sanki bir müjde ulaşmış gibi ukbâdan ruhlara... Samimi gönülden kopup gelen cümleler vesilesiyle meclisi saran meltem, visâlin saadet televvünlü haberlerini taşır; sabır taşını çatlatan yıllanmış intizarlardan artık yorulmuş ve ışığı sönmeye yüz tutmuş gönül gözlerine ziya akıtır. Vuslat esintileri her yanı kuşatır.

Vuslat; erişmek, varmak, ulaşmak ve sevgiliye kavuşmak demektir.

Vuslat; hicran, firkat, firak, fasl, infisal ve inkıta perdelerini yırtıp Dost ile halvete ermek manasına gelir.

Kavuşulacak kişinin ya da nesnenin kimliğine veya keyfiyetine göre farklı farklı visâller vardır. Hatta Mahbub-u Hakiki'nin maiyyetine mazhariyette de pek çok mertebe ve duyup hissetme seviyesi mevzubahistir.

Mecnun ile Leylâ, Kerem ile Aslı, Ferhat ile Şirin, Kamber ile Arzu ve Vâmık ile Azrâ gibi nice âşıkların buluşmaları mecazî muhabbetin misalleri sayılsa da; hoca-talebe, baba-oğul, anne-kız, ağabey/abla-kardeş ve uzak yakın akrabanın birbirine kavuşması Cenâb-ı Hakk'ın merhametini celbeden bir sıladır.

İki müstait ve donanımlı ruhun bir araya gelişini, iki deryanın el ele verişini; ferden ferdâ zor ulaşılabilecek zirvelere beraberce birdenbire yükselişlerini; mârifet, muhabbet ve aşk u şevk şâhikalarına otağlarını kuruşlarını ve böylece kendi çağlarını aydınlattıkları gibi sonraki asırlara da feyizler yağdırışlarını temsil eden Hazreti Mevlâna ile Şems-i Tebrizî'nin visâli gibi buluşmalar ise müjdesinin yalanına dahi servet ü sâmân, hakikati uğruna ise ruh u can feda edilebilecek birer vuslattır.

Mazisini, kimliğini, inancını ve hemen her şeyini kaybeden bir neslin, buhranlar anaforundan kurtulup yitirdiği Cennet'e kavuş-ması.. âdeta bir mâhiyet deformasyonu geçiren günümüzün derbeder insanının içinde bulunduğu girdaptan sıyrılıp karanlıklardan ay-dınlığa, yerin derinliklerinden göklerin enginliğine ve kölelikten hürriyete ulaşması.. topyekün bir milletin dünü bugünle, bugünü de yarınla bir arada değerlendirip, asırların birikimi olan kültür menşuruyla ayıklanacakları çıkarıp atmak ve geride kalanlara da sımsıkı sarılmak suretiyle özüne dönmesi.. ve nihayet, bütün cihanın Muhammedî ruhla tanışması, O'nun nuruyla aydınlanması... evet, bütün bunlar da farklı derinlikleriyle vuslatın mefkûre yörüngeli buudlarıdır.

İmanla ötelere gidenler için, âhiret, dünya menzillerini de içeren uzun bir yolculuğun ebedî istirahatgâhıdır; ölüm, bir vuslat vesilesi ve vefat gecesi de "şeb-i arûs"tur. Çünkü, İki Cihanın Güneşi (sallallahu aleyhi ve sellem) Efendimiz, kabir kapısıyla girilen ukbâ sarayında ümmetini beklemektedir; İmam Ebû Hanife, İmam Şâfiî, Hasan Basrî, Şah-ı Geylânî, Şah-ı Nakşibend, İmam Şazilî, İmam-ı Gazâlî, İmam-ı Rabbânî ve Hazreti Bediüzzaman gibi milyonlarca münevver zatla muhat olarak Cennet gülşeninde sâkindir. Dolayısıyla, vuslatın daha derincesi, o kutlular meclisine girip, o güzîde Hak erleriyle diz dize, omuz omuza verebilmektir.

Visâle ermenin zirve noktası ise, Mevlâ-yı Müteâl'in huzuruyla şereflenmektir. Zira, meftun ve müştak olunan bütün mecazî mahbupların ve topyekün varlıkların güzellikleri, O'nun cemâlinin bir tecellisi ve hüsn-ü esmâsının bir nevi gölgesidir; Cennet, bütün letâfetiyle, O'nun rahmetinin bir cilvesidir; bütün muhabbetler, iştiyaklar, incizaplar ve câzibeler, O'nun münezzeh muhabbetinin bir lem'asıdır. Bundan dolayıdır ki, kara sevdayı dahi en yüce bir pâye kılan vuslat da O'na vâsıl olmaktır.

Rivayete göre; bir gün, Rabia Adeviye evinde ibadet ü taatiyle meşgulken sokaktan gelen bir davul zurna sesiyle irkilir ve artarak devam eden büyük coşkunun sebebini öğrenmek ister. Komşuları, askerlik vazifesini tamamlayan bir gencin evine dönmekte olduğunu söylerler. Kadınlık aleminin iftihar âbidelerinden olan bu mualla annemiz, bir müddet kalabalığı seyreder, gencin davul zurna eşliğinde anne-babasına kavuştuğu sahneyi görünce artık gözyaşlarını tutamaz hâle gelir ve hıçkıra hıçkıra ağlar. Herkes gülüp eğleniyorken, o gözlerinden sicim gibi yaş döker; "Acaba, ötede ben de şu gencin karşılandığı gibi sevinç içinde karşılanacak mıyım?" der, akıbet endişesini seslendirir. Sonra, "Dost, Dost!.." diye inler; O'na vâsıl olacağı anın hayaliyle kendinden geçer.

Evet, o gencin ailesiyle yeniden buluşması da, aslında daha bu dünyadayken visâl ufkuna ermiş o merhume kadının iştiyakla beklediği kavuşma da bir vuslattır; lâkin, kıymet bakımından bu iki vuslat arasında dağlar kadar fark vardır. Rabia Hatun, gayrı benlik sahillerinden uzaklaşmıştır, gözleri ufuklarda Sultan'a kurbet yolları aramaktadır. Kırık Mızrap'ta şiirleştirildiği üzere, beşerden beklenen de bu çizgide yaşamaktır:

"Aşk ve vuslat ihtiyacıyla var olan insan,
Ömür boyu hep bu hislerle yoğrulur durur..
Gönlünde buğu buğu billûrlaşan ma'nâdan,
Öteleri duyar ki, bence murat da budur."

Aslında, Mahbub-u Hakiki nazar-ı itibara alınmadan şuna-buna, şu nesneye-bu objeye duyulan alâka darmadağınık, gelecek vadetmeyen, kararsız ve neticesizdir. Hâlis bir mü'min herkesten ve her şeyden evvel O'nu sevmeli, diğer bütün sevimli şeylere de O'nun isim ve sıfatlarının değişik renk, desen ve edada birer tecellisi olarak alâka duymalı ve temâşâ ettiği her şey vesilesiyle "Bu da Senden!.." deyip âdeta bir vuslat faslı daha yaşamalıdır.

Evet, göğsü her zaman aşk u iştiyakla inip kalkan, nabzı da sürekli vuslat arzusuyla atan müştak bir sîne, yürüdüğü yolun her menzilinde Sevgili'den değişik işaretlerle karşılaşır. O, doğan aydan, batan güneşten, göz kırpan yıldızlardan, esen yelden, yağan kardan, başımızdan aşağı dökülen yağmurdan, melekler gibi süzülüp göklere yürüyen buhardan, rengârenk çiçeklerden ve kuşlardan-kuşçuklardan aldığı mesajlarla, hemen her adımda vuslat koyuna biraz daha yaklaşmış olmanın hazzını tadar. Artık böyle biri bîkarardır, gezer çölden çöle ve "Leylâ" der ağlar. Mecnun'un iz sürdüğü gibi, gözlerini gönlünün emrine âmâde kılar ve mesafelerin amansızlığına rağmen, en aşkın düşüncelerle ruh atlasındaki visâle koşar.

Haddizatında, bu iştiyak istidâdı ve vuslat ihtiyacı hemen her insanda vardır. Zira, önceleri Mutlak Sevgili'ye kurbiyeti bulunan ademoğlu tekrar kavuşma sözünü alarak geçici bir gurbete düçar olmuş ve yeniden kurbete liyakat kesbetmek üzere dünya çilehanesine gönderilmiştir. Mahbub'dan ayrılığa dayanamayıp da âh u efgân içinde hep "Yâr!" de¬yip dolaşanların yanık ağlamaları işte bu gurbetin ve dâussılanın iniltileridir. Mevlânâ Celaleddin Rumî hazretleri de, ney'in dertli nağmelerinin bu hasretin terennümü olduğuna dikkat çekmektedir: Evet, insan kamıştan koparılmış bir ney gibidir. Gerçek sahibinden uzaklaştığından dolayı da hep inlemektedir. Onun bu iniltisi bütün hayat boyu devam eder, Sevgili'ye vuslat vaktine kadar sürüp gider.

Bu açıdan vuslat, Cennet bahçesinden yeryüzü çölüne inen insanın asıl vatanına yeniden yükselmesi, nüzulden sonra urûca mazhar kılınması ve cüdâ düştüğü Cennet otağına rücû edip oraya ebedî tahtını kurması demektir. Bu geriye dönüş, urûc ya da vuslat, çoğunlukla mevt ile, her insanın beden elbisesinden sıyrılmasıyla gerçekleşecektir; ölüm sayesinde, iman ehli ahirete yürüyüp dostların visâline erecek; ehl-i nar ise firkat ateşine mahkum edilecektir.

Bununla beraber, "Ölmeden önce ölünüz!.." tavsiyesi gereği, insanın daha yaşarken beden ve cismâniyetle alâkalı hicaplardan bir bir arınıp kendine ait uzaklıkları aşarak, herkese ve her şeye yakınlardan daha yakın bulunan Cenâb-ı Hakk'ın maiyyetini zevken ve keşfen duyması şeklinde bir vuslat daha vardır. Cenâb-ı Hak, kimi makbul ibâdını bazen fevkalâde bir himmet, bazen Zat'ından özel bir teveccüh, bazen hususî bir mârifet, bazen seyr u sülûk-i rûhânî yolunda usulünce ve ciddî bir mücahede, bazen acz u fakr, şevk u şükür tarîki, bazen de esbâb üstü harikulâdeden bir cezb u incizap vesilesiyle cismânî engelleri aşma ve gidip o maiyyet ufkuna ulaşma mazhariyetiyle şereflendirir.

Sevgili'nin visâline erip O'nu müşahedeye kilitlenmiş ruhlar, cismâniyete ait küçüklüklerden ve dünyevî darlıklardan sıyrılarak hayatlarını hep iman ve mârifetin engin atlasında, O'nun teveccühleriyle beslene beslene sürdürürler. Her ulaştıkları menzilde o Güzeller Güzeli'ni daha değişik tecellîleriyle duyar, bir kere daha aşk u şevkle gürler ve daha ötelerdeki ayrı bir menzile yürürler. İlerledikleri yolda güzellikleri güzellikler takip eder; ama, ne O'nun cemalinin cilveleri ne de ruhlarda onları temâşâ zevki biter.. vuslatın şahlandıran heyecanıyla bir hamlede geçilir aşılmaz gibi görünen engebeler ve duyulmaz yol yorgunluğundan, yürüme meşakkatinden hiçbir eser.

İşte, Kırık Testi serisinin sekizinci halkasını teşkil eden, elinizdeki bu kitap, hem küllî olarak hem de her bir bölümüyle bütün makbul vuslatların gerçekleşeceğini müjdelemekte ve visâl ile noktalanacak yolu sağ sâlim aşabilmek için gerekli olan zâd ü zahîreyi tarif etmektedir. Baştan beri imâ ve işarette bulunmaya çalıştığımız bütün hasret, hicran, kurbet ve likâ duygularına bir vesileyle değinmekte, vuslat yolunun âdâbından söz etmekte ve Hak rızasına bağlı ayrılıkların mutlu encamını haber vermektedir; bu mülahazalardan dolayıdır ki, "Vuslat Muştusu" adını almıştır.

Bu silsilenin diğer kitapları için yazılan önsözlerde de ısrarla vurgulanan bir hususu bir kere daha hatırlatarak sözlerime devam etmek istiyorum: Bu eserdeki makalelerin tamamının muhterem Hocamızın kendi kaleminden ve o enfes üslubundan çıkmasını çok isterdik. Maalesef, hem sağlık problemleri hem de değişik meşguliyetleri Hüzünlü Gurbetin Muğteribi'ne bize böyle bir lütufta bulunma imkânı vermedi. Hal böyle olunca, sohbetleri yazıya dökmek, okumayı ve anlamayı kolaylaştıracak haşiyecikler düşmek, nihayet Zât-ı alilerine şifâhî olarak tashih ettirmek ve "hiç yoktan iyidir" diyerek bu kadarla yetinmek zorunda kaldık.

Binaenaleyh, Muhterem Fethullah Gülen Hocamızın Kasım 2007-Nisan 2008 tarihleri arasındaki sohbetlerinden derlediğimiz bu kitabı, yazı üslubuna taşırken, yeni nesillerin daha kolay anlamasını sağlamak için bazı kelimeleri bugün kullanılan sözcüklerle açmamız ya da değiştirmemiz icap etti. Kur'an ayetlerinin, hadis-i şeriflerin, Osmanlıca, Arapça ve Farsça metinlerin sadece meallerini verip geçmemiz gerekti. Oysa, asılları o mübarek dudaklardan dökülürken ne kadar müessir ve ne denli inşirah vericiydi.

Ayrıca, sohbetleri yazıya geçirirken, idrakimiz ölçüsünde sadece anlayabildiğimiz ve en önemli gördüğümüz konuları seçtik. Dolayısıyla, şayet bu çalışma, ilim ve irfan bakımından engin ve ufuklu insanların ellerinden çıksaydı, mutlaka o konuşmalarda daha pek çok hususa değinildiği ve satır aralarına nice nüktelerin sığdırıldığı görülecekti. Eğer, işinin uzmanı bir fıkıhçı, bir hadisçi, bir kelamcı ya da bir tefsirci kendi sahası zaviyesinden Aziz Hocamızı dinleseydi, o zaman belki hiçbir cümle dışarıda kalmayacaktı ve Allah'ın inayetiyle, her biri diğerinden güzel birkaç kitapla birden tanışma imkanı hâsıl olacaktı. -Cenâb-ı Hak'tan niyazımız, muhterem Hocamızın bütün sohbetlerinin ileride ehil bir heyet tarafından yeniden değerlendirilmesi ve hayatın hemen her alanına ışık tutacak eserlere dönüştürülmesidir.- Bu itibarla, bu kitapta okuyacağınız her güzel ve isabetli beyan muhterem Hocamızdan dinleyip kaydettiğimiz ifadeler olsa da, kusurlar, bizim nâkıs idrâkimize aittir; hatalar, kavrama ve ifadedeki eksikliğimizdendir.

Dileğimiz odur ki; bu kitap, Yusuf Nebî'nin gömleği misillü vuslat muştusu olsun Hakk'a adanmış ruhlara.. çok yakın bir istikbalde, Çağın Yusuf Yüzlüsü'nün döneceği ve âşıkların Maşuk ile buluşacakları müjdesini taşısın sılaya.

Şimdilik gönül gözlerine ışık saçsın bu bişâret.. ve suyun ötesinden bir râyiha varıp ulaşsın Allah'ın rahmetinden asla ümit kesmeyen muhabbet erlerinin vicdanlarına...

Evet, Mısır ile Kenan arasındaki mesafelere rahmet okutacak ırak mı ırak bu diyardan bir kervan çıkmış sayılsın yola.. artık, Mahzun Muğterib'in gurbetine visâl mührü vurulmuş ola!..

Bu duygularla, aziz Hocamıza sağlık, sıhhat ve afiyet diliyor; dua, takdir, tenkit ve teklifleriyle bize güç veren dostlarımıza, hususiyle başta Sinan Genç olmak üzere kayıt, tebyiz ve tashih sırasında hâlisâne yardım eden arkadaşlarımıza ve "Vuslat Muştusu"nu onbinlerce okuyucu ile buluşturan Gazeteciler ve Yazarlar Vakfı'na sonsuz teşekkürlerimizi sunuyoruz.

Mevlâ-yı Müteâl'in merhameti, Rasûl-ü Ekrem'in şefaati ve sevgi erlerinin duaları recâsıyla...

Osman Şimşek
Pennsylvania, 1 Mayıs 2008
sizdenherkule@gmail.com

"Mum Söndürme" İftirası

Soru: "Eline, beline, diline sahip ol!" anlayışına bağlı Alevî meşrep insanlarımızın bu telakkiye tamamen zıt "mum söndürme ayini" gibi bazı uygulamalarla itham edilmelerini nasıl değerlendiriyorsunuz?

Cevap: Bu türlü ithamların ve iftiraların kaynağı çok eski devirlere dayanmaktadır. Aynı kültür ortamında yetişen insanları birbirine düşürmek için, bazen mezhep farklılıklarını, bazen etnik unsurları ve kimi zaman da meşrep ayrılıklarını kullanan kimseler, dünden bugüne insanların ya da yürüdükleri yolların bazı hususiyetlerini farklı yorumlayarak ve karşı tarafa farklı intikal ettirerek iftiraklara sebebiyet vermişlerdir. Tâ Hazreti Ali döneminden başlayan bu yanlış ya da kasıtlı yorumlamalar, farklılıkları kavga vesilesi yapıp kardeşi kardeşe düşürmeler ve bölüp parçalamalar günümüzde de aynı şekilde devam etmektedir.

Yabancı bir televizyon kanalında yayınlanan, özellikle Alevî kardeşlerimize çamur atan ve dolayısıyla hepimizi çok derinden yaralayan çirkin bir dizi vasıtasıyla bir kere daha şahit olduğumuz gibi, aslında bu fitneler umumiyetle dışarıda planlanmakta, hariçte bir yangın gibi tutuşturulmakta ve sonra onun isi dumanı aramıza pompalanmaktadır. Şimdilerde sadece bizim ülkemizde de değil, hususiyle yakın çevremizde din, dil, mezhep, meşrep ve ırka bağlı bazı duygular tetiklenmekte, her farklılığın bir iftirak sebebi olması için halk tahrik edilmekte ve hatta bir ölçüde herkes şovenliğe çekilmektedir. Bu fitne, sadece Sünnî Şiî ayrılığının ya da etnik unsurların ve ırkî mülahazaların kanayan bir yara hâline getirilmesinden ibaret de değildir. Bugün Şiîliğin şubeleri arasındaki mücadelelerde de görüleceği üzere, bazı esaslar aynı olsa bile, füruattaki her farklılık yumrukların sıkılmasına sebebiyet vermekte ve hatta Alevî-Sünnî çatışmasından öte, Alevîliğin değişik kolları da birbirine düşürülmektedir.

Öyle ki, aynı kültürün çocukları, aralarındaki farklılıkları bir zenginlik kaynağı sayabilecekleri, karşılıklı olarak konumlara saygılı davranıp hayatı paylaşabilecekleri ve kendilerine ters gibi görünen bazı hususiyetlere göz yumup ortak noktaları öne çıkararak birbirlerine bağırlarını açabilecekleri hâlde, asırlarca omuz omuza olduklarını ve bir tarihi beraberce yaptıklarını unuturcasına, şimdi birbirlerine sırtlarını dönmekte ve yumrukları havada kavga anını kollamaktadırlar.

Evet, belki her kesimin birbirine karşı bazı hataları olmuştur; fakat, daha kötüsü, kolaylıkla telafi edilebilecek bu hatalar, yer yer toplum içinde işlettirilmiş ve çok değişik boyutlara taşınmıştır. Hususiyle, dış güçlerin içteki bir kısım piyonları sayesinde, insanların başkalarına aykırı gibi görünen bazı sözleri ve tavırları çok farklı yorumlanmış, olabildiğine büyütülmüş ve herkesi öfkelendirecek bir tarzda sunulmuştur. Hem meselelerin böyle çok yanlış yorumlanması ve farklı sunulması, hem de gün geçtikçe büyütülmesi ve o yanlış yorumlarla beldeden beldeye, nesilden nesile intikal ettirilmesi neticesinde oldukça kabaran husumet duygularının sürüklemesiyle, bazıları "öteki" saydıkları kimseleri karalamak için aslı astarı olmayan bir kısım isnadlara ve iftiralara dahi tenezzül etmişlerdir. Bu isnat ve iftiralarla kendi haklılıklarını ve karşı taraftakilerin de bâtıl üzere olduklarını ispatlamaya girişmişlerdir. Heyhat ki, dış ve iç şerirlerin iyice alevlendirdiği bu meş'um fitne yüzünden vifak ve ittifak paramparça olmuş, uhuvvet ruhu dumura uğramıştır.

Büyük Bir İftira

İşte, "mum söndürme" hadisesi de bu iftiralar cümlesindendir. Cem ayininin sonunda mumların söndürülmesi ve anne, kızkardeş, hâlâ, teyze... kim rast gelirse gelsin, herkesin karanlıkta kendisine denk düşen kişiyle beraber olması şeklinde anlatılan, yani tam manasıyla bohemliğe ve ibâhiyeciliğe sapıldığı iddiasıyla dile dolanan böyle bir bühtanın gerçekmiş gibi algılanması ve milletimizin bir kesimine o nazarla bakılması çok büyük bir zulümdür, insanlığa karşı saygısızlıktır ve altından kalkılamayacak azim bir iftiradır. Alevîleri karalamaya ve onları yoldan sapmış göstermeye matuf olarak kullanılan bu iftira, bir kısım zâlimler tarafından ortaya atılmış; bazı saf insanların duyduklarına hemen inanmaları ve onu hakikatmiş gibi aktarmaları neticesinde bir kısım Sünnî camia içinde de yayılmıştır. Aslında, bazı mihraklar, Sünnîlerin yanına varıp onlara Alevîlerle alâkalı bin bir türlü yalan söylemişler; daha sonra Alevîlerle beraber olup bu defa da onlara Sünnîlerle ilgili gayr-i vaki beyanlar ileri sürmüşler ve böylece kardeşi kardeşe düşürmek için ellerinden gelen her şeyi yapmışlardır.

Bu açıdan, mum söndürme meselesi gibi, bir zümreyi karalamaya ve insanımızı birbirine düşman kılmaya matuf olarak ortaya atılmış iftiralara ve uydurma beyanlara karşı çok ciddi bir tavır almak gerekir. Kulağa fısıldanan her sözü sağlam bir asla dayanıyormuş gibi hemen kabul etmek doğru değildir; hele o söz bir kesimi suçlayıcı ve küçük düşürücü ise, ona itibar etmek ve onu orada burada dile getirmek bir mü'mine asla yakışmaz. Binaenaleyh, ömrüm boyunca âlim ve ârif hiçbir insanın ağzından böyle bir bühtan duymadım; çocukluğumdan itibaren büyük pirlerin, üstadların ve meşayihin meclislerinde bulundum; fakat, onların sohbetlerinde ya da muhaverelerinde bu kabil bir güft u gûya rastlamadım. Öyle anlaşılıyor ki, bu türlü ithamlar, halk arasında, meseleleri ayağa düşüren kimselerin dedikodularından ibarettir; bunları yayanlar ve bu şekilde toplumun huzurunu kaçıranlar ise, ya cahil kimselerdir ya da ülkemizde düşmanlık duygularını kızıştırmaya çalışan hainlerdir.

Ayrıca, vicdanı çürümemiş bir kimse, böyle bir iftiranın gerçek olabileceğine de asla ihtimal veremez. Çünkü, bizim kültür ortamımızda yetişen insanların bu türlü bir bohemliğe ve bağışlayın, hayvanlığa tenezzül edeceğine ihtimal vermek hem mahiyet-i insaniyeye karşı saygısızlıktır hem de o insanlara hakarettir. Hele, "Eline, beline, diline sahip ol!" telakkisine bağlı yaşayan ve namusları uğruna çok defa mücadele vermiş bulunan insanların iffetlerini görmezlikten gelerek, onları gönülden yaralayacak isnatlarda bulunmak ve iftiralara ortak olmak, değil Müslümanlığa insanlığa dahi sığmayacak bir kötülüktür.

Ehl-i Kitab'a mensup bazı müfteriler de Hazreti Dâvud'a (aleyhisselam) iftira atmışlardır. Hâşâ, Kutlu Nebî'nin, Hitti Uriya adındaki komutanını kasıtlı olarak cephede ön safa sürdüğünü, onun öldürülmesini temin ettiğini ve böylece, geride dul kalan hanımı ile kendisinin evlendiğini söylemişlerdir. Bu uyduruk hikayenin kendi döneminde de yaygın şekilde anlatıldığını işiten Hazreti Ali (kerremallahu vechehu) Efendimiz, böyle bir iftira karşısında çok üzülmüş ve Dâvud Aleyhisselam hakkındaki bu yalanı diline dolayanları cezalandıracağını ilan etmiştir. Kim bu bühtana iştirak ederse, bir peygambere iftira atma cezası olarak, ona yüz altmış değnek vuracağını belirtmiştir.

İşte, haddizatında söz konusu yapmaya bile değmeyecek kadar asılsız ve çirkin bulduğum; fakat, müfterilere kanabilecek bazı kimseleri uyarma kasdıyla, hakkındaki düşüncelerimi ifade etmeyi gerekli gördüğüm böyle bir bühtan karşısındaki hislerimi özetleme sadedinde diyebilirim ki: Şayet bugün de Haydar-ı Kerrar dönemindeki gibi bir uygulama mevzubahis olsaydı ve karar verme salâhiyeti bana düşseydi, ben de "mum söndürme" iftirasını seslendirenleri cezalandırırdım.

Haydar-ı Kerrar ve Ehl-i Beyt Muhabbeti

Soru: Bu türlü iftiralarla köpüren iftirak ve fitne ateşini söndürebilmek için -bu yalanlara itibar etmemenin yanı sıra- öncelikle neler yapılmalıdır?

Cevap: Her şeyden önce, ayrılıkları öne çıkarıp kavgaya tutuşmak yerine, benzer ve ortak yönleri söz konusu yaparak konuşup anlaşmaya çalışmak gerekmektedir. Sünnîler ile Alevîler arasında onca fasl-ı müşterek vardır. Allah'a, Peygamber'e, Kitab'a iman etme, Hazreti Ali'ye ve Ehl-i Beyt'e karşı ciddi bir muhabbet besleme misillü ortak noktalar üzerinde mutabakat aranmalıdır.

Evet, genelde Alevîlerde çok şiddetli bir Ali sevgisi ve Ehl-i Beyt muhabbeti göze çarpmaktadır; fakat, bu hususiyet Sünnî akîdeye bağlı olanlar arasında da çok bârizdir. Mesela, içinde neş'et ettiğim ailem ve kültür ortamım itibarıyla, Hazreti Ali'yi öyle sevmişimdir ki, hep ondan yana ağır basan muhabbet terazimi dengelemekte oldukça zorlanmışımdır. Bilhassa kahramanlığıyla, civanmertliğiyle ve karakterini oluşturan fütüvvet ruhuyla Şah-ı Merdan'ı tanıyınca, ona o denli hayranlık duymuşumdur ki, diğer üç halifenin faziletlerini de nazar-ı itibara alarak herkesi kendi konumuna göre değerlendirme hususunda çok ciddi gayret sarfetmişimdir. Bilhassa, Hazreti Ali'ye karşı içten sevgisine ve gönülden bağlılığına şahit olduğum Alvar İmamı'nın,

> *"Nur-ı ayn-i Muhammed'dir,*
> *Şah-ı merdan Haydar Ali.*
> *Dürr-i derya-yı Ahmed'dir,*
> *Şah-ı merdan Haydar Ali!"* sözlerini sürekli duyduğum ve Ali (radıyallahu anh) Efendimiz hakkında birbirinden müessir menkıbeler dinlediğim o tekye atmosferinde, diğerleriyle Hazreti Ali arasında tercih yapamaz hâle gelmiş ve "Haydar-ı Kerrar olmazsa olmaz!" demişimdir.

Oysa, bu hususta Ehl-i Sünnet telakkisi ve dengeli olmanın gereği Hazreti Ali Efendimizin söylediğini söylemektir; o, "Ebu Bekir olmasaydı, bu din olmazdı." demek suretiyle, hem Hazreti Ebu Bekir'in (radıyallahu anh) müstesna mevkiine işarette bulunarak hakperestliğini göstermiş, hem kendi tevazuunu seslendirmiş ve hem de kendisinden sonra geleceklere böyle kaygan bir zeminde kayıp düşmemeleri için bir tembihte bulunmuştur. Doğrusu, Hazreti Ali'ye yakışan da budur; çünkü, o, yiğitler yiğidi ve damad-ı Nebi'dir. Dahası o, Hazreti Ömer'e şeyhülislamlık yapmış, Hazreti Osman'ın evi kuşatıldığında Hasan ve Hüseyin efendilerimizi onu savunmaları için göndermiş ve "Gidin, gerekirse o kapıda ölün ama Hazreti Osman'a dokundurmayın!" demiştir. İşte, Ali Efendimizi bu hususiyetleriyle tanımak ve anlamak lazımdır.

Bununla beraber, Ehl-i Sünnet nazarında da, Hazreti Ali'nin diğer Sahabîler arasında ayrı bir yeri vardır. Bu müstesna konum, onun Allah Rasûlü'ne (sallallahu aleyhi ve sellem) cibillî yakınlığı, o haneye ait bazı sırlara vukufiyeti, hakikat-ı Ahmediyeyi velayet noktasında en kamil manada temsili, peygamber neslinin ondan devam etmesi ve bütün evliyanın baştacı olması... gibi mazhariyetlerden kaynaklanmaktadır.

Hazreti Ali, "Her peygamberin nesli kendinden, benimkisi ise Ali'den olacaktır!"; "Ben kimin dostu (mevlası) isem, Ali de onun dostudur."; "Sen dünyada da ahirette de benim kardeşimsin!"; "Sen, Hazreti Harun'un, Hazreti Musa yanında aldığı yeri, benim yanımda almaktan razı değil misin? Şu farkla ki, benden sonra peygamber yoktur." ifadelerindeki nebevî iltifata mazhar olmuş bir insandır.

Ayrıca, Rasûl-ü Ekrem'in (aleyhi ekmelüttehâyâ) neslini sevmek de Alevîsiyle Sünnîsiyle hepimiz için çok önemli bir vecibedir. Nitekim, Kur'an-ı Kerim'de, Allah Rasûlü'nün, peygamberlik vazifesine bedel olarak hiçbir ücret talep etmediği, ümmetinden sadece Âl-i beytine muhabbet istediği belirtilmektedir. Nebiler Serveri (sallallahu aleyhi ve sellem), bu hakikati teyid eden bir hadis-i şerifinde, "Nimetleriyle sizi rızıklandırdığı için Allah'ı sevin. Beni de Allah için sevin. Ehl-i beytimi ise benim sevgimden dolayı sevin." buyurmaktadır. Yine, Habib-i Ekrem (aleyhissalatü vesselam) iki ayrı hadis-i şerifte, sırat-ı müstakimden inhiraf etmemeleri için ümmetine Kur'an, Sünnet-i Seniyye ve Ehl-i Beyt'e ittibayı emretmektedir. Sâdık u Masdûk Efendimiz, "Size iki şey bırakıyorum. Bunlara uyduğunuz müddetçe asla sapmazsınız. (Bunlar) Allah'ın Kitabı ve Rasûlü'nün Sünneti'dir." demiş; bir başka defa ise, "Diğeri, Ehl-i beytimdir." buyurarak Sünnet-i Seniyyesinin yerine mübarek neslini zikretmiştir.

Kerbela'ya Ağıt

Bizim için sevgileri dinî bir vecibe sayılan Ehl-i Beyt'in hüznü de hepimizin gönlüne derin bir hüzün salmaktadır. Peygamber Nesli'nin maruz kaldığı belalar yine Alevîsiyle Sünnîsiyle hepimizin yüreğini dağlamaktadır.

Kendimi idrak ettiğim günden bu yana, gezip gördüğüm tekyelerde, zaviyelerde, medreselerde, sohbetlerinden istifade etmeye çalıştığım âlimlerin, âriflerin ve fazilet ehlinin meclislerinde Kerbela ile alâkalı mersiyeler okunduğuna ve bilhassa Seyyidina Hazreti Hüseyin'in maruz kaldığı zulüm hikaye edilirken herkesin hıçkıra hıçkıra ağladığına çokça şahit olmuşumdur. Alvarlı Efe Hazretleri'nin:

"Bu gün mah-ı Muharremdir, muhibb-i hanedan ağlar.

Bu gün eyyam-ı matemdir, bu gün âb-ı Revan ağlar.

Hüseyn-i Kerbela'yı elvan eden gündür.

Bu gün Arş-ı muazzamda olan âli divan ağlar.

Bugün Âl-i abanın gülşeninin gülleri soldu,

Düşüp bir ateş-i dilsuz, kamu ehl-i iman ağlar.

Güruh-i hanedana Lütfiya kurban ola canım,

İla yevmil kıyame can ile ehl-i iman ağlar." sözleri hâlâ kulağımdadır; bunlar söylenirken duygu pınarlarımızın coştuğu ve gözlerimizin yaşlarla dolduğu da hafızamda bugünkü gibi canlıdır.

Bu itibarla, ülkemizin, milletimizin ve topyekün insanlığın selameti hesabına, böyle ortak meselelerde bir mutabakat sağlayarak bir araya gelmemiz, karşılıklı olarak konuma saygılı davranmamız; dünkü kavga sebeplerini bugüne taşıyarak yeni çatışmalara meydan vermememiz ve asla birbirimizi suçlayıcı söz, tavır ve davranışlara girmememiz gerekmektedir.

Düşünün ki, günümüzde dünyanın huzuru adına, Hristiyan ya da Yahudi, bütün Ehl-i Kitap'la belli ölçüde bir kısım mutabakatlar sağlamaya çalışıyoruz. Hatta şimdilerde hoşgörülmesi icap eden hususların mevcudiyetine imada bulunmuş olmamak için "hoşgörü" tabirini bile kullanmamaya özen gösteriyoruz; "herkesin konumuna saygı" anlayışıyla hareket ediyoruz. Dahası, insanlık fasl-ı müştereğinde buluşarak herkesle bir nevi tanışıklık kurma vesilelerini kolluyoruz; Ehl-i Kitap olsun olmasın hemen her insanla diyalog yolları araştırıyoruz.

Öyleyse, en uzaktaki kimselerle dahi diyaloğa geçme, onların konumlarına saygılı davranma, müşterek değerler üzerinde uzlaşma, insanî birikimleri paylaşma ve dostluk köprüleri kurma yolları araştırdığımız bir dönemde, asırlarca kader birliği yapmış olduğumuz insanlarla evleviyetle bir araya gelmemiz ve el ele vermemiz gerekmez mi? Belli devirlerde, teferruata ait bir kısım meselelerde ortaya çıkmış olan farklı inançları, farklı anlayışları ve farklı yorumları bahane etmekten, onlar sebebiyle bölünüp parçalanmaktan ve türlü türlü isnadlardan dolayı birbirimizi üzmekten uzak durmamız icap etmez mi?

Diğer taraftan, şayet elinizdeki değerlere saygı duyulmasını ve sâir insanların da onlardan istifade etmelerini istiyorsanız, başkalarına ve onların değerlerine karşı saygılı davranmalısınız. İnsanlardan saygı görmenizin ve değer ölçülerinizden onları da istifade ettirmenizin biricik yolu onların anlayışlarına, hissiyatlarına ve değer atfettikleri hususlara saygılı olmanızdır. Siz saygı ortaya koyar ve onların değerlerine saygılı olursanız, onlar da saygıyla mukabelede bulunur ve değerlerinize karşı saygılı davranırlar. Şayet, siz aslı faslı olmayan uyduruk sözlerle karalamaya kalkar ve insanları sürekli zan altında tutarsanız, onları hem saygısızlığa zorlamış hem de güzelim değerlerinizden mahrum bırakmış olursunuz. Siz onlara karşı belli ölçüde açılmaz, muvakkaten dahi olsa kendinizi onların yerine koymaz ve duygularını idrak etmeye çalışmazsanız, onlara kendinize doğru bir adım dahi attıramazsınız. İnsanî değerler çerçevesinde, vatan ve cihan sulhü adına birbirinizden istifade etmeniz, birbirinize yardımcı olmanız ve yaşanılır bir dünya kurmanız, muhataplarınıza karşı anlayış göstermenize ve biraz empatiye bağlıdır. Bu husus, hem Müslümanlar ile Ehl-i Kitap arasındaki diyalog açısından hem de Sünnî Alevî münasebetleri zaviyesinden geçerli ve çok önemlidir.

Bu açıdan, bugün ister Alevîlerin ister Sünnîlerin isterse de aynı meşrebe bağlı değişik kolların temsilcilerinin birbirlerine anlayışla ve konuma saygı düsturuyla yaklaşmaları lazımdır. Herkesin ön yargılardan, vehimlerden, su-i zanlardan arınması ve hem kendisinin, muhatabından istifade edebileceğine hem de bazı hususlarda ona yardımda bulunabileceğine inanması gerekmektedir. Bu inançla, her kesimin dostluk çizgisinde bir araya gelmesi, bir grup kardeşlik eli uzatırken öbürünün güllerle mukabele etmesi ve bir taraf Ehl-i Beyt muhabbetiyle coşarken diğerinin de onun heyecanına ortak olması icap etmektedir.

Muharrem'de Oruç Açma Yemeği

Soru: Efendim; Muharrem ayı vesilesiyle düzenlenen, basına Alevî İftarı olarak yansıyan, sayın Başbakanımızın da iştirak ettiği ama bazı Alevî örgütlerinin tepki gösterdiği "oruç açma yemeği"yle alâkalı düşüncelerinizi lutfeder misiniz?

Cevap: İsteyen istediği davete icabet eder, istemeyen de etmez. Fakat, iftara katılanlara "düşkünlük yaptırımı" uygulanacağının ilan edilmesi yanlıştır. Bilindiği üzere, Alevî inancına göre, düşkün ilan edilenlerle her türlü irtibat kesilmekte, sadece onların cenaze namazları kılınmaktadır. Davete icâbet etmeme konusunda bazı mazeretler kabul edilebilecek olsa da, iftara gidenler hakkında boykot kararı almak, onları bir nevi aforozla tehdit etmek ve tertip heyetini gizli maksatlar taşımakla suçlamak kat'iyen doğru değildir. Niyetleri sadece Allah bilir; hiç kimse iç okumaya kalkışmamalıdır. "Bu iftarı düzenleyenler, yalnızca siyasî bir yatırım yapmak istediler." diyenlere, Allah Rasûlü'nün (sallallahu aleyhi ve sellem) bir münasebetle Hazreti Üsame'ye buyurduğu ve ahlak-ı âliyesi, âdet-i nebeviyesi açısından hep aynı çizgide davrandığı üzere, "Hel şekakte kalbehu - Yarıp da kalbine mi baktın?" dense sezâdır.

Bugün akl-ı selim ve ehl-i vicdan herkes artık ayrılıktan, iftiraktan, ihtilaftan gerçekten dilgir ve dağidar olmuş bir hâldedir. Söz ve imkan sahibi insanlar, bu problemi çözebilmek ya da en azından küçültebilmek için buldukları her çareye başvurmaktadırlar. Mesela; bu çarelerden bir tanesi yabancı ülkelerin devlet başkanlarıyla, başbakanlarıyla ve devlet adamlarıyla bir araya gelip medeniyetler diyaloğu tesis etmeye çalışmaktır. Cihan sulhü açısından önemli olan bu gayretlerin yanı sıra, ülkemizin huzur ve barış atmosferine kavuşması için de, toplumun her kesiminden insanların aynı çatı altında, aynı sofra etrafında toplanmaları ve yan yana, omuz omuza ortak dertlere derman aramaları gerekmektedir. Evet, kalbleri ancak Allah bilir; onca insanın belli garazlarla ve başka maksatlarla o iftara katıldıklarını iddia etmek, en azından çokları hakkında su-i zan ve büyük bir haksızlıktır. Diyalog niyetiyle uzatılan elleri garaz arama neticesinde karşılıksız bırakmak ne kadar kabalıksa, bir araya gelmeye gerek olmadığı düşüncesiyle o türlü toplantıları bâtıl görmek ve bu işin bütün bütün aleyhinde olmak da aynı ölçüde kabalıktır.

Medenîler konuşa konuşa anlaşma taraftarı olmalı ve hemen her fırsatta bir araya gelmelidirler ki, herkes kendi güzelliklerini sergilesin, kendi doğrularını seslendirsin, kendi değerlerini temsil etsin ve böylece insanlar birbirlerini tanısınlar; karşılıklı vehimlerden, kötü düşüncelerden kurtulsunlar ve ortak noktalarda buluşsunlar.

Aslında, Habîb-i Ekrem (sallallahu aleyhi ve sellem) Efendimiz'in mescidine gayr-i müslimler giremezler. Fakat, bizzat Allah Rasûlü, henüz İslam'a uyanmamış pek çok insanı orada misafir etmiştir. Onlar da, Ashâb-ı Kirâm'ın, İnsanlığın İftihar Tablosu'na karşı hürmetlerini, tavır ve davranışlarını, kendi aralarındaki muamelelerini, oturup kalkmalarını, yeme içmelerini görmüş; haklarında pek çok güft u gû duydukları bu insanları kendi nazarlarıyla değerlendirmiş ve ekseriyet itibarıyla bütün su-i zanlarından arınarak itminana ermişlerdir.

Ezcümle; Rehber-i Ekmel Efendimiz, uzun süre mü'minlerle beraber kalıp onları yakından tanıma fırsatı bulan birisine, "Lâilâhe illallah Muhammedün Rasûlullah" demesini söyleyince, o bu teklifi kabul etmemiştir. Bunun üzerine, Şefkat Peygamberi ikraha başvurmayıp onu salıvermiştir. Adamcağız oradan biraz uzaklaşınca bir güzel gusletmiş, sonra Allah Rasûlü'nün yanına dönüp "Şayet, ilk teklifinizi kabul etseydim, cebren şehadet getirmiş olurdum; baskıyla ve zorla Müslüman olduğum düşünülebilirdi. Fakat, şimdi hür bir insanım ve kendi irademle geldim!" demiş ve iman ikrarında bulunmuştur. Evet, temsilin gücü onu cezbetmiştir.

İşte, ister Alevî ister Sünnî, sürekli insanların kusurlarını arayacağına, gayr-i vaki beyanları hakikatmiş gibi kabul ederek bir kesimi yerden yere vuracağına ve böylece uzlaşma yolunu tıkayacağına, kendi değerlerini güzel bir temsil ile sergileme usulünü tercih etmeli değil midir? Şayet, bazı güzellikleriniz varsa, içinizin yansıması olan görüntünüzle onları insanların önüne bir ziyafet sofrası gibi sererek herkesi istifade ettirme imkânına sahipken, neden ihtilaflı mevzuları gündeme getirerek hep uzak kalma, ayrı yaşama ve yersiz şüphelerle toplumu parçalama yoluna gidesiniz ki?!. Devamlı karşıdakini suçlama ve başkalarını zan altında bırakmayla ne siz bir yere varabilirsiniz ne de içtimaî uzlaşma zeminini yakalayabilirsiniz. Uzlaşma, biraz göz yummaya ve farklılıkları görmemeye bağlıdır. Müşterek olan meselelerde mutabakat sağlar ve el ele tutuşursanız, ancak o zaman ittifaka açılabilir ve huzur içinde yaşayabilirsiniz.

Kitabî Alevîlik

Soru: Seneler önce Alevîlerin şifahî kültürlerini yazılı kültür hâline getirmeleri gerektiğini ifade etmiştiniz. Böyle bir çalışmaya ihtiyaç duyulmasının sebepleri nelerdir?

Cevap: Zannediyorum, artık çokları bu ihtiyacın farkındalar ve bunun mutlaka yapılması gerektiğine inanıyorlar. Fakat, maalesef, sayıları az da olsa, bir kesim hep art niyetli davrandıklarından, başkaları hakkında su-i zan ediyor ve onların da gizli maksatları olduğunu düşünüyorlar; dolayısıyla, en masum ve faydalı taleplerin ya da tekliflerin dahi karşısında yer alıyorlar.

Keza, Diyanet İşleri Başkanlığı'nın, Alevîliğin klasikleşmiş on yedi kitabını basma kararı bazıları tarafından tepkiyle karşılandı. Kimileri bunu, Alevîleri asimile etmenin bir parçası olarak gördüler. Oysa, meseleye daha mülayim yaklaşılabilir; o işin mükemmel ve herkesin kabulüne şâyeste şekilde yapılması için neler lazımsa, o hususlar seslendirilebilir ve neticede bu eserler toplumun tamamı için çok önemli birer kaynak hâline getirilebilirdi. Böylece, insanları farklı mülahazalara sevk edecek ve ayrı düşürecek unsurların da önüne geçilmiş olurdu. Zira, temel kitaplar ölçü ittihaz edilmezse, bazen heva ve heves fikir suretine bürünebilir ve hissiyat, düşünceleri belirleyip onlara yön verebilir. Evet, belli başlı disiplinler fertlerin inisiyatifine bırakılırsa, şahsî mülahazaların önü alınamaz ve asla birlik sağlanamaz. Kat'iyen, Alevî dedelerine, babalarına, mürşitlerine, pirlerine ve rehberlerine itiraz etmiyorum. O bir sistemdir; madem onlar saygı duyuyorlar, kendilerine hürmet edilen insanların saygınlığıyla uğraşmak doğru değildir. Ne var ki, genel telakkiye ait meseleleri sağlama bağlamanın ve sarsılmaz bir zemine oturtmanın yollarından en önemlisi; falanın beyanı, filanın ictihadı, şunun tahrici, bunun istinbatı... yerine, bu mevzuda büyük kabul edilen insanların kaynak sayılan kitaplarına başvurmaktır.

Bu itibarla, Alevîler de, kendilerince önemsedikleri ve yanılmaz saydıkları insanların kitaplarını bir edisyon kritikten geçirerek, baştan sona tahkik ederek ve günümüzün imkanlarıyla kullanıma daha elverişli şekilde basarak herkesin istifadesine sunabilirler. Böylece, insanları asıl kaynaklarla yeniden buluşturarak, birleşmek ve uzlaşmak için sağlam bir zemin hazırlamış olurlar. Bir kere daha ifade etmeliyim ki, şayet meseleler şahısların ictihadlarına bırakılacak olursa, çok farklı görüş ve anlayışlar ortaya çıkar; hakkı kendinde görmeler, bölünmeler ve kavgalar devam eder gider. Dahası, şartlar değiştikçe ve konjonktür farklılaştıkça, ictihadların mahiyetleri de değişir ve altından kalkılamayacak ihtilaflar zuhur eder. Bunlar da toplumu hep böler, parçalar; anlaşmadan ve uzlaşmadan alıkoyar. ·

İşte bu mülahazalarla, senelerce önce Alevîlerin ileri gelenlerine,

"Şayet 'Bizim de bir kütüphanemiz olsun; İmam Cafer-i Sadık'ın Buyruk'u, Hacı Bektaş Veli'nin Makalât'ı, Besmele Tefsiri, Fuzulî'nin Hadikatü's-Süeda'sı, Mevlâna'nın Mesnevi'si, Yunus'un Divan'ı, Hoca Ahmet Yesevi'nin Farkname'si gibi kaynaklarımız orada bulunsun! Vicahî kültürü kitabî kültür hâline getirelim, hem biz okuyalım hem de çocuklarımıza miras bırakalım!' diyorsanız, biz bu mevzuda size elimizden geldiğince yardım edelim." dedim. Bu teklifimde o kadar samimi davrandım ki, "İmkânınız olmadığından dolayı cemevi yapamıyorsanız, alın burayı kullanın ya da şurayı kültür lokali yapın, demek isterdim; fakat, bazıları bunu yanlış yorumlar ve dile düşürürler. Siz kendiniz yapın ki, kimse bu işi değişik garazlardan dolayı akâmete uğratmasın. Biz de gücümüzün yettiği kadar size yardımda bulunalım." diye ekledim.

Cemevi ve Uzlaşma Zemini

Soru: Cemevi açma konusunda da yardımda bulunmayı mı teklif etmiştiniz?

Cevap: Evet, o mevzuda da teklifim olmuştu. Gerçi, cemevinin statüsü meselesi, anayasanın belirlediği çerçeveye uygun olarak ancak devletin bileceği ve takdir edeceği bir konudur. Fakat, şahsî kanaatime göre, bazı yerlerde caminin yanında bir tane de cemevi yapılmasında hiçbir mahzur yoktur. Hatta, bir üniversitemiz olsa, onun kampüsünde Yahudiler kendi dinlerini talim etseler, aynı yerde Hristiyanlar kendi enstitülerini açsalar; orada Müslümanların da hususiyle ilahiyat fakülteleri yer alsa; dahası, değişik mezheplerin esaslarının öğretildiği kürsüler bulunsa.. o tek saha içinde, her inanç ve düşüncenin temsilcileri bazen koridorda yürürken, bazen bahçede dolaşırken, bazen parkta otururken ve bazen de kafeteryada çay içerken bir araya gelseler... Zannediyorum, o atmosferi paylaşan insanlar, zihinlerine kazınan "öteki" imajının hiç de doğru olmadığını görecek ve hiç farkına varmadan birbirlerine karşı ısınacaklardır; bir süre sonra da el sıkışacak ve birbirlerini anlamaya çalışacaklardır. Dolayısıyla, aralarındaki o sun'î nefret duygusu zamanla silinecek ve herkesin konumuna saygı anlayışı onun yerine geçecektir. İşte, mesele bu seviyede bir birliğe ve beraberliğe ulaştırılınca, onun tesirleri tabana da intikal edecek ve bir uzlaşma havası her yana hakim olacaktır. Bu arada, kendi beslenme kaynaklarının doğruluğundan şüphe etmeyen kimselerin böyle bir beraberlikten endişe duymaları da söz konusu değildir.

Kanaatimce, Alevîlere karşı da benzer bir yaklaşım sergilenmesi gerekmektedir. Keza, onların, cemevinde kendilerine göre ibadet yapmalarına imkan verilmelidir. Evet, az önce de belirttiğim gibi, cemevine resmen ibadethane statüsü tanıma gibi mevzular ancak anayasa ve kanunlar dahilinde devlet kurumlarının belirleyebileceği hususlardır; onlar beni ve şahısları aşan konulardır. Ne var ki, kendi hissiyatım açısından, Alevîlerin ülkenin birlik ve beraberliğine zarar vermeyecek, anarşiye ocaklık ve yataklık yapmayacak ve bir kısım asîleri bağırlarında barındırmayacak şekilde cemevinde toplanmalarında, orada semah yapmalarında, ibadetlerini yerine getirmelerinde ve kendilerine göre bazı manalar atfettikleri âdetlerini icra etmelerinde bir sakınca görmüyorum. Bu cümleden olarak, cemevlerinin vicahî kültürden ziyade kitabî kültürün hakim olduğu mekanlar hâline getirilmesinde fayda mülahaza ediyorum.

Bu düşünceler ışığında, biz 1990'lı yıllarda Türkiye'de bulunan bütün farklı dinlerin müntesipleriyle, azınlıkların temsilcileriyle, değişik inanç, düşünce ve mezheplerin tâbîleriyle belli mekanlarda toplanmış, aynı sofra etrafında bir araya gelmiş, yan yana oturmuş; birbirimizi dinlemiş, karşılıklı mülahazalarımızı anlatmış ve fikir alış verişinde bulunmuştuk. Hoşgörü ve diyalog meltemlerinin estiği o dönemde, bazı Alevî temsilcileriyle de görüşme imkanı bulmuş; Alevî Sünnî münasebetleri, cemevi meselesi, kitabî kültüre geçiş mevzuu gibi konularla alâkalı hissiyatımızı ve kanaatlerimizi dile getirmiştik. Heyhat ki, Türkiye'de birlik ve beraberlikten hoşlanmayanlar, o dostluk atmosferini dinamitlediler. Dolayısıyla, mevzuyla ilgili ihtiyaçları ve yapılması gerekenleri takip etme, aramızdaki irtibatı daha da kavîleştirme imkanımız olmadı. Yoksa, o günlerde el eleydik, omuz omuzaydık, çoklarıyla bir problemimiz yoktu; hemen herkesle görüşüyor ve barış içinde yaşayıp gidiyorduk. Fakat, maalesef, halk ifadesiyle diyeyim, o dalgaya taş attılar, mütedahil halkaların insicamını bozdular ve huzur bozucular kendi açılarından turnayı gözünden vurdular.

Ne var ki, o güzel gidişat engellendi diye bu meseleyi olduğu gibi bırakmamalıyız; "vira bismillah" deyip yeniden işe koyulmalı, kaldığımız yerden devam etmeli, birlik ve beraberliğimiz için gerekli olan her şeyi yapmaya çalışmalıyız. Nasıl ki, Anadolu'nun fedakâr insanları, hususiyle Güneydoğu illerimizde kurban eti dağıtırken ve fakirlere yardım ederken herhangi bir ayırım yapmadılar; gittikleri yerlerde Sünnî, Alevî, Nasturi, Nusayri, Süryani ve Ermeni... yani, hemen her soydan ve inanıştan kimselerle karşılaştılar ama onlar, muhataplarının etnik ya da dinî kökenine bakmadan yardımda bulundular. İşte, bundan sonra da aynı şekilde davranmalı ve ırkî mülahazalara girmeden, mezhep farklılığı gözetmeden, meşrep ayrılığını "öteki" saymaya vesile etmeden mağduriyet yaşayan herkesin imdadına koşmaya gayret göstermeliyiz. Sosyal coğrafyadaki bütünlüğü nazara almalı, ona göre bir hizmet için yol haritası belirlemeli ve toplumumuzun partiküllerini oluşturan herkese karşı aynı saygı ve sıcaklıkla muamele ederek -

Allah'ın izniyle- ihtilafların ve iftirakların önünü kesmeliyiz. Bu arada, hiç unutmamalıyız ki, Türkiye'deki bütün bölünmelerin, parçalanmaların, ihtilafların, terörü besleyen aykırılıkların ve fitnelerin arkasında bilhassa dış güçler ve onların içerideki uzantıları vardır. Bazı kesimleri karalama ve zan altında bırakma kasdıyla ortaya atılan ithamların, isnatların ve iftiraların pek çoğu da bu şer şebekeleri tarafından ihdas edilmekte ve halk arasında yayılmaktadır. Dine, diyanete, inanca, anlayışa, felsefeye ve mezhep telakkisine karşı hakaret içeren sözler de ekseriyetle onlar tarafından üretilmektedir. Bu şerirler, en masum faaliyetleri dahi bir kısım gizli gayelere bağlıymış gibi göstererek onlara karşı itiraz seslerinin yükselmesini ve o hayırlı işlerin baltalanmasını sağlamaktadırlar. Maalesef, her dönemde, her şeyden habersiz bazı kimseleri de kendi yanlarına çekerek ülkemizde sulh ve sükunun yerleşmesine mani olmaktadırlar.

Bu itibarla da, birlik, beraberlik ve uzlaşma adına ortaya koyacağımız gayretler her zaman herkes tarafından tasvip edilmeyebilir; bazı kimseler yaptıklarımızı isabetli görmeyip itirazda bulunabilirler. Fakat, bu itirazlar bizi yolumuzdan alıkoymamalıdır. Bildiğiniz gibi, diyalog adına dünyaya açıldığımız zaman, belli bir kesim "Hristiyanlığa ve Yahudiliğe taviz veriliyor, misyonerlik güçlendiriliyor, din elden gidiyor!" gibi hezeyanlarını yüksek sesle dile getirmişlerdi. Şimdi buyursunlar; dünyadaki iftirakı, ihtilafı ve terörü durdursunlar; bütün Müslümanların alınlarına "terörist" lekesinin çalınmasına mani olsunlar!.. Bir gün onlar da anlayacaklardır ya da bugün anlamışlardır ki, bunun yegâne çaresi; insanları bir araya toplama, uzlaştırma, barıştırma ve onları hayatı paylaşmaya hazır hâle getirmedir. Dolayısıyla, iftirakı ve ihtilafı bertaraf etmek için ne türlü gayretlere ihtiyaç varsa, bunların hepsi eksiksiz ortaya konulmalı ve bu hususta kınayanların kınamalarına asla aldırılmamalıdır.

Rehin Bırakılan Zırh

Soru: Onca zengin sahabînin varlığı da düşünülünce, Cenâb-ı Hakk'a yürüdüğü esnada Rasûl-ü Ekrem (sallallahu aleyhi ve sellem) Efendimiz'in mübarek zırhının bir Yahudide rehin oluşunun ifade ettiği manalar ve bize verdiği mesajlar nelerdir?

Cevap: Buhârî ve Müslim gibi muteber hadis kitaplarının muhtelif rivâyetlerinde nakledildiğine göre; Allah Rasûlü (aleyhissalâtü vesselam) bir Yahudiden veresiye yiyecek satın almış ve borcuna mukabil demirden mâmul zırhını rehin bırakmıştı. İnsanlığın İftihar Tablosu (sallallahu aleyhi ve sellem), bu borcu ödeyemeden âhirete irtihal buyurmuş; ne zaman sonra, Hazreti Ebû Bekir (radıyallahu anh) bedelini vererek Nebî yadigârı mübarek zırhı rehin olmaktan kurtarmış ve onu Hazreti Ali'ye (radıyallahu anh) emanet etmişti.

İstiğnâ İnsanı ve Beklentisizlik

Aslında, Rasûl-ü Ekrem'in irtihal-i dâr-i bekâ buyurmasından evvel, ümmet-i Muhammed (aleyhissalâtü vesselam) arasında da çok zengin insanlar vardı. Hazreti Osman ve Abdurrahman b. Avf (radıyallahu anhüma) servetinin çokluğuyla meşhur sahabîlerin sadece ikisiydi. Onlardan başka, oldukça geniş imkanlara sahip bulunan, Medine'de ticarete hâkim olan, Kaynuka, Kureyze ve Nadr pazarlarına ağırlığını koyan mü'minler de mevcuttu. Şayet, Habîb-i Ekrem (sallallahu aleyhi ve sellem) Efendimiz, onlara azıcık bir imada bulunsaydı, Ashâb-ı Kirâm bütün servetlerini ortaya dökerlerdi.

Zira, onlar, mal-mülk bir yana, kendilerinden canları istendiğinde dahi hiç tereddüt etmeden öne atılmışlardı. Bedir, Uhud ve Hendek başta olmak üzere bütün mücahede meydanlarında, Rasûlullah'ı korumak için kendi hayatlarından seve seve vazgeçmeye hazır olduklarını isbat etmiş, gerektiğinde başlarını ve kollarını O'na kalkan olarak kullanmışlardı. Onlardan bazıları birer şehit olarak öteye kanatlanmış; kimileri de sıranın kendilerine gelmesini iştiyakla beklemişlerdi. Nebîler Sultanı'nın uğrunda ruhlarını dahi feda etmeye âmâde bulunan bu hasbîler için servet ü sâmânın, mal-mülkün hiç sözü olmazdı. Küçük bir işaret görselerdi, bütün varlıklarını çok rahatlıkla verebilirlerdi.

Şu kadar var ki, İstiğnâ İnsanı (aleyhi ekmelüttehâyâ vettesli-mât) Sahabe-i güzîne borçlansaydı, onlar, verdiklerini kat'iyen borç olarak görmez ve onu asla geri almazlardı. Hele Hazreti Sâdık u Masdûk'un zırhını borcun teminatı olarak ellerinde tutmaya hiç yanaşmazlardı. İşte, İnsanlığın Medâr-ı Fahrı, böyle bir minnet altında kalmaya kesinlikle razı olamayacağından dolayı, Ashâb-ı Kiram'dan değil de bir Yahudiden borç istemiş ve karşılığında kalkanını rehin bırakmıştı.

Dahası, Nezâhetin Hülâsâsı (aleyhissalâtü vesselam) ashabından borç almayı istiğna anlayışına muvafık bulmamış; onlardan hiçbir dünya malı istememeyi, risâlet vazifesine karşılık ücret beklememe esasının icabı saymıştır. Din-i Mübîni tebliğ ve temsil etmesine, insanlara saadet-i dareyn vesilelerini bildirmesine ve hususiyle Sahabe'ye Cennet yolunu göstermesine mukabil en küçük bir menfaat talep etmediğini bu vakıayla bir kere daha ortaya koymuş ve dava-yı nübüvvetin vârislerine yine hüsn-ü misal olmuştur.

Evet, beklentisizlik Peygamberlik mesleğinin şiarıdır; insanları kurtarmak için kendi hayatını istihkâr ederek her gün ölüp ölüp dirilme, sürekli çalışma, hep koşturma, zahmet çekip meşakkatlere katlanma ama bütün bunlara bedel hiçbir ücret istememe irşad yolunun hususiyetidir. Nitekim, Hazreti Nuh, Hazreti Hûd, Hazreti Salih, Hazreti Lût ve Hazreti Şuayb (Allah'ın salat ve selamı Efendimizin ve bütün peygamberlerin üzerine olsun) hep aynı cümleyi tekrar etmiş; "Bu hizmetten ötürü sizden hiçbir ücret istemiyorum. Benim ücretimi verecek olan, ancak Rabbülâlemîn'dir" (Şuarâ, 26/109) diyerek, bütün peygamberlerin ortak duygu ve düşüncesini dile getirmişlerdir. Mevlâ-yı Müteâl, Sultân-ı Rusül Efendimiz'e, "De ki: Sizden bu hizmetim için hiçbir ücret istemiyorum, malınız sizin olsun! Benim ücretim yalnız Allah'a aittir ve O, her şeye şahittir." (Sebe', 34/47) buyururken de, nübüvvetin bu ulvî yönünü nazara vermiştir.

Bu itibarla, Hazreti Ruh-u Seyyidi'l-Enâm (aleyhi elfü elfi salâtin ve selâm) Efendimiz'in Ashâb-ı Kirâm'dan borç istememesi O'nun mutlak istiğnasının ve beklentisizliğinin gereğidir. O, "Ben size dini öğrettim, haydi siz de bana diyet ödeyin!" manasına gelebilecek en ufak bir tavra kat'iyen girmemiş, hiçbir zaman bunun imasında bile bulunmamış ve o şekilde anlaşılabilecek her şeyden uzak durmuştur.

Bir Vesile Arayışı

Fakat, Rasûl-ü Ekrem'in bir Yahudi ile alış verişinde aynı mahzur söz konusu olamaz. Çünkü, o Yahudi, kendisini O'na minnettar kabul etmemektedir; dolayısıyla, Allah Rasûlü'nün ondan borç istemesinin zımnen de olsa risâletine bedel arayışı şeklinde anlaşılması mümkün değildir. Öyleyse, ailesinin iaşesini temin etmek maksadıyla ondan veresiye yiyecek satın alması ve minnet altına girmemek için de borcuna mukabil zırhını rehin bırakması gayet tabiîdir.

Ayrıca, Rehber-i Ekmel Efendimiz'in bu davranışında bazı dini kaideleri vaz' etmek gibi daha pek çok hikmet gizlidir. Mesela; Allah Rasûlü, bu uygulamasıyla, Ehl-i Kitap'la alış veriş yapılabileceğini göstermiştir. Müşriklerle ticarî muamelelerde bulunma yerine, şöyle böyle bir hukuka sahip olan ve mübayaa, rehin ve ipoteke dair bazı kuralları gözeten Ehl-i Kitap'la alış veriş yapmayı tercih etmiştir.

O devirde, Medine çevresinde Yahudîlerin Hristiyanlardan daha fazla olmaları ve zenginlikleri de ayrı bir faktördür. Onlar ticarette ve maddî servette önde geliyorlardı; dolayısıyla, ille de borç alınacaksa onlardan alınırdı. Dahası, tahıl ürünlerini ekseriyetle onlar satarlardı. Bu açıdan da, Peygamber Efendimiz'in onlardan birinden yiyecek satın alması normaldir.

Diğer taraftan, İki Cihân Serveri'nin (aleyhissalâtü vesselam) herkesle bir çeşit münasebet kurup her insanı kazanmaya çalıştığı da hatırdan dûr edilmemelidir. İhtimal, Fazilet Güneşi, bir alış veriş vesilesiyle de olsa, o insanla irtibata geçip onu da iman nuruyla aydınlatmayı dilemiştir. Nitekim, Kâinât'ın Fahrı Efendimiz, hayat-ı seniyyelerinde İslâm'a sığınan ya da mü'minlere karşı düşmanlık yapmayan herkese iyi davranmış ve onlara ikramda bulunmuştur. İslam'ın zimmetini kabul edenleri, hukukta Müslümanlarla bir tutmuş; her fırsatta, âlemlere rahmet olduğunu onlara da hissettirmiştir: Davet ettiklerinde davetlerine icabette bulunmuş, cenazelerine saygı göstermiş ve hastalarını ziyaret etmiştir. Özellikle, Müslümanların vesâyâsı altında bulunanları hep aziz tutmuş ve imanın vaadettiği güzellikleri görmeleri için onlara uygun zeminler hazırlamıştır.

Allah Rasûlü'nün Zühdü

Meselenin bir diğer yanı, Rasûl-ü Ekrem'in (sallallahu aleyhi ve sellem) zühdü ve dünya karşısındaki duruşudur. Gerçek İnsân-ı Kâmil, zühde bağlı bir hayat sürme, istikbal endişesi taşımama, mal-mülk biriktirmeme ve tûl-i emele girmeme husûsunda, ailesine yiyecek alabilmek için zırhını rehin verecek kadar titiz yaşamıştır. Halbuki, dileseydi mal-mülk sahibi olabilirdi ve kimseye borçlanmak zorunda kalmazdı; fakat, O dünyayı sadece bir misafirhane olarak görmüş, onun güzelliklerinden sarf-ı nazar etmiş ve asıl ebedî âleme ait işlere alâka göstermiştir. Habîb-i Edîb (aleyhissalâtü vesselam) Efendimiz, "Benim dünya ile ne alâkam olabilir ki?!. Şu yeryüzündeki hâlim, bir ağacın altında gölgelenip azıcık dinlendikten sonra yoluna devam eden yolcunun hâline benzer." buyurmuş ve mübarek şahsî hayatı itibarıyla hiçbir zaman yarınları düşünmemiş, gelecek günler için herhangi bir maddî hazırlık peşine düşmemiştir. Mezar taşlarına nakşedilmesiyle meşhur şu sözler, Allah Rasûlü'nün dünyaya bakışının hülâsâsı gibidir:

"Çeşm-i ibret ile bak dünya misafirhânedir
Bir mukim âdem bulunmaz ne aceb kâşânedir,
Bir kefendir sermayesi, akibet şah u gedâ,
Pes buna mağrur olan Mecnun değil, ya nedir?"

Evet, bir kefenlik sermayesinden dolayı mağrur olma cinnetine düşmeyenler, dünyaya bir misafirhane olarak bakar ve bu hayata değil, ebedî âleme, o âlemin vüsati, derinliği ve ebediyeti ölçüsünde alâka gösterirler. Ecelin ne zaman geleceği belli olmadığından dolayı da ölümün her an kapılarını çalabileceğinin şuuruyla yaşarlar. Bir Arap şairinin ifadesiyle, "El-mevtü ye'tî bağteten / Ve'l-kabru sundûku'l-amel - Ölüm ansızın çıkıp geliverir; kabir ise, amel sandığıdır." Dünya malı mezarda beş para etmez; insanın Karun kadar serveti de olsa orada işe yaramaz. Kabirde hora geçebilecek tek kıymetli metâ, sâlih ameldir; çünkü, o ancak sâlih amelleri içine alan bir sandukçadır. Bu itibarla da, akıllı insan, her an karşı karşıya kalabileceği ölüme hazırlıklı olan, beraberinde götüremeyeceği eşyaya bel bağlamayan ve hep öteler hesabına yatırımlar yapan kimsedir.

İşte, İnsanlığın İftihâr Tablosu, ömrünü hep bu anlayışa bağlı olarak sürdürmüş ve arkadan gelen ümmetine örnek olmuştu. O kendi irfan ufku, marifet enginliği ve Allah'la münasebetteki derinliği itibarıyla çok aşkın bir kulluk çizgisi takip etmişti. Evet, O'nun, kulluktaki enginliği ölçüsünde, Cenâb-ı Hak'la ve ötelerle ayrı bir münasebeti vardı ki, biz buna "sübjektif mükellefiyet" ya da "sübjektif ubudiyet" diyoruz. Zira, Allah Rasûlü bunu tamim etmiyor, herkesten aynı çizgiyi izlemelerini istemiyordu; insanları zora koşmamak ve onlara takatlerinin üzerinde bir mesuliyet yüklememek için hep "yüsr" yolunu gösteriyor ve dinin özündeki kolaylığa dikkat çekiyordu. Fakat, kendisi o kulluğu en ağır şekliyle götürüyordu ve böylece, bazı yüksek himmetli insanlara da ibadetten öte ubudiyet ve ubudet zirvesini işaret ediyordu.

Bu açıdan, Muktedâ-yı Ekmel Efendimiz, dünyanın en zâhid insanıydı; hem kendisi hem de ailesi için sade bir hayatı seçmişti. Şüphesiz bu sadelik dünya nimetlerinden mahrum olmaktan kaynaklanmıyordu. Nitekim, Rasûl-ü Ekrem (sallallahu aleyhi ve sellem) henüz dünya itibarıyla hayattayken Müslümanlar geniş araziler fethetmiş, büyük ganimetler kazanmış ve çeşitli zenginlik kaynakları elde etmişlerdi. Hatta, bu sayede, daha önce hiç malı bulunmayan pek çok sahabî servete kavuşmuştu. Buna rağmen, Hazreti Fahr-i Âlem'in saadet hanesinde hâlâ haftalarca bir çorbanın dahi pişirilemediği dönemler olurdu.

Ezvâc-ı Tâhirât'ın Tercihi

Şu kadar var ki, Nebîler Serveri'nin eşleri de birer beşerdi; her insanda bulunan bazı duygular onlarda da zaman zaman hükmünü icra ediyordu. Hane-i Saadet'te vahiyle besleniyor olmalarına rağmen, dünya nimetlerine karşı tabii alâka onların içlerinde de bir ölçüde canlılığını koruyordu. Gerçi, o huzur atmosferinde, bugünkü evlerden yükselen şikayet edalı sesler hiçbir zaman duyulmamıştı; fakat, birkaç kere, onların da günde bir-iki öğün yemek yeme ve herkesin istifade ettiği kadar dünyadan istifade etme arzuları ve bu arzularını açığa vuran imaları olmuştu. Cenâb-ı Hakk'ın mü'minlere bol bol nimetler lutfettiğini görünce, Ezvâc-ı Tâhirât da kendilerine verilen nafakanın arttırılması hususunda Gönüllerin Efendisi'ne başvurmuşlardı. Fakat, Ufuk İnsan (aleyhissalâtü vesselam) zevcelerinin bu müracaatından hiç memnuniyet duymamış; bilakis, oldukça üzülmüş ve hoşnutsuzluğunu belirtmişti.

Hatta, Habîb-i Ekrem (sallallahu aleyhi ve sellem) Efendimiz, eşlerinin daha fazla nafaka talep etmelerinden dolayı o kadar hüzünlenmişti ki, hücre-i saadetine kapanmış ve bir süre hiç kimseyle görüşmek istememişti. Bunun üzerine, Allah Teâlâ, Kutlu Nebî'ye eşlerini dünya nimetleri ile kendisi arasında dilediklerini seçmekte serbest bırakmasını emretmişti. Hikmetin Lisân-ı Fasîhi, önce Hazreti Aişe (radıyallahu anha) validemizle konuşmuş ve ona "Sana bir şey söyleyeceğim, ama anne ve babana danışmadan acele ile karar vermeni istemiyorum!" demiş; sonra da, "Ey Peygamber, eşlerine de ki: Eğer dünya hayatını ve süsünü istiyorsanız, gelin size boşanma bedellerinizi vereyim ve sizi güzelce boşayayım! Yok, eğer Allah'ı, Rasûlünü ve âhiret mülkünü isterseniz, haberiniz olsun ki Allah sizin gibi iyi hanımlara büyük mükâfat hazırlamıştır." (Ahzab, 33/28-29) mealindeki ilahî beyanı okumuştu. Hazreti Aişe, bu sözleri duyar duymaz hiç tereddüt etmeden, "Ya Rasûlallah, anne ve babama Senin hakkında mı danışacağım; hayır, ben kesinlikle Allah'ı, Peygamberini ve ahiret yurdunu tercih ediyorum!" demişti.

Aslında, o hanede İnsanlığın İftihar Tablosu'na eş olmak, pek çok sorumluluk isteyen büyük bir pâyeydi ve pek ağır mükellefiyetleri beraberinde getiriyordu. Bu itibarla da, o muallâ annelerimizin hepsi çok büyük kadınlardı; öyle ki, eğer onlardan sadece bir tanesi belli bir döneme düşmüş olsaydı, o zaman diliminin tamamını aydınlatırdı. Şayet, onlar farklı farklı devirlerde gelmiş bulunsalardı, kendi devirlerinin müceddidi ve müctehidi olurlardı. Çünkü, onlar Eşsiz Âile Reisi'nin rahle-i tedrisinde Allah'a gönülden teveccühle ve tam bir istiğna ruhu ile kıvamlarını bulmuşlar; tahammül edilmesi çok zor olan şartlara bütün bir ömür boyu katlanmışlardı. Mesela, onlar günde bir defa yiyecek bir lokma ya bulur ya da bulamazlardı. Hazreti Aişe'nin (radıyallahu anhâ) ifadesiyle, "Bazen bir ay geçerdi de, Âl-i Muhammed aleyhissalâtu vesselâm'ın hücrelerinin hiçbirinde ateş yanmazdı." Hâne-i Saadet'in güzîde fertleri sadece hurma ve su ile iktifa ederlerdi.

Evet, Habîb-i Ekrem'e zevce olma şerefine ermiş o muallâ hanımların, o hanede bulunmaları aslında bir katlanmaydı; Rasûl-ü Ekrem (sallallahu aleyhi ve sellem) Efendimiz'in istiğnasını paylaşma, zühdüne ortak olma, dünyevî zorlukları beraberce aşma ve el ele Cennet'e koşmaydı. Mü'minlerin anneleri, Rehber-i Ekmel'in yol göstericiliğiyle kullukta zirveye ulaşmış; kendilerini tamamen Allah'a adamış ve mâsivâdan bütün bütün sıyrılmışlardı. Belki, ruhlarındaki insanî duygular ve beşerî istekler topyekün silinip gitmemişti; fakat onlar, nefsanîlikten arınmaları sayesinde o hislerin yönlerini de ahirete tevcih etmiş ve insaniyette kemal derecesine yükselmişlerdi.

Öyle ki, Hazreti Aişe (radıyallahu anhâ) annemiz, Mahbûb-u Âlem (sallallahu aleyhi ve sellem) Efendimiz'den sonra kavuştuğu fevkalâde bolluğa rağmen zahidâne hayattan vazgeçmemiş; binaenaleyh, zarif ve yumuşak kumaşlardan elbise diktirebileceği hâlde, kaba ve sert giysilerle iktifa etmişti. Bir gün, üzerinde kalın Yemen bezinden yapılmış, fiyatı üç-beş dirhem olan bir elbise varken, azize validemiz, yanındakine şöyle demişti: "Gözünü çevir de, şu cariyeme bir bak! Zira, o şimdi benim giydiğim şu elbiseyi evin içinde giymekten utanır. Halbuki, Rasûlullah (aleyhissalâtu vesselâm) zamanında benim bu kaba kumaştan bir elbisem vardı; Medine'de nikah için süslenen her kadın gelip onu benden iâreten (ödünç) alırdı."

Sözün özü; İnsanlığın İftihar Tablosu (aleyhi ekmelüttehâyâ vetteslimât) zühd ve istiğna anlayışına bağlı yaşamıştı. Her zaman yaşatma duygusuyla oturup kalkmış, başkalarının sevinç ve neş'eleriyle yetinmiş; eline geçen her şeyi dağıtıp başkalarını sevindirmişti. Kendisi sade ve duru bir hayatla iktifa etmiş; basit yemiş, basit içmiş, basit giymiş ve bu çizgisini hayatının hiçbir faslında değiştirmemişti. O'na, yaşatma yaşamadan daha zevkli geliyor; yedirme yemeden daha fazla haz veriyor ve sevindirme sevinmeden daha şirin görünüyordu. Onun için, Efendiler Efendisi, bulduğu her şeyi muhtaçlara infak ediyor, bulamadığı zaman da onları vaatlerle sevindiriyordu; mutlaka her düşküne el uzatıyor, düşenleri tutup kaldırıyor, borçluların borçlarını ödüyor ve en paslı gönüllerin dahi paslarını çözerek o karanlık dehlizleri nurefşân birer "beyt-i Hudâ" hâline getirmek için her fırsatı değerlendiriyordu. Bundan dolayıdır ki, Ferîd-i Kevn ü Zaman, (aleyhissalatü vesselam) yürüyüp ötelere ulaştığında mübarek zırhı, üç-beş kuruşluk nafaka karşılığında bir dünyalı nezdinde rehin bulunuyordu.

Kur'an Müslümanlığı mı?

Soru: Bir ayet-i kerimede, Kur'ân'ın mehcur tutulduğuna dair bir Peygamber sitemi ve şikayeti görüyoruz. İlahî Beyan'ın "mehcur" ittihaz edilmesi ne demektir? Böyle bir şikayet, sadece müşriklerden dolayı mıdır; yoksa, onun inananlara ve günümüz Müslümanlarına bakan yanları da var mıdır?

Cevap: Söz konusu ayet-i kerimede, sitemde ve şikayette bulunan Rasûl, Peygamber Efendimiz (sallallahu aleyhi ve sellem) olabileceği gibi, başka peygamberler de olabilir. Bazı müfessirler, ayetin metnindeki "rasûl" ifadesini öncesi ve sonrasıyla değerlendirip, her peygamberin karşısında ilahî mesajı yalanlayıp onunla alay eden bir kısım düşmanların bulunduğunu ve dolayısıyla bütün peygamberlerin kendi kavimlerindeki adâvete kilitli bu kimselerden şikayetçi olduklarını/olacaklarını söylemişlerdir.

Ayette "Kur'ân" adının zikredilmesi ilk bakışta böyle bir anlayışa zıtmış gibi görünse de, bir yönüyle, bütün peygamberlerin suhuf ve kitaplarına "Kur'ân" denmesi münasiptir. Gerçi, tercih edilen görüşe göre, "Kur'ân" kelimesi, kök itibarıyla okumak, toplamak ve bir araya getirmek manalarına gelen "karae" fiilinden bir mastardır. Kur'ân lafzı, İnsanlığın İftihar Tablosu'na (aleyhi ekmelüttehâyâ vetteslîmât) indirilen kitaba tahsis edilmiş ve onun için özel isim (alem) olmuştur. Bununla beraber, iştikâkı (kendisinden türetildiği kök) açısından Kur'ân kelimesinin değişik manaları da vardır. Hem hepsi Allah nezdinden geldiğinden, hem tamamı öz itibarıyla aynı mesajı getirdiğinden ve hem de bütünü Cenâb-ı Hakk'a kurbete vesile olduğundan dolayı Hazreti Adem'den Seyyidü'l-Mürselîn'e (alâ nebiyyinâ ve aleyhimüsselam) kadar bütün râsullerin suhuflarının ve kitaplarının "Kur'ân" olarak anılması da mümkündür.

İlâhi Mesajın Mehcur İttihaz Edilmesi

Evet, bahis mevzuu olan ayet-i kerimede meâlen, "O gün Rasûl dedi ki: Ya Rabbî, halkım bu Kur'ân'ı (mehcur ittihaz edip) terkederek ondan uzaklaştılar!" (Furkan, 25/30) buyurulmaktadır.

Arapça'da "mehcur" kelimesi bırakılmış, metruk, uzakta kalmış, ayrı düşmüş, unutulmuş, gayr-i müstâmel, değersiz laf, saçma sapan söz ve hezeyan manalarına gelmektedir. Bu açıdan, Kur'ân'ın mehcur tutulması; onun dikkate değer görülmemesi, kabul edilmemesi, ardından gidilmemesi, terkedilmesi, arkaya atılması, -hâşâ- anlamsız ve saçma bir söz yerine konması ve alay konusu hâline getirilmesi demektir. İşte, zikredilen ayette, Allah'ın Elçisi (Rasûl) bütün bu çirkinliklerden dolayı şikayet ve sitemini seslendirmiştir.

Malum olduğu üzere, Rasûl; Allah'ın vahiyde bulunarak mesajını tebliğe memur ettiği ve kendisini kitap ve yeni bir şeriatla gönderdiği kimsedir. Nebi ise, kendisine ait müstakil bir şeriatı olmayıp, daha önce gönderilen bir peygamberin şeriatı ile hükmeden, insanlara onu açıklayan ve ona uymalarını emreden elçidir. Bir hadis-i şerifte, Enbiyâ'nın adedinin yüz yirmi dört bin veya iki yüz yirmi dört bin olduğu belirtilmiş ve bunların içinden üç yüz on be-şinin risaletle vazifelendirildikleri ifade edilmiştir. Demek ki, bizim bildiğimiz ya da bilemediğimiz daha pek çok Rasûl'e sayfalar ya da kitaplar verilmiştir. Kur'ân-ı Kerim, bunlardan sadece bazı peygam-berleri ve onlara gönderilen kitapları özel adlarıyla zikretmiştir. Kaynaklara göre; Hazreti Adem, Hazreti Şit, Hazreti İdris, Hazreti İbrahim ve Hazreti Musa (aleyhimüsselam) kendisine Suhuf gönde-rilen peygamberler arasındadırlar. Yine Hazreti Musa, Hazreti Da-vud, Hazreti İsa ve Hazreti Seyyidü'l-Mürselîn (alâ râsûlina ve aley-himüssalavâtü vetteslîmât) Efendilerimiz de kendilerine kitap veri-len rasûllerdir.

Evet, tarih boyunca pek çok peygamber gelmiş ve Allah'ın mesa-jını getirmişlerdir. Ne var ki, hemen hepsi kavimleri ya da bazı düş-manları tarafından reddedilmiş, alaya alınmış ve zulme maruz bıra-kılmışlardır. Onlarla gelen ilahî beyan yüklü sayfalar ve kitaplar da değersiz görülmüş, arkaya atılmış, bütün bütün unutulmuş ya da tahrif edilip asıl hüviyetinden uzaklaştırılmıştır. Dolayısıyla, bütün peygamberler, tebliğ ettikleri yüce hakikatlere sırt çeviren kimseler-den ahirette davacı olacaklardır.

Fakat, Allah Teâlâ Kur'ân-ı Kerim'i muhafaza buyurmuştur. Kur'ân'ı indiren de, onu koruyan da Hazreti Allah'tır. Şu kadar var ki, "Hiç şüphesiz o zikri, Kur'ân'ı Biz indirdik, onu koruyacak olan da Biziz!" mealindeki vaadinde, kibriya ve azametini vurgulamasının yanı sıra, bazı icraatına sebepleri vesile kıldığını da ima eden Rabb-i Hakîm, Kur'ân'ı indirirken Hazreti Cebrâil gibi bir elçiyi vazifelen-dirdiği gibi, onu korurken de vahiy katiplerini, onların yazdığı nüs-haları ve daha sonra da onun her harfine vâkıf hafızları vesile olarak kullanmıştır/kullanmaktadır.

Ne var ki, Kur'ân-ı Kerim'in muarızları da hiçbir dönemde eksik olmamıştır. Dünden bugüne Kur'ân'a hasım kimseler, onu ortadan kaldıramasalar ve tahrif edemeseler bile, insanları ondan uzaklaştırmak için var güçleriyle çalışmışlardır. Daha vahyin başlangıcından itibaren, Mekke'deki müşrikler de tıpkı selefleri gibi, Allah'ın mesajına sırt çevirmişlerdir. Kur'ân'ın özellikle ahiretle alâkalı ayetlerine "Bunlar esâtîru'l-evvelîndir" demiş, Kelâm-ı İlâhî'yi "evvelkilerin uydurma masalları"na benzetmiş, sürekli kendi atalarının yolunu dillendirmiş ve insanların iman etmelerine mani olmaya gayret göstermişlerdir. İşte, o dönemdeki müşriklerin yaptıkları da Kur'ân'ı mehcur ittihaz etmek demektir.

Mezkur ayet-i kerimede seçilen kelimeler zatî anlamlarının yanında çok derin manaları da ihtiva etmektedir. Mesela; müşriklerin Allah'ın mesajını terkedişleri anlatılırken "ittihaz" kelimesinin kullanılması çok enfes ve pek yerindedir. Zira, "ittihaz", öyle saymak, o şekilde kabul etmek, edinmek ve o gözle bakmak manalarına gelmektedir. İttihaz, zatında öyle olmayan bir şeyi öyleymiş gibi addetmektir. Demek ki, Kur'ân asla mehcur olmamıştır; fakat, müşrikler onu mehcur edinmişlerdir. Dahası, onların bu sahtekârlıkları ve hadiseleri olduğundan farklı göstermeleri yeni de değildir. Daha önce de, -hâşâ- Allah'a eş-ortak koşmuşlar; -hâşâ- "Melekler Allah'ın kızlarıdır" iftirasını dile dolamışlar; -hâşâ- Hazreti İsa ve Hazreti Üzeyr için "Allah'ın oğludur" demişlerdir. İttihaz onların adeti olmuştur adeta; ittihaz üstüne ittihaz sürekli yapageldikleri bir şeydir. Dolayısıyla, haddizatında Kur'ân mehcur olacak bir kitap değildir; o başlara taçtır, taçlarda sorguçtur. Fakat, gelin görün ki, bakırla cevheri birbirinden tefrik edemeyen nâdânlar, onu mehcur tutmuşlardır. İşte, Allah'ın Elçisi, onların bu inkarlarını ve nankörlüklerini Cenâb-ı Hakk'a şikayet etmekte; "Ya Rabbî, halkım bu Kur'ân'ı (mehcur ittihaz edip) terkederek ondan uzaklaştılar!" demektedir.

Evvelen ve bizzat Kureyş müşriklerini, sâniyen ve bilvasıta inananlar da dahil bütün insanları hedef alan bu sözlerin, Rasûl-ü Ekrem (sallallahu aleyhi ve sellem) tarafından Mekke'de mi dile getirildiği, yoksa ahirette mi söyleneceği hususunda farklı görüşler ileri sürülmüştür. Fakat, aslında üzerinde durulması gereken husus, insanların Kur'ân'ı mehcur ittihaz etmelerinin ne anlama geldiği ve bunun günümüz mü'minleri açısından ne ifade ettiğidir. Zira, Nebevî şikayet nerede ve ne zaman yapılmış olursa olsun, o gün orada ya da daha sonra, ona muhatap olan herkes için -hususiyle ebedî hayat hesabına- ciddi bir tehdittir.

Kur'an-ı Kerim'in Gurbeti

Evet, dün olduğu gibi bugün de, Kur'ân'ın ellerde mütedavil olmasına meydan vermeyen ve hayatın ona göre tanzim edilmesini engelleyen hasımlar var. Bu tiranlar, diyanetin yaşanmasını istemiyor ve Kur'ân'ı âtıl bırakmak için ellerinden gelen her şeyi yapıyorlar. Kendileri Kelâm-ı İlâhî'yi ya da onun hükümlerinden bazılarını tekzip edip alaya aldıkları gibi, onu insanların gönüllerinden, ellerinden, evlerinden ve hayatlarından uzaklaştırmak için de olmadık hilelere başvuruyorlar. Dolayısıyla, husumete yenik bu zavallılar da aynı ataları misillü Kur'ân'ı mehcur ittihaz ediyorlar.

Her ne kadar mü'minler böyle bir zulümden uzak dursalar da, söz konusu ayetin onlara bakan yönleri de vardır. Zira, daha önce de ifade edildiği gibi, Kitab'ı mehcur tutmanın bir manası da ona karşı alâkasız kalmak, gereken önemi vermemek, onu kulak ardı etmek, hayata hayat kılmamak, ondan istifade etmemek, üzerine yeterince eğilmemek, muhtevasında derinleşmemek ve emirleriyle amel etmemektir. Nitekim, bir hadis-i şerifte şöyle buyurulmuştur: "Kim Kur'ân'ı öğrenir ama Mushaf'ı duvara asar, onunla ilgilenmez ve ona bakmazsa; Kur'ân kıyamet günü o insanın yakasına yapışır ve 'Ya Rab! Bu kulun beni mehcûr tuttu (bana ehemmiyet vermedi, beni garip bıraktı ve benden uzak kaldı); şimdi aramızdaki hükmü Sen ver!' der."

Maalesef, belli devirlerde İslam dünyası Kur'ân-ı Kerim'e gerektiği ölçüde ihtimam göstermemiştir. Gerçi mü'minler onun şekline ve kalıbına her zaman çok önem vermişlerdir; onu en güzel mahfazalar içinde evlerinin en mutena köşesine asmışlar ve gelip geçerken yüzlerine gözlerine sürmüşlerdir. Saygının bu şekli de boş değildir, bu da güzeldir; nezd-i ilahîde bunun da bir kıymeti vardır. Fakat, onun lafzına, şekline, yapraklarına, yazısına ve kalıbına hürmetin ifadesi olarak ortaya koyulan davranışlar, onun derinliklerine inip hakikatlerini anlama ve vazettiği hükümlerin ışığında yaşama kadar değerli değildir. Evet, asıl ehemmiyet verilmesi gereken husus, Kur'ân'ın muhtevasına ve iç derinliklerine ulaşarak onu hayatın esası kılma meselesidir. Aksi hâlde, Kelâm-ı İlâhî, yüksek raflarda, kadife bohçalar içerisinde bütün ihtişamıyla muhafaza edilse ve sürekli öpülüp başlara konulsa da, o yine mehcur sayılır. Yüce Kitap, muhtevasını temsil eden insanların olmadığı bir yerde gariptir ve kendini ifade edemiyor demektir.

Zannediyorum, günümüzde Kur'ân-ı Kerim'i tilavetiyle, mealiyle ve tefsiriyle bilen çok insan var. Fakat, bu bilme, çoklarında nazarî Müslümanlıktan öteye geçmiyor. Oysa, esas olan amelî Müslümanlıktır ve onun adı da diyanettir. Diyanet, Kur'ân ışığının zeberced bir prizmadan hayatın içine akması, onu yoğurması ve şekillendirmesidir; ilahî mesajın hayata hayat olmasının adıdır. Evet, dine sahip çıkabilir ve din adına bazı hakikatleri dile getirebilirsiniz; ama seslendirdiğiniz o hakikatler kendi hayatınıza yön vermiyorsa, hem şahsî dünyanız adına kusur ve hatalardan kurtulamaz, hem de başkalarına müessir olamazsınız. Çünkü, Allah'ın inayetiyle, müessir olan diyanettir; hiç çarpıtmadan, hiç kırmadan, hiç çatlatmadan o dinin emirlerini kemâl-i hassasiyetle yerine getirmek, haramlarına karşı çok titiz hareket etmek ve sürekli Allah marifeti, Allah muhabbeti, Allah mehafeti, Allah aşkı ve Allah iştiyakıyla oturup kalkmaktır.

Bu itibarla da, Kur'ân, bu ölçüde canlı, şuurlu ve iradeli temsilcilerini bulamadığı her devirde hazin bir gurbet yaşamıştır, bugün de bir ölçüde yaşamaktadır. Böyle bir gurbet de, onun mehcur ittihaz edilmesi demektir. O mükemmel Kitap, ancak mükemmel bir temsilci kadrosu sayesinde, sesini-soluğunu âleme duyurabildiği zaman garip ve mehcur olmaktan kurtulacaktır.

Soru: Zaman zaman dile getirilen ve zâhiren kulağa da hoş gelen "Kur'ân Müslümanlığı" tabiri, hususiyle bazı kesimler tarafından telaffuz edilince bir kısım soru işaretlerini netice veriyor. "Kur'ân Müslümanlığı" ifadesi doğru mudur, yoksa bu söz ve anlayışın arkasında başka maksatlar mı vardır?

Cevap: Bir manada, hepimiz Kur'ân Müslümanlarıyız. Çünkü, onun nuru sürekli hayatımıza akıyor ve bizi o besliyor. Evet, bizim can damarımız, havamız ve ziyamız Kur'ân'dır. Ebedlere kadar var olabilmemizin temel direği Kur'ân'dır. Kur'ân, bazen ciddî bir merak ve iştiyakla, kimi zaman da bir tereddüt ve ürperti ile beklediğimiz öbür âlemlerin haritası, tarifnâmesi ve rehberidir. O, insanî kemâlât yolunda bizi asla yanıltmayan bir terbiye kitabı, bir mârifet mecmuası ve bir ilimler ansiklopedisidir. Bizim şahsî, ailevî, içtimaî, iktisadî, siyasî ve idarî hayatımızı tanzim eden bir kanunlar külliyatıdır; ihtiva ettiği dua, zikir, fikir ve münâcâtlarla seyr ü sülûk rehberimizdir. Dahası Kur'ân, başta Sünnet olmak üzere diğer şer'î delillerin de kendisine dayandığı temel kaynağımızdır.

Bu zaviyeden, her müslim bir Kur'ân Müslümanıdır; elhamdülillah, biz de Kur'ân'a göre Müslümanız. Gerçi, Kur'ân'ı temsilde hatalarımız ve boşluklarımız bulunabilir; pek çok eksik ve kusurlarımız olabilir, belki bu açıdan sorguya da tâbi tutulabiliriz; en azından bazılarımız itibarıyla Kur'ân'ı hakkıyla temsil ettiğimiz söylenemez. Fakat, yine de -elhamdülillah- biz, Kur'ân'ın Müslümanlarıyız.

Ne var ki, günümüzde "Kur'ân Müslümanlığı" sözü ile, özellikle Sünnet'i ve diğer edille-i şer'iyeyi dışlayarak İslâm'ı yalnızca Kur'ân'a göre yorumlamayı esas edinen bir anlayış nazara verilmektedir. Bu açıdan da, bu tabiri masum bir isimlendirme olarak kabul edemeyiz.

Sünnet-i Seniyye'den Koparılan Kur'ân Mehcurdur!

Rasûl-ü Ekrem (sallallahu aleyhi ve sellem) Efendimiz Kur'ân ile nefes alıp verir, onunla göklerle irtibata geçer, onunla rahmet damlaları gibi yerdeki varlıkların imdadına koşar, onunla zulmetlerle savaşır ve onunla ışık olur her yana yağardı. Rehber-i Ekmel'in ilk muhatapları olan Sahabe efendilerimiz ashab-ı lisandı; onlar dili çok iyi bilir, neyin ne ifade ettiğini çok iyi anlarlardı. Fakat, nâzil olan ayetler arasında, o firaset ve fetanet insanlarının dahi kendi idrak ufuklarıyla halledemedikleri meseleler olurdu.

Dolayısıyla, Ashab-ı Kiram, içinden çıkamadıkları meseleleri hemen Hikmetin Lisan-ı Fasîhi'ne (aleyhi ekmelüttehâyâ vetteslimât) sorarlardı. Hazreti Ebu Bekir, Hazreti Ömer ve Âişe validemiz (radıyallahu anhüm ecmaîn) gibi zeka, hafıza ve idrak seviyeleri itibarıyla içimizde hayranlık duygularını uyandıran büyük sahabiler bile, pek çok mevzuyla alâkalı "Ya Rasûlallah, bu ne demektir?" "Ya Rasûlallah, şunun manası nedir?" şeklindeki sualleriyle istifsarda bulunurlardı. Demek ki, Sâdık u Masdûk Efendimiz'in rehberliği, ışık tutması, şerhi ve izahı olmasaydı, dini kendilerinden öğrendiğimiz o Sabikûn u Evvelûn dahi Kur'ân'ı kendi başlarına tam olarak anlayamayacaklardı. Zaten, herkes Kur'ân'ı kendi kendine anlayıp ondan hükümler istinbat edecek olsaydı, bir peygamberin gönderilmesine ihtiyaç mı kalırdı?

Evet, hiçbir zaman bitip-tükenme bilmeyen o Kur'ân hazinesinin kapılarını açmaya yönelik soruların yanı sıra, Peygamber Efendimiz'in bizzat kendisine tevcih edilen pek çok sual, halledilmesi gerekli olan pek çok müşkil, ümmetiyle alâkalı dînî, içtimâî, iktisâdî, siyasî pek çok mesâil vardı ki, Beyan Sultanı, kalb-i pâki ve lisân-ı nezîhi ile onların hepsini cevaplayıp müşkilleri hall, mübhemleri şerheder; Kur'ân ile gelen pek çok mutlak emri takyîd, mukayyedi ıtlâk, husûsîyi ta'mîm, umûmîyi de tahsîs buyurarak, Kur'ân mesajının yanında kendi ifade ve beyanlarının rükniyetini de ihtarda bulunurdu. Mesela; Kur'ân'da mücmel olarak zikredilen namazı bütün rükünleri, şartları, sünnetleri ve âdâbıyla; haccı ifradı, kıranı, temettü'ü ve bütün teferruatıyla; zekâtı nisâbı, nevileri ve edâ keyfiyetiyle ayrıntılı olarak anlatırdı. Kur'ân-ı Kerîm'de genel olarak ele alınan mevzuların istisnalarını gösterir; mutlak olarak zikredilen hükümleri takyîd ederdi. Bazen de ayet-i kerîmelerde tek kelime ile dahi temas edilmeyen meseleleri müstakillen hükme bağlardı.

Binaenaleyh, ilk asırdan bugüne kadar, Sünnet-i Seniyye, din ve dînî hayata esas teşkil etmesi bakımından hep Kur'ân'la beraber mütâlaa edilmiştir. Öyleyse, ne onu Kur'ân'dan, ne de Kur'ân'ı ondan tecrîd etmek mümkün değildir. Vahy-i gayr-i metluv olan hadisleri devreden çıkarmak ve onları vahy-i metluv olan Kur'ân'dan koparmak da bir yönüyle Kur'ân'ı mehcur hâle getirmek demektir. Cenâb-ı Hakk'ın beyanını Rasûl-ü Ekrem (sallallahu aleyhi ve sellem) Efendimiz'in sünnetini hesaba katmadan ele almak, bir manada, Allah'ın elçisinin vahye dayalı açıklamaları yerine beşerî ve nefsî yorumları ikâme etmek sayılır. Bu aynı zamanda, Kelâm-ı İlâhî'nin, Rasûlullah'a ittiba ile alâkalı emirlerini görmezlikten gelmektir ki, böyle bir anlayışı "Kur'ân Müslümanlığı" addetmek de mümkün değildir.

Diğer taraftan, İslam uleması, dînî delilleri iki ana başlık altında mütalaa etmişlerdir: Birincisi; Kur'ân, Rehber-i Ekmel'in söz, fiil ve takrîrlerini ihtiva eden Sünnet, İcmâ (İslam fıkhına ait fer'î bir hükümde, muasır bütün müctehidlerin ittifak etmeleri) ve Kıyas (aralarındaki illet benzerliğinden dolayı, iki şeyden birinin hükmünün mislini diğerine de uygulama) olmak üzere "aslî deliller"dir. İkincisi ise, genel olarak Maslahat, Örf, İstihsan, İstishab, Şeru men kablena ve Sahabi kavli gibi şubelere ayrılan "fer'î deliller"dir.

Bütün bu delilleri hesaba katmadan Kur'ân'ı kendi enginliğiyle kavrayamazsınız. Kur'ân-ı Kerim'in doğru anlaşılması için, onu Sünnet-i Seniyye'nin rehberliğinde okumak gerektiği gibi, ayetlerin tesbitinden onların hakiki manalarının tayinine kadar pek çok meselede o ilk safı teşkil eden ve ilahî takdire mazhar olan Ashab-ı Kiram'ın mütabakatlarına ve onların tefsirlerine vâkıf olmak da lazımdır. Kalbleri tir tir titreyerek, Allah'ın kelamından O'nun muradını anlamaya çalışan Sahabe efendilerimizin, üzerinde icma ettikleri meseleleri ve kıyas neticesinde ortaya koydukları hükümleri iyi bilmek icap etmektedir.

Ashab-ı Güzîn'den sonra da ilk asırlardaki Selef-i Salihîn efendilerimiz, zamanın değişmesiyle ortaya çıkan hayatla alâkalı boşlukları çeşitli istinbatlarla doldurmuşlardır. Duygu safveti ve ihtiyaç tezkeresiyle İlahi Kelam'a mürâcaat eden bu rabbânîler, icmâ ve kıyas sayesinde, dinin kendi gücünü bir kere daha ifade etmesine zemin hazırlamışlardır. Zamanı, konjonktürü ve değişen şartları gözeterek, içtihada ve istinbata açık yanlarıyla İslam'ı içinde yaşadıkları asrın idrakine göre daha bir gür sedayla seslendirmişlerdir. Bu açıdan da, biz Asr-ı Saadet'ten bugüne dek Selef-i Salihînin üzerinde hassasiyetle durduğu, yaşadığı, koruduğu, salıkladığı ve sonraki nesillere emanet bıraktığı Müslümanlıkla Müslümanız elhamdülillah.

Kur'ân'ın Hakikî Tercümesi Kâbil Değildir!

Öyle anlaşılıyor ki, bazıları "Kur'ân Müslümanlığı" derken, bir dönemde muannid bir Kur'ân düşmanının, ona karşı dehşetli bir plân çevirmesi, "Kur'ân tercüme edilsin, tâ ne mal olduğu bilinsin." (!) demesi ve onun yerinde okunması için tercümesinin yapılmasını arzulaması misillü gizli bir maksat taşıyorlar. Zâhiren Kelâm-ı İlahî'ye inanıyormuş ve onu takdir ediyormuş gibi görünüyorlar; fakat, sözde Kur'ân dellallığı perdesine sığınarak hadis-i şerifleri, Sünnet-i Seniyye'yi ve sâir edille-i şer'iyeyi metruk kılmak için uğraşıyorlar.

Tabii ki, sathî de olsa bir malumat edinmek, belli mülahazaları öğrenmek ve zor anlaşılan bir kısım ifadelerle alâkalı bazı ipuçları elde etmek için Yüce Kitabımızın açıklamalı bir mealine müracaatta bulunmak her zaman faydalı olur. Selim akıl, selim his, selim kalb ve temiz vicdan sahibi bir insan tarafından hazırlanan böyle bir meâl, Kur'ân etrafındaki şüphe fırtınalarına ve vesvese rüzgarlarına karşı bir sera vazifesi görebilir. Fakat, hiçbir meal Kur'ân'ı bütün manaları, mazmunları ve muhtevası ile ihata edemez. Meallerden, şerhlerden, tevillerden ve tefsirlerden faydalanılır, ancak bunlar İlahi Kelam'ın yerine konamaz; dahası, Kur'ân sadece onlarla yeterince anlaşılamaz. Goethe'nin Faust'unu ilk okuduğum zaman neredeyse hiçbir şey anlamamıştım; hatta o eserde bir derinlik göremediğim için bu meşhur edibin koca bir dünya tarafından takdir edilmesine de şaşırmıştım. Ne zaman sonra Ord. Prof. Sadi Irmak'ın şerhini de ihtiva eden bir Faust tercümesi okuyunca, işte o vakit bazı ifadelerdeki enginliği bir nebze kavrayabilmiştim. Şimdi şöyle bir düşünün; "Goethe kim, Shakespeare kim, Tolstoy kim? Nihayet bunlar birer beşer; onların eserleri Kelâm-ı İlâhî yanında ne ifade eder ki? Fakat, asıllarıyla aynı manayı ve tadı verecek şekilde onları dahi tercüme etmek mümkün değildir. Bir de söz konusu Allah Kelamı olunca, onu topyekün mana, mazmun ve muhtevası ile aksettirecek bir tercüme yapmak bütün bütün imkansızdır. İşâratü'l-İ'caz ve Yirmibeşinci Söz gibi eserlerde genişçe üzerinde durulduğu gibi, Kur'ân-ı Kerim'in o kadar vücuhu ve öyle enginlikleri vardır ki, tercüme sayesinde onların tamamını ortaya koyabilmek muhaldir. Bu açıdan da, Hazreti Üstad'ın dediği gibi, "Kur'ân'ın hakikî tercümesi kâbil değildir; lisan-ı nahvî olan lisan-ı Arabî yerinde Kur'ân'ın meziyetlerini ve nüktelerini başka lisan muhafaza edemez ve herbir harfi, on adetten bine kadar sevap veren kelimât-ı Kur'âniyenin mucizâne ve cemiyetli tabirlerinin yerini, beşerin âdi ve cüz'î tercümeleri tutamaz, onun yerinde camilerde okunamaz!"

Bütün bu meseleleri nazar-ı itibara alınca, "Kur'ân Müslümanlığı" ifadesinin ve bu ifadeyle ortaya konan anlayışın iyi niyete makrun bulunduğunu ve Kur'ân'a saygının ifadesi olduğunu zannetmiyorum. Bu anlayışın temsilcilerinin çoğunun fantezi peşinde koştuklarını, bir lüks zaafına düçar olduklarını ve hatta bazılarının, megalomaniye yakalandıklarını, herhangi bir farklılık ortaya koyarak kendini ifade etme kompleksi yaşadıklarını düşünüyorum. Bunların, İbn-i Cerir et-Taberi, Fahrüddin Razî, Âlûsî Bağdâdî, Celaleddin es-Suyûtî, İmam Kuşeyri ve çağımızın allamesi Hazreti Bediüzzaman misillü yüce kâmetler tarafından izah edilmiş ve çağın ihtiyaçlarına göre yeniden ele alınıp anlatılmış ulvî hakikatlere ters gibi görünen hususları dile getirmelerini "Ben de varım, ben de bilirim!" diyerek bir kısım lükslere başvurma zaafı olarak görüyorum.

Ayrıca, "Kur'ân Müslümanlığı" diyen kimselerin ortaya koydukları Müslümanlık tarifleri ve anlayışları da birbirini tutmuyor. Zaten, duygu duruluğundan ve kalb safvetinden mahrum kimselerin anlayışlarının aynı olması düşünülemez. Çünkü, merkezden ve ana hattan ayrılan kimse, tâli bir sürü yola sapmaktan kurtulamaz. Nitekim, Cenâb-ı Hak, "İşte Benim dosdoğru yolum. Ona tâbi olun. Sakın, sizi Allah'ın yolundan ayıracak başka yollara uymayın." (En'am, 6/153) buyurmuştur. Evet, Kur'ân-ı Kerim'i ve Din-i Mübin'i, Sahabe-i kiramın anladıkları ve yaşadıkları gibi kabul etmeyenlerin, akla hayale gelmedik patikalara, farklı farklı yollara sapmaları kaçınılmaz olur. Zira, o takdirde herkes kendi kafasına ve hevasına göre uygulamalara dalar, düşünce inhiraflarına kayar. Hâsılı; asıl "Kur'ân Müslümanlığı", Hazreti Ruh-u Seyyidi'l-Enâm (aleyhi elfü elfi salâtin ve selâm) Efendimiz'in, Kur'ân ayetlerinin yanı sıra kendi ifade ve beyanlarıyla da tebliğ ettiği, sonra da İnsan-ı Kâmil oluşuna muvafık bir keyfiyette mükemmel bir temsille ortaya koyduğu ve Ashâb-ı Kiram efendilerimizin de Rehber-i Ekmel'den öğrenip uyguladıkları Müslümanlıktır. Selef-i Salihîn tarafından, aslî ve fer'î bütün deliller gözetilerek çerçevesi belirlenen bu İslam anlayışını bırakıp, heva ve hevesine fikir sureti vererek Kelâm-ı İlâhî'ye sahip çıktığını iddia edenlerin yaptıkları, olsa olsa, Kur'an-ı Kerim'i mehcur tutmaktır.

Öfkene Hâkim Ol!..

Soru: Rasûl-ü Ekrem (sallallahu aleyhi ve sellem) Efendimiz'in, kendisinden nasihat isteyen insana "Gazaplanma!.." demesini o şahsa özel bir ikaz olarak mı, yoksa herkese yönelik umumi bir öğüt şeklinde mi değerlendirmek gerekir?

Cevap: Cennet'e ve Cemâlullah'ı görmeye müştak yaşayan Ashab-ı Kirâm efendilerimiz, kendilerine ebedî saadetin kapısını açacak amellerin peşine düşmüş; hemen her fırsatta Rehber-i Ekmel (aleyhi ekmelüttehâyâ) Efendimiz'e bu hususta sorular tevcih etmiş ve aldıkları cevaplara göre bir hayat tarzı belirlemişlerdir. Onlardan bazıları, kendileri için hayatî ehemmiyeti olan mevzuları ve en çok dikkat etmeleri gereken meseleleri öğrenme maksadıyla, Rasûl-ü Ekrem'den (sallallahu aleyhi ve sellem) kişiyi Cennet'e götürecek az ve öz bir ameli haber vermesi talebinde bulunmuşlardır. Hadis kitaplarında bu şekilde soru soran şahısların isimleri bazen kaydedilmiş, bazen de -şayet soru ve cevap o şahıs hakkında su-i zanna sebep olabilecek gibi ise- hiç isim zikredilmeden özellikle Habîb-i Edîb'in nasihatı üzerinde durulmuştur.

Gazap Duygusu ve Onun Dengelenmesi

Hazreti Ebû Hüreyre'nin (radıyallahu anh) rivayet ettiği şu hadis-i şerifte de böyle bir hâdise anlatılmaktadır: Bir adam Allah Rasûlü'ne "Bana nasihat et!" dileğinde bulundu. Rasûlullah ona, "Gazaba kapılma, öfkelenme!.." buyurdu. Bunun üzerine, o şahıs, Rasûl-ü Ekrem'den tekrar tekrar nasihat etmesini istedi; Sâdık u Masdûk Efendimiz de her defasında ona "Gazaplanma!.." öğüdünü verdi.

Bilindiği üzere, "gazap", infiâle kapılma, öfke, hışım, aşırı hiddet, hoşa gitmeyen bir hâdise karşısında intikam arzusuyla heyecanlanma ve saldırganlık hâli gibi manalara gelmektedir. Aslında, bu duygu, su-i istimal edilmediği takdirde, hariçten gelen hücumları önlemek için itici bir kuvvet ve tedbirli olmaya yarayan bir güçtür. Cenâb-ı Allah insana, dışarıdan gelecek saldırılardan kendisini muhafaza etmesi için "kuvve-i gadabiye" (öfke hissi) dediğimiz duyguyu vermiştir. İnsanın, mücahede etmesi gereken yerlerde güç ve kuvvetin hakkını vermesi, yiğit ve yürekli olması icap eden durumlarda cesaretli davranması ve ırzını, namusunu, vatanını, canını, malını, nefsini ve neslini koruması ancak bu duygu sayesinde mümkün olmaktadır.

Bazıları, gazap hissinin de bir yaratılış gayesi olduğunu bilemez ve normal insanları çok kızdıracak meseleler karşısında dahi öfke tavrı ortaya koyamazlar; dahası hiç korkulmayacak şeylerden dahi korkar, sürekli vehimlerle oturup kalkar ve değişik paranoyalarla hayatı yaşanmaz hâle getirirler; bunların hâlini "cebânet" (korkaklık) kelimesi ifade eder. Fakat, bazı insanlar da vardır ki, onlar hiç yoktan yere küplere binerler, en önemsiz hadiseler karşısında dahi aşırı hiddet gösterirler ve bir anda saldırganlaşırlar; âkıbeti hiç düşünmeden, ölçüsüzce ve muhâkemesizce her işe girişir ve neticesi mutlak felaket olan tehlikelere bile pervâsızca atılırlar. Kuvve-i gadabiyenin bu ifrat hâline de "tehevvür" (korkusuzluk ve saldırganlık) denir. Bu duygunun, adl ü istikamet üzere olanına ise, "şecâat" adı verilir.

Evet, bütün kin, nefret, hınç, hiddet, dargınlık ve kızgınlığın menşei sayılan gazap hissi, selim fıtratların öfkesine sebep olacak vâkıalar karşısında kızmasını da bilme, hiddeti gerektiren durumlarda hiddet gösterme, korkulacak şeyler karşısında temkinli davranma ve onları telâşa kapılmadan savmaya çalışma anlamındaki yiğitçe duruşun, yani "şecâat"in de kaynağıdır. Bu itibarla, kuvve-i gadabiye, tabiatımızın bir parçasıdır ve böyle çok önemli hususları temin etmek için mahiyetimize konmuştur.

Dolayısıyla, İnsanlığın İftihar Tablosu'nun kendisinden nasihat isteyen sahabîye defalarca "Lâtağdab - Gazaba kapılma!." demesi, hepimiz için çok önemli bir ikazdır. Çünkü, gazap insanın en zayıf damarlarından biridir. Maruz kaldığı kabalıkları dahi vicdan genişliğiyle karşılayabilecek, öfke hissini kolaylıkla dengeleyebilecek ve bunu yaparken de ifratlardan, tefritlerden uzak kalarak istikamet üzere olabilecek insan sayısı çok azdır. Bunu başarabilmek iradeye vâbestedir ve hususi cehd istemektedir.

Haddizatında, gazap muvakkat bir cinnettir. Öfkeyle köpürmüş bir insanın o esnadaki tavır ve davranışları iyi bir psikiyatri uzmanı tarafından değerlendirilse ve o anda bir psikanaliz yapma imkanı olsa, onun hâlini şizofreni kategorilerinden birine irca etmek mümkün olacaktır. Çünkü, aşırı öfke aklın afetidir; şuurlu bir varlığı bile mecnun hâline getirip vahşi bir hayvana dönüştürebilir. Zira hiddet, akıl ve idrakin yerine kontrolsüz his ve heyecanı ikâme eder; insanı, insan olma çizgisinin altına düşürür. Zaten, gazap aklı perdelediği içindir ki, onun bir derecesi ve neticesi cinnet olarak görülmüştür. O hâldeki birinin, kanun ve kural tanıması, bir nasihatçinin sözlerine kulak vermesi çok zordur. Nitekim, Söz Sultanı (aleyhissalâtu vesselâm) şöyle buyurmuştur: "Kuvvetli kimse, (güreşte hasımlarını mağlup eden) sırtı yere gelmez pehlivan değildir;

hakiki kuvvetli, öfkelendiği zaman nefsini yenen, gazap anında kendisine hâkim olan insandır."

Hadislerin Ezberlenmesinde Şok Tesiri Mülahazası

Diğer taraftan; Rasûl-ü Ekrem (sallallahu aleyhi ve sellem) Efendimiz'in "Öfkene hâkim ol!" ikazı her ne kadar bütün mü'minlere şamil olsa da, hususiyle karşısındaki o şahsı muhatap alarak irşatta bulunması ve aynı nasihatını birkaç kere tekrarlaması, soru soran şahsın hâl ve tavırlarında gördüğü bir asabîlikten dolayı onu ta'dil etme gayesini de akla getirmektedir.

Zira, Allah Rasûlü, nasihat isteyenlere onların ihtiyaçlarına göre tavsiyelerde bulunurdu. O engin firasetiyle herkesi en isabetli şekilde tahlil eder ve söyleyeceklerini onların mizaçlarını nazar-ı itibara alarak söylerdi. Nebiler Serveri, insanları karakterleriyle ve tabiatlarının temel çizgileriyle tanır; onların zaaflarını ve boşluklarını çok iyi bilirdi. Dolayısıyla, mübarek ve objektif bir emrini ortaya koyarken, çoğu zaman bunu, ta'dil edilmesini çok önemli gördüğü bir insanın şahsında yapardı. Mesela; gecesinin tamamını uykuda geçiren birine seherî olmayı tavsiye eder, seherlerde bâd-ı tecellî estiğini hatırlatır ve böylece onun şahsında herkesi seherî olmaya çağırırdı. Fakat, bunu bilhassa öyle bir sahabîye söylerdi ki, o şahıs, bir yanlışının düzeltilmesine matuf söylenmiş olsa bile, Kainâtın Medar-ı İftiharı'ndan hem de bizzat kendisine hitaben duyduğu bu nasihatı çok büyük bir iltifat kabul ederdi. "Alemlerin Efendisi bana teveccüh buyurdu, iltifatta bulundu ve şu mevzuda nasihat etti" der; Peygamberler Sultanı'nın hitabına mazhar olma mülahazasının şokuyla o meseleyi kabullenir, içine sindirir, -moda tabirle- içselleştirir (özümser) ve duyduğu sözü kelimesi kelimesine hıfzederdi.

Aslında, hadis-i şeriflerin öğrenilip ezberlenmesi mevzuunda söz konusu olan "şok tesiri mülahazası" hemen her devirde herkes için geçerlidir. Siz de, velî gördüğünüz, Allah'a yakın bildiğiniz ve kendisine keramet atfettiğiniz bir zattan duyduğunuz "Şöyle yürüyün, böyle oturup kalkın, şu şekilde hareket edin..." türünden sözleri -hele bir de doğrudan size söylenmişse- kelimelerin yerlerini bile değiştirmeden hıfzedersiniz ve hayat boyu unutmazsınız.

Bu açıdan, Peygamber Efendimiz'in ikazlarında bu "şok tesiri mülahazası"nı da hesaba katmak gerekir. Mesela; Allah Rasûlü, birine "Nazarlarına dikkat et!", başka birine "Anne-babanın hukukunu gözet!", bir diğer sahabîye "Gecelerini ihya et!" buyurmuştur. Aslında, bu hususlar her mü'min için çok önemli birer nasihattir. Fakat, Hikmetin Lisân-ı Fasîhi Efendimiz, bu nasihatlerini seslendirmek için öyle muhataplar seçmiştir ki, hem umum mü'minlere diyeceğini demiş, hem soru soranları tek tek irşat etmiş, hem de Enbiyalar Sultanı'na muhatap olma payesiyle taçlandırdığı bu insanların kendileriyle alâkalı o ulvî hakikatleri şok tesiriyle iyice öğrenip orada bulunmayan kimselere de nakletmelerine zemin hazırlamıştır.

Dahası, Rasûl-ü Ekrem'in irşatlarını ve seçtiği muhatapları nazar-ı itibara alırken, Fetânet-i A'zam Sâhibi'nin (sallallahu aleyhi ve sellem) firasetini gözetmenin yanı sıra, meseleyi Allah'ın denk getirmesi ve uygun vasatı halketmesi şeklinde de değerlendirebilirsiniz. Cenâb-ı Hakk'ın tevafuk ettirmesi şeklinde bakarsanız, o zaman hâdise daha müthiş ve semavî bir hâl alır. Allah Teâlâ, Habîb-i Edîb'ine öyle bir şahsı muhatap kılmıştır ve o esnada orada öyle insanları bir hedef kitle hâline getirmiştir ki, o sözlerin tam orada, o şahsa hitaben söylenmesi ve onu herkesten ziyade işte oradakilerin dinlemesi lazımdır. Böylece, Rehber-i Ekmel, o zatın şahsında

diyeceğini diyecek, mesajını verecektir; o insan da, evvelen ve biz-
zat kendisiyle alâkalı olan o sözleri çok iyi hıfzedecek, hiç unutma-
yacak, gezdiği her yerde onu başkalarına da anlatacak ve o hakika-
tin mübelliği olacaktır.

Öfkeyi Doğru Tarafa Yönlendirmeli!..

Diğer taraftan, Selef-i Salihînin de belirttiği üzere, sohbetimize mev-
zu teşkil eden hadis-i şerifteki "Lâtağdab - Öfkelenme!" sözünün
manası hiç kimseye ve hiçbir şeye kızma, hiç hiddet gösterme, asla
öfke izhar etme demek değildir. Zira, öfkenin kendisinin yasaklan-
ması mevzubahis olamaz. Çünkü, daha önce de üzerinde durulduğu
gibi, öfke tabiî bir duygu ve fıtrî bir hâldir; insanın cibilliyetinden sö-
külüp atılamaz. Dolayısıyla, öfkeyi bütün bütün yasaklamak, muha-
li teklif etmek manasına gelir. Öyleyse, hadis-i şerifteki emirden mu-
rad, bu konuda yapılacak temrinler sayesinde gazap duygusunun zi-
mamını akıl ve iradenin eline vermek ve böylece öfkenin yönünü de-
ğiştirmektir.

Bu hususa dikkat çeken Nur Müellifi, istikbal endişesi, hırs ve
inat gibi fıtrî duyguların yok edilemeyeceğini, bunların herbirinin
meşru bir kullanma yeri ve yönü bulunduğunu; dolayısıyla, bu kuv-
veleri yok etmeye değil, onları hayır yolunda kullanmaya çalışmak
gerektiğini anlatır. İnsana verilen manevî güç, kuvvet ve duyguları
nefis ve dünya hesabına istimal etmenin kötü ahlaka ve israfa sebep
olacağını; fakat, hafiflerini dünyevî işlere ve şiddetlilerini de uhrevî
vazifelere sarf etmenin ise, güzel ahlakı ve saadet-i dareyni netice ve-
receğini ifade eder. Hazreti Üstad, bu konuda nihaî hükmünü verir-
ken şöyle der:

"Tahmin ederim ki, nâsihlerin nasihatlerinin şu zamanda tesirsiz kalmasının bir sebebi şudur: Ahlaksız insanlara "Haset etme, hırs gösterme, adâvet etme, inat etme, dünyayı sevme." derler; yani, "Fıtratını değiştir" demek gibi, zâhiren onlarca mâlâyutak bir teklifte bulunurlar. Eğer deseler ki, "Bunların yüzlerini hayırlı şeylere çeviriniz, mecrâlarını değiştiriniz"; o zaman, hem nasihat tesir eder, hem daire-i ihtiyarlarında bir emr-i teklif olur."

Şu hâlde, hâlis mü'min öfkesinin yönünü Allah'ın razı olmadığı işlere tevcih etmelidir. Nefsinin isyanlarına karşı öfkelenip onun terbiyesine koyulmalı, gazap hislerini Müslümanlara zulmedenlere yöneltip dinin ihyası ve diyanetin te'yidi için daha çok çalışmalıdır. Kendisini sık sık kontrol etmeli ve şayet öfkesi Allah için değilse, hatta ona azıcık da olsa nefsânî hisler karışmışsa, hemen susmasını bilmeli, hiddetini dindirmeli, sakinleşmeli ve affedici olmalıdır. Şu hâdise bu mevzuya ne güzel misaldir:

Hazreti Ömer'in Hakperestliği ve Müsamaha Yolu

Bir gün, Hazreti Ömer'in (radıyallahu anh) ganimet dağıttığı bir sırada, Uyeyne İbnu Hısn gibi yeni ihtida etmiş bazı kimseler kendi paylarına razı olmuyor ve daha fazlasını istiyorlar. Hatta henüz İslam ahlakıyla bezenememiş bir-iki tanesi haddi aşıp küstahça davranıyorlar. Mesela, Uyeyne İbnu Hısn, "Ey Hattâb'ın oğlu, yeter artık! Sen bize bol vermediğin gibi, aramızda adaletle de hükmetmiyorsun!" diyor. Hazreti Ömer Efendimiz hak etmediği bu ithama mukabil biraz öfke izhar ediyor. Zaten, adalet timsali Ömer (radıyallahu anh) gibi kılı kırk yaran bir insanın böyle bir tavır karşısında gazaplanmaması mümkün değil. Zira, onun bambaşka bir hakperestliği var. Mevlana Şiblî, onun hayatını anlatırken der ki "Ömer'in adaleti ve hakperestliği Ömer'e dost bırakmadı." Evet, Allah Rasûlü'nün Halifesi, herkesin hakkını gözetme ve her hak sahibine hakkını verme mevzuunda çok hassastır; ne pahasına olursa olsun doğruluktan hiç ayrılmaz. Bu hassasiyetine rağmen, öyle yakışıksız bir sözü duyunca elindeki dirresiyle (kırbacıyla) adama dönüyor ve üzerine yürüyecekmiş gibi bir hâl alıyor.

O sırada, Hazreti Ömer'in de yakınlarından olan ve çoğu zaman onun istişare heyetinde yer alan Hürr İbnu Kays (radıyallahu anh) hemen öne atılıp, "Ey Mü'minlerin halifesi, Allah Teâla hazretleri Rasûl-ü Ekrem'ine, "Sen af ve müsamaha yolunu tut, iyiliği emret, cahillere aldırış etme!" (A'raf, 7/199) buyurmuştur. Bu adam da cahillerden biridir!" diyor.

Bu ikazı duyan Hazreti Ömer, olduğu yerde kalıyor ve artık Uyeyne'ye hiçbir şey demiyor, hiçbir şey yapmıyor. Böyle bir ilahî tembihin hatırlatılması karşısında Emirü'l-mü'minîn'in bütün hiddeti diniyor. (Doğrusu, Habîb-i Ekrem'in en öndeki dostlarından olan Hazreti Ömer Efendimiz hakkında gazap öfke, hiddet... gibi herkes için kullandığımız kelimeleri kullanma mevzuunda çok korkuyorum; bir hakikati nazara vermek için mecburen bu kelimeleri istimal ettiğim için onun ruhâniyetinden özür diliyorum.)

İşte bu, hakperestlik duygusu içinde, kılı kırk yararcasına yaşama ve yerinde gazap hissini de bastırma demektir. Hazreti Ömer Efendimiz'in bu hasletinden dolayıdır ki, o, "el-vakkâf inde'l-hak" sözüyle anılır olmuştur. Bu tabir, "her zaman doğrunun yanında yer alan, hak ve adaletten asla ayrılmayan, kendisinin rağmına olsa da mutlaka hakka boyun eğen, Kitabullah'ın hükmüne gönülden rıza gösteren ve hakkın söz konusu olduğu yerde anında frenlemesini bilen insan" demektir. Hazreti Ömer, yumruğunu kaldırıp tam hasmının gözüne indireceği bir anda, hakkın hatırı için öfkesini yutarak kollarını hafifçe iki yanına salıverecek kadar duygularına hâkim bir insandır. Şüphesiz onun bu hâli, hâlis mü'minlerin ve takva ehlinin de hâlidir.

Nitekim, Kur'an-ı Kerim, "O müttakîler ki, bollukta da darlıkta da Allah yolunda infakta bulunurlar, kızdıklarında öfkelerini yutar, insanların kusurlarını affederler. Allah, böyle iyi davranan ihsan ehlini sever." (Âl-i İmrân, 3/134) mealindeki ayet-i kerimede öfkesine mağlup olmayanları, bilakis onu yenip akl-ı selimle hareket edenleri "وَالْكَاظِمِينَ الْغَيْظَ" ibaresiyle nazara vermektedir. "ve'l-Kâzımîne'l-gayz" ifadesindeki "gayz" kelimesi, gadabın aslı ve özüdür; hoşa gitmeyen bir şey karşısında insan tabiatının hiddet, kızgınlık ve hınçla heyecanlanması demektir. "Kâzımîn" ifadesi ise (bu kelimenin tekili "kâzım"dır), deriden yapılmış su kabının ağzını bağlamak manasına gelen "kezm" kelimesinden türetilmiştir; öfkesini yutan, hiddet ateşini sabırla içinde tutup boğarak söndüren, zarar gördüğü kimselerden öç almaya gücü ve kudreti bulunduğu halde intikama kalkışmayan ve kötülük edenlere karşı afv ile muamelede bulunan kimselerin unvanı olarak kullanılmıştır.

Mezkur ayette, öfkenin tesirini icrâ edip insanı kötülüklere sürükleyebileceği bir hengamda, bir dikeni, bir kaktüs parçasını yutuyormuş gibi gazap hissini de yutmaya çalışan, bir müddet yutkunup dursa da kızgınlığını iradesi ile bastırıp kontrol altına alan insanlar, Cenâb-ı Allah'ın verdiği bütün nimetlerden -kendi cinslerine uygun şekilde- bollukta da darlıkta da infak edip duran cömert kullarla aynı çizgide anılmışlardır.

Çünkü, hiddeti bastırıp mülayim davranabilmek, ancak ciddi bir cehd ü gayretle iradenin hakkını verme sayesinde mümkün olabilecek bir davranıştır. Mevlâ-yı Müteâl, insanı irade sahibi bir varlık olarak yaratmışsa, artık onun başka canlılar gibi hareket etmesi, intikam almak için dişlerini ve pençelerini kullanması kendi seviyesine ve mahiyetine karşı saygısızlık sayılır. "Hâsılı, o kimseler hayvanlar gibidirler, hatta onlardan da şaşkındırlar." (A'raf, 7/179) ilahî beyanının çerçevesine dahil olması manasına gelir.

İnsanın başkaları tarafından gazaba sevkedilip içindeki kötülük duygusunun tetiklendiği anlarda dahi iradesinin hakkını vermesi ve mahiyetine muvafık bir tavır sergilemesi, "menfi ibadet" kategorisi içinde mütâlaa edilebilecek bir davranıştır; yani, insan küplere bindiği zaman bile nefsinin dizginlerini elinden bırakmıyor ve sabrediyor, daha sonra da değişik tedaîlerle (çağrışımlarla) yer yer hortlayıp ortaya çıkan hiddet sebeplerini unutmak için mücadele veriyor ve "Allah onu da bağışlasın, beni de!." deyip muhataplarını affedebiliyorsa, o kimse, hastalıklara, sakatlıklara, musibetlere ve afetlere sabretmiş gibi çok büyük sevap kazanır.

Hiddeti Bastırabilmenin Vesileleri

Ne var ki, gazap hissine yenik düşmemek, ancak ihsan şuuruyla dolu bulunmakla mümkün olur. Nitekim, gayza sevkedecek hâdiseler meydana geldiği zaman bile öfkesini yutabilen sabırlı kulların anlatıldığı ayetin sonunda meâlen "Allah, böyle iyi davranan ihsan ehlini sever." denilerek, bu insanların birer muhsîn olduğuna ve hiddeti yenmenin ihsan duygusuna bağlı bulunduğuna işaret edilmektedir.

Bu beyan-ı ilahîdeki ihsanın da yine iki manası melhuzdur:

Birincisi; kötülük yapana karşı iyilikte bulunmaktır. İslâm ahlâkına göre, kötülüğe bile iyilikle mukabele etmeye çalışmak esastır ve bu ancak sabredenlere mahsus bir meziyettir. "İyilikle kötülük bir olmaz. O hâlde sen kötülüğü en güzel tarzda uzaklaştırmaya bak. Bir de bakarsın ki seninle kendisi arasında düşmanlık olan kişi candan, sıcak bir dost oluvermiş! Ama kötülüğe karşı iyilik hasleti, ancak sabredenlerin, faziletten yana nasibi bol olanların kârıdır." (Fussilet, 41 /34-35) mealindeki ayet-i kerime bu hakikati vurgulamaktadır. Bu mevzuda, bir hadis-i kudsîde de şöyle denmektedir: "Faziletlerin en büyüğü; aranızdaki akrabalık ve dostluk bağlarını koparanı senin arayıp sorman, seni mahrum bırakana senin ihsanda bulunman ve bir de zulmüne maruz kaldığın insanı affetmendir."

İkinci manası itibarıyla ise, ihsan; hak ölçülerine göre iyi düşünme, iyi şeyler plânlama, iyi işlere bağlı kalma ve kullukla alâkalı bütün davranışları Allah'ın nazarına arz ediyor olma şuuruyla ortaya koyma; her zaman Allah'ı görüyormuş gibi hareket etme ya da en azından O'nun tarafından görülüyor olmanın hakkını verme demektir.

Meseleye bu açıdan yaklaşılırsa, Rasûl-ü Ekrem (aleyhissalâtu vesselâm) Efendimiz'in öfkelenen kimseye şeytandan istiâze etmesini söylemesindeki sır da ortaya çıkar. Zira, öfkeyi yenme ihsan duygusuna, yani Allah'ı gönülden hatırlamaya ve O'na sığınmaya bağlıdır ki, "istiâze" de Allah'tan yardım ve iltica talep etme manasını taşıyan sözlerden biriyle O'na sığınmak demektir.

Öfkeyi bastırma konusundaki ikazlarından birisi de susmaktır. Rehber-i Ekmel Efendimiz, "Sizden biriniz kızdığında hemen sussun." buyurmuştur. Gazap hâlinde söylenen nice çirkin laflar vardır ki, insana bir ömür boyu vicdan azabı yaşatır. Bu itibarla, öfke anında sükût etmek en akıllıca davranışlardan biridir.

Ayrıca, manevî hayatımızdaki bir sıkıntı ve kabz hâlinde inşirah kaynağı olabilecek hususlardan bir diğeri psikolojik tavır ve durum değişikliğidir. Psikologlar, insanın kendini yenilemesi ve üzerindeki sıkıntıyı atabilmesi için bir hâl ve tavır değişikliğini salık vermektedirler. Rasûlullah'ın, "Sizden biriniz ayakta iken öfkelenirse otursun, öfkesi geçerse ne âlâ, öfkesi geçmezse uzansın." nasihati de bu zaviyeden değerlendirilebilir.

Şayet, istiâze, sükut ve oturma ya da uzanma gibi bir durum değişikliği de öfkeyi bastırmaya yetmezse, o zaman hemen abdeste koşmak icap eder. Habib-i Edib "Gazap şeytandandır, şeytan da ateşten yaratılmıştır. Ateş ancak su ile söndürülür. Biriniz kızdığı zaman abdest alsın." buyurmuştur. Kızgınlık anında abdestin salık verilmesinin hikmetlerinden biri de yine bahsi geçen tavır değişikliğini temin etmektir. Nihayet, kötü sözden ve dünyevî kavgalardan bütün bütün uzaklaşmanın biricik yolu olan namaz da gazabı söndüren bir iksir olarak Rehber-i Ekmel'in tavsiyeleri arasındadır: "Her türlü öfke ve ağız kavgasının ilacı, iki rekat namazdır."

Öfkeniz Allah İçin mi?

Evet, kuvve-i gadabiyenin de bir hikmet-i vücudu vardır ve onu yok etmeye çalışmak yerine yüzünü şerden hayra çevirmeye gayret etmek lazımdır. Şüphesiz, hiddet Müslümana yakışmayan bir tavırdır. Şu kadar var ki, Cenâb-ı Allah'a, Rasûl-ü Ekrem ve Din-i Mübîn'e bir saldırı söz konusu olduğunda ya da dinî bir esasın korunması meselesinde inanan insanların hiddetlenmeleri de normaldir; hatta mukaddesâtı muhafaza etmenin lüzumu açısından öyle bir durumda mü'minlerin makul ve ölçülü bir şekilde kızgınlıklarını ifade etmeleri yanlış olur.

İbn Hacer hazretleri, gazabın Allah için olanını anlatırken, İnsanlığın İftihar Tablosu'nun (aleyhissalâtu vesselâm) şahsî meselelerde sabredip hiç öfkelenmediği hâlde, dini ilgilendiren mevzularda gazap izhar ettiğine dikkat çekmekte ve bu hususu bazı misallerle te'yit etmektedir. Serdettiği örneklerden birisi şöyledir:

Câbir b. Abdullah'ın (radıyallahu anh) anlattığına göre; Muâz ibn Cebel (radıyallahu anh), Peygamber Efendimiz'in arkasında namazını kılar, sonra da kendi kavmi olan Benû Selime'ye gidip, onlara namaz kıldırır ve namazda da Bakara Sûresi'ni bitirecek kadar uzun okurdu. Bir defasında bir adam kendi başına kısa bir şekilde namaz kılmıştı. Bu adamın cemaatten ayrılıp tek başına namaz kıldığı haberi kendisine ulaşınca Hazreti Muâz, "O bir münafıktır!" deyivermişti. Muâz ibn Cebel'in bu sözünü duyan o adam, hemen Rasûl-ü Ekrem'e geldi; "Yâ Rasûlallah! Biz ellerimizle işleyen, su çeken ve develerimizle sulama yapan bir topluluğuz. Muâz, dün bize namaz kıldırırken Bakara Sûresi'ni baştan sona okudu. Onun için bu defa namazımı hafif kılıp gittim. Bundan dolayı Muâz benim bir münafık olduğumu iddia etmiş!" dedi. Bunun üzerine Allah Rasûlü -kızgın bir ifade tarzıyla- üç kere: "Ya Muâz! Sen bir fettan mısın (fitne mi çıkarıyorsun)? "Ve'ş-şemsi ve duhâha", "Sebbih isme Rabbike'l-alâ" ve benzeri sûreleri okusana!" buyurdu. Evet, insanın kendi adına kulluk çıtasını yüksekte tutması güzel ve makbuldü ama başkaları söz konusu olunca dinin özündeki kolaylık (yüsr) prensibi esas alınmalıydı; Şefkat Peygamberi Hazreti Muaz gibi bir ibadet aşığının şahsında işte bu hususa işaret ediyordu.

Hâsılı, mü'min Allah için sevmeli, Allah için buğzetmeli, Allah için hüküm vermeli.. ve öfkelenecekse Allah için öfkelenmelidir. İnanmış bir insan neye ne ölçüde gazaplandığına çok dikkat etmelidir. Kendisiyle alâkalı en küçük bir meseleden dolayı kıyametler kopardığı hâlde, dini, diyaneti ve ümmet-i Muhammed'in (sallallahu aleyhi ve sellem) hâl-i pürmelalini ilgilendiren mevzularda hiçbir hiddet alâmeti göstermeyen kimselerin öfkelerinin ne kadar nefsanî ve şeytanî olduğu açıktır. Oysa, muvahhid bir mü'min olmanın ve hakiki ihlasa ermenin yolu nefsin hissesi bulunan her işi terketmekten geçmektedir. Bu konuda -Yirmiikinci Mektup'ta da değerlendirilen- şu hâdise ne kadar ibretliktir:

Bir vakit, İmam-ı Ali (radıyallahu anh) kendisine karşı savaşan bir kâfiri yere sermiş. Kılıcını çekip tam başını keseceği zaman, hasmı ona tükürmüş. Hazreti Ali, kâfiri bırakmış, onu öldürmemiş. O inançsız adam, Hazreti Ali'ye (kerremallahu vechehu) "Neden beni kesmedin?" diye sorunca, Haydar-ı Kerrâr, "Seni Allah için kesecektim. Fakat bana tükürdün; hiddete geldim. İşe nefsimin hissesi karıştığından ihlâsım zedelendi. Onun için seni öldürmedim." demiş. Bu cevabı alan adam Hazreti Ali'nin civanmertliğine şöyle mukabelede bulunmuş: "Sana tükürmekteki maksadım, beni çabuk kesmen için seni hiddete getirmekti. Madem dininiz bu derece sâfi ve hâlistir; öyleyse, o din haktır!.."

İstikbal Endişesi

Soru: Bazı adanmış ruhlarda bile, yaşlanınca vazife alama-ma, boşta kalma ve başkalarına muhtaç duruma düşme gibi endişeler hükmünü icra edebiliyor. Dolayısıyla, ge-leceği teminat altına almak için mal biriktirme ve belli bir yaştan sonra devlet kurumlarına geçme gibi tedbirler makul gö-rülebiliyor. Böyle bir düşünce adanmışlık duygusuyla telif edilebi-lir mi, istikbal endişesinin hayra tevcih edilmesi ne suretle olur?

Cevap: Geleceği düşünme, onu garanti altına alma hususunda ta-salanma ya da ileride vuku bulması muhtemel hadiselerden dolayı meraklanma, kaygı duyma, hatta bir kısım menfiliklerin olabileceği mülahazasıyla kederlenme demek olan "endişe-i istikbal" az ya da çok her insanda bulunan bir duygudur. Evet, âhirete ait işleri kolay-ca yapabilmesi için insanın fıtratına konulan merak, muhabbet, hırs ve inat gibi hislerden biri de "istikbal endişesi"dir.

Gelecek Kaygısı

Bu his insana, âhireti düşünmesi, Cennet'e ve âhiret nimetlerine ka-vuşmak için gayret göstermesi, Cehennem'den korkması ve ölüm sonrasındaki azaplardan kurtulmaya çalışması için verilmiştir. Hey-hat ki, insanların çoğu, nazarlarını daha yakın gördükleri zaman bi-rimlerine dikmiş; yarın, önümüzdeki hafta, gelecek ay, ertesi sene, on yıl sonra... hesapları üzerine yoğunlaşmış ve bu hayatı ebedî kabul edercesine, istikbal endişesini bütün bütün dünya ile alâkalı işlere yönlendirmişlerdir. Bugün insanlar genellikle, "Yarın ne yaparım?" "Hangi üniversiteyi kazanırım?" "Okul bitince hangi mesleğe atılırım?" "Hangi müessesede iş bulurum?" "On sene sonra bir ev alabilir miyim?" "Emekliliği müteakiben nerede yaşarım?" "Bu çocuk da evlenip gidince bana kim bakar, ne yer ne içerim?" türünden sorularla meşgul olmaktadırlar.

Hususiyle gençlik yıllarında kendini iyice hissettiren gelecek kaygısı, insanı hem kendisinin hem de eş-dostunun, çoluk-çocuğunun istikbaliyle alâkalı ümit ve endişeler arasında sürükler durur. İnsanları kandırmak için her türlü hileye başvuran şeytan ve hep kötülükleri dayatan nefis de bu duyguyu devamlı surette körükler; "Ne olacak senin hâlin.. ne yiyip ne içeceksin.. sonra kim bakar sana?!. Ya çocuklarının durumu, onların yurt yuva kurması, meslek sahibi olması... Aman boşta kalma, el açacak duruma düçar olma!.." gibi endişeleri tetikler. Hadis-i şerifin ifadesiyle, gece vakti sırf Allah rızası için tatlı uykusunu bölmek ve teheccüde kalkmak isteyen kimselerin yüzlerine üfürüp "Uyu, uyu!.." diyen ve onların gecelerini nurlandırmalarını asla çekemeyen şeytan, insanların âhirete müteveccih yaşamalarını da kaldıramaz ve onları şu muvakkat dünyanın değersiz kuruntularıyla oyalamaya çalışır: "Yarınını düşün, geleceğini karartma!" der durur.

Hafizanallah, şeytan her zaman birkaç yerde birden çeşit çeşit bubi tuzakları kurar, insanı biriyle olmazsa diğeriyle avlamayı dener; mesela, kendi geleceğini düşünmeyen kimseleri aile fertlerinin istikbaliyle kandırır. Fakat, bu gelecek düşüncesini hep dünya hayatıyla sınırlar, âhiret de bir istikbaldir ama onu akla getirtmemek için uğraşır. Bundan dolayıdır ki, bir mü'min sürekli istiâzede bulunmalı (şeytanın şerrinden Allah'a sığınmalı) ve bu istikamette her zaman "Rabbi euzü bike min hemezâti'ş-şeyâtîn ve euzü bike rabbi en yahdurûn - Ya Rabbî! Şeytanların vesveselerinden, dürtülerinden, fitlerinden ve onların hep yanımda bulunup beni yanlış şeylere sevketmelerinden Sana sığınırım!" (Mü'minun, 23/97-98) demelidir.

Hangi İstikbal?..

Evet, çoğu zaman şeytan hislerimizin gerçek rengini karıştırıyor, ruh dünyamızın güzel atmosferini bozuyor; biz Allah'a müteveccihen dosdoğru giderken, o niyetimizi bulandırıyor, bakışlarımızı kaydırıyor, bizi yolumuzdan alıkoyuyor ve başka değersiz şeylerle oyalıyor. Fakat, bazen de bir kısım insanlar, bazı beklentilere giriyorlar, "görüleyim, bakılayım, düşünüleyim" mülahazalarına takılıyorlar. Ekserisi havadan nem kapan böyle kimseler, umumiyetle umduklarını bulamıyorlar; kimi zaman da belki bazıları itibarıyla gadre uğramış oluyorlar. Sonunda, gelecek kaygılarıyla ve kendi başlarının çaresine bakma mülahazalarıyla doluyorlar. Bu şekilde istikbal endişesine düşüp o endişeyi kendi başına giderme yolunu seçen kimseler, daha başkalarına da kötü örnek oluyor ve onları da bir yanlışlığa sürüklüyorlar.

Bu meselede, öncelikle kendini bir mukaddes gayeye adamış insanlara çok büyük vazifeler düşüyor. Adanmışların, kendi adlarına hep en büyük istikbali, yani âhireti düşünmeleri gerektiği gibi, beklenti içinde bulunan kimseleri de görüp gözetmeleri, beklentilerini belli ölçüde ve meşru dairede yerine getirmeleri ve onların nazarlarını da âhirete tevcih edip sadece iman hizmetini düşünmelerini sağlamaları icap ediyor. Vefalı ve sâdık bir arkadaş olmanın gereğini ortaya koymaları, onları nefis ve şeytanla başbaşa bırakmamaları ve kalbi dumura uğratan dünyevî meşgalelere terk etmemeleri gerekiyor. Hazreti Osman'ın ifadesiyle, "Dünyaya ait gelecek kaygısı gönlü karartır; âhiretle alâkalı istikbal endişesi ise kalbi nûrlandırır." Öyleyse, adanmış ruhların, zaman zaman sendeleyen ve yolda yürürken tökezleyen kardeşleri hakkında böyle bir kalb ölümüne rıza göstermemeleri ve onların endişe hislerini âhiretle ilgili, ulvî ve neticesi açısından çok semereli meselelere yönlendirmeleri lazım geliyor.

Evet, her insan az ya da çok gelecek kaygısı taşır; fakat bu, bazı kimselerde vehim ve hastalık derecesine varır. Öyle ki, bazıları, rızkın Rezzâk-ı Hakikî tarafından gönderildiğini unutmuşçasına iâşe derdine düşerler ve şayet, birkaç ay, birkaç sene idare edecek birikimleri yoksa telaşlanırlar. Hayatı halk eden Mevlâ-yı Müteâl'in hayat için rızık da yarattığını akletmezler. Yarına çıkmaya hiçbir garantileri olmadığı halde, yarınları, sonraki ayları, müteakip yılları düşünürler. Gerçi, esbab dairesinde yaşadığımız için sebepleri yerine getirmek ve plan-program isteyen meselelerde fıtrat kanunlarını gözetip belli bir düzene göre adım atmak tabiîdir ve takip edilmesi gereken bir yoldur. Ne var ki, her canlının rızkını vermeyi taahhüd eden Cenâb-ı Hakk'ın vaadine itimat etmezmiş gibi, endişe hissini tamamen dünyevî istikbale harcamak da çok yanlıştır; bir mü'minde mutlaka bulunması gereken tevekkül anlayışına da zıttır.

Aslında, ömrünü bütün bütün su-i istimal etmeyen her insanın dünyevî rızkı garanti altındadır; Rezzâk-ı Hakikî vaad etmiştir, mutlaka herkesin rızkını verecektir. Asıl üzerinde durulması ve endişe edilmesi gereken husus âhiret hayatıdır; çünkü, ebedî saadet, garanti altına alınmış değildir. Şayet insan, geleceği için tasalanacaksa, öyle ya da böyle, nasıl olsa gelip geçecek olan muvakkat dünya hayatı

için değil, kendisinin ebedî saadetine veya sonsuz şekavetine dönü-
şecek olan âhiret yurdu için tasalanmalı ve hep ölümle başlayıp ka-
bir hayatıyla devam eden, mahşer, mahkeme-i kübra ve sırat gibi du-
rakları bulunan en büyük istikbali düşünmelidir.

İnsan, tabiatına yerleştirilen gelecek kaygısını yaratılış hikmetine
uygun olarak değerlendirmeli; bu his sayesinde, dünyanın geçiciliği-
ni farketmeli, imtihan yurdunda olduğunu bilmeli ve ebedî bir hayat
için hazırlanmalıdır. O, "Yarın ne yiyip içeceğim?" ya da "Seneye ne-
rede olacağım?" gibi sorulara cevap aramaktan ziyade, "Acaba son
yolculuğa hazır mıyım? Mü'mince ölebilmem için en büyük vesile
olan tahkikî imanı elde edebildim mi? Azığımda kabrimi nurlandıra-
cak teheccüd aydınlığına da yer verdim mi? Mahşer meydanında
Arş'ın gölgesinde serinleyecekler arasında bulunma keyfiyetine ere-
bildim mi? Bütün kul haklarından sıyrılıp geride görülmemiş bir he-
sap bırakmadan mizanın başına gidebilecek miyim? Rasûl-ü Ekrem
(sallallahu aleyhi ve sellem) Efendimiz'in "Livaü'l-hamd"i altında ben
de bir yer tutabilecek miyim? Sırat'ı geçip Cennet'e yürüyebilecek ve
sâlih kulların arasına girebilecek miyim? Acaba ben de Cemâlullah'ı
görme ve rıza-yı ilahîyi duyma şerefine nâil olabilecek miyim?" diye
düşünmeli ve bu hususların endişesini taşımalıdır.

Bir Kalb Hastalığı: Tûl-i Emel

Ne var ki, insanın zaafa açık noktalarından birisi olan "tûl-i emel"
duygusu, endişe-i istikbalin yüzünü âhiretten dünyaya çevirmekte ve
insanın buradaki arzu, istek ve beklentilerden sıyrılıp ötelere müte-
veccih yaşamasına mani olmaktadır. Gelecek kaygısının sadece bu
hayatla sınırlıymış gibi algılanmasına sebebiyet veren hususların ba-

şında "tûl-i emel" gelmektedir. Tûl-i emel; hiç ölmeyecekmiş gibi dünyaya bağlanmak; sonu gelmez isteklerin, bitmez tükenmez arzuların, önü alınamaz hırsların ve tamahın peşine düşmek demektir.

Evet, Hazreti Ruh-u Seyyidi'l-Enâm (aleyhi elfü elfi salâtin ve selâm) Efendimiz'in, "Dört şey şekâvet (bedbahtlık ve hüsran) alâmetidir: Gözün kuruması, kalbin katılaşması, tûl-i emel ve dünya hırsı." buyurarak ümmetini ikaz ettiği tehlikelerden biri de tûl-i emeldir. Allah Rasûlü, bir başka zaman da "İnsan yaşlansa da ondaki iki duygu hep genç kalır: Bunların birisi dünya sevgisi, diğeri de tûl-i emeldir!" sözüyle, beşerî arzuların bitip tükenme bilmediğine ve nefsin dünyevî güzelliklere bir türlü doymadığına dikkat çekmiştir.

Rasûl-ü Ekrem (sallallahu aleyhi ve sellem)'in "Hakkınızda en çok korktuğum husus heva-yı nefse uymanız ve tûl-i emele düşmenizdir. Hevaya uymak hakkın önünü keser, tûl-i emel ise âhireti unutturur." buyurduğunu nakleden Hazreti Ali (kerremallahu vechehu) şu sözlerle mü'minleri tûl-i emele karşı uyarmış ve istikbal endişesinin hangi yönde olması gerektiğine işaret etmiştir: "Dünya size arkasını dönmüş gidiyor, âhiret ise yönelmiş geliyor. Bunlardan her ikisinin de kendine has çocukları var. Siz âhiretin evladı olun; zinhar, dünyanın çocukları olmayın. Zira, bugün amel var hesap yok, yarın ise hesap var amel yok!"

Haydar-ı Kerrar'ın bu nasihatını duyan bir Hak dostu, onu değerlendirerek şöyle demiştir: "Demek, dünya arkasını dönmüş gidiyor, âhiret ise yönelmiş geliyor; öyleyse, arkasını dönene teveccüh eden ama yönelene sırt çeviren kimseye şaşmalı değil mi!.."

Diğer taraftan; ölümü düşünüp dünyanın fânî olduğunu mülahaza etmek ihlası kazanmanın mühim bir vesilesi olduğu gibi, tûl-i emel de sadece bu hayatı gözetmenin, istikbal endişesini yalnızca dünyevî yarınlara hasretmenin, riyanın ve ihlassızlığın en önemli sebebidir.

İnsan bazen gençliğine, sağlığına, servetine ve makamına güvenir; rahat ve rehavet içinde yaşayıp gidiyorken ölümü çok uzak görür. O yer yer elindeki imkanların kaçıp gitmesinden korksa da, kendisinin de bir gün göçüp gideceğini düşünmez; hatta ölümü hiç aklına getirmemeye çalışır, ondan bahsedilmesinden bile rahatsızlık duyar. Halbuki, ölümün ne zaman kimin kapısını çalacağı belli değildir; nice genç ve sıhhatli insanlar vardır ki, hiç beklenmedik bir anda, yakınlarına "elveda" bile demeden ebedî âleme irtihal etmişlerdir. Şu halde, mü'min bu dünyada bir misafir gibi yaşamalı ve her an öteler ötesine yürümeye hazır olmalıdır.

Nitekim, bir gün, Rasûl-ü Ekrem (aleyhissalâtu vesselâm), Abdullah İbn Ömer'in (radıyallahu anh) omuzundan tutmuş ve ona "Dünyada bir garib gibi yaşa veya bir yolcu gibi ol! Daha ölüm gelip çatmadan kendini kabir ehlinden say!" buyurmuştur. Ömrü boyunca bu nasihate muvafık yaşayan İbn Ömer (radıyallahu anh) hazretleri de, her fırsatta Allah Rasûlü'nün ikazını hatırlatarak şöyle demiştir: "Akşama erdin mi, sabahı bekleme; sabah edince de akşama ulaşacağını umma. Sıhhatin yerindeyken hayırlı işler yapmada acele et; hayatını ölüm ve sonrası için azık tedarik ederek değerlendir."

Adanmışlığın da Dereceleri Var!..

İnsanlığın İftihar Tablosu'nun (aleyhi ekmelüssalâvâti ve eblağutteslîmât) ve Ashâb-ı Kirâm'ın tûl-i emelden uzak durma ve ölüme hazırlıklı olma mevzuundaki tavsiye ve uyarılarından dolayıdır ki, Selef-i Salihîn efendilerimiz istikbal endişesini bütünüyle âhiret yörüngeli olarak anlamış ve bu dünyaya ait gelecekle alâkalı beklentilerden olabildiğine arınmışlardı. İmam Gazâlî Hazretleri'nin naklettiğine göre;

onlardan kimisi yazın kış için, kışın da yaz için hazırlık yapar, bir sene yetecek erzakı derledikten sonra artık kendisini ibadete salardı. Bazısı, daha yaz mevsimindeyken kışı düşünmeyi bile tûl-i emel sayar; yazlık elbisesi varsa, kışlık alıp bir kenara koymayı asla aklına getirmezdi. Kimisinin ümidi sadece bir gün bir geceydi; onun ötesiyle meşgul olup rızık biriktirmeyi dünya sevgisi kabul ederdi. Aralarında başka bir grup daha vardı ki, onlar bir saat sonraya kalmayı bile düşünmezlerdi; Rehber-i Ekmel'in abdest almak için az ilerideki suya giderken önce teyemmüm yapmasını ve merakla kendisine bakanlara "Suya yetişeceğimi nereden bilebilirim?" demesini delil sayar ve her zaman Azrail Aleyhisselam'la karşı karşıya gelmeyi beklerlerdi.

Hazreti Ruh-u Seyyidi'l-Enâm (aleyhi ekmelü't-tehâyâ), Muaz b. Cebel'e (radıyallahu anh) imanın hakikatini sorduğunda, büyük Sahabî "Ölümü öyle yakın görüyorum ki, her adımımdan sonra ikinci adımı atamayacağımı zannediyorum!" demişti. Evet, Selef-i Salihînin ekserisi, bu mülahazaya göre yaşamış ve ayaklarının biri hep ahiret yamaçlarındaymış gibi davranmışlardı. Öyle ki, belki her insan tûl-i emelden uzak bulunduğunu ve emelinin kısa olduğunu zanneder. Oysa, onlar bunun ancak amellerle belli olacağına inanmış ve insanın sadece senede bir defa muhtaç olacağı bir şeye ehemmiyet vermesini bile uzun emelli oluşuna delil saymışlardı. Bir insanın emelinin kısalığına onun hayır yapmadaki aceleciliğini hüccet kabul etmişlerdi.

Demek ki, tûl-i emel meselesinde de insanlar, her an ölümü bekleyip gelecek kaygısına hiç düşmeyeninden yalnızca bir senelik erzak tedarik edip ötesini dünyaperestlik sayanlarına kadar derece derecedirler. Bunların herbiri için nezd-i ilahide bir mükafat ve mertebe vardır; tabii ki, emeli bir aylık olan kimse ile, bir yıl sonrasını da hesaba katan insan bir değildir.

Aynen öyle de, adanmışlığın da pek çok mertebesi vardır. Bazı fedakâr ruhlardan yarınlarını hiç düşünmemeleri beklenebilir; fakat, bir kısım kimselere de bu konuda daha müsamahalı davranmak ve onların zaaflarını gözetmek gerekir. Çünkü, herkes tabiat-ı hayvaniye, cismaniye ve bedeniyeden sıyrılamaz. Her insan tam bir adanmışlıkla dava düşüncesine konsantre olamaz; bu ululazmâne bir haldir, herkese müyesser değildir. Öyle adanmış ruhlar vardır ki, "Gözümde ne Cennet sevdası, ne de Cehennem korkusu var; milletimin imanını selâmette görürsem Cehennem'in alevleri içinde yanmaya razıyım!" der ve istikbal hesabına olan bütün endişeleri kalblerindeki iman ateşiyle yakıp kül ederler.. ya da ellerini açar, "Allahım, vücudumu o kadar büyüt ki Cehennem'i ben doldurayım, başkalarına yer kalmasın!" çığlıklarıyla semavâtı titretir ve tasa, kaygı, gam, keder, korku hislerinin hepsini şefkat duygusuna kurban ederler.

Bu ruh yüceliği, ufkumuzu aşkın bir haldir ama adanmışlığın bizim seviyemizdeki insanlara gelinceye kadar daha alt perdeleri de söz konusudur. Bazı kimseler, belli ölçüde dünyadan ve dünyanın nimetlerinden de istifade etmek isterler; evlenirler, bir yuva kurarlar, çoluk-çocuğa karışırlar ve Allah'ın verdiği imkanları iyi değerlendirir, mal-mülk sahibi de olurlar. Fakat, imanlarıyla bütün bu nimetleri daha bir nemalandırır ve âhiret azığı olarak amel defterlerine yazdırırlar. Bu gayeye matuf olarak, "Ben bir adanmış olduğum gibi, ailem ve malım mülküm de bu yola adanmıştır; ihtiyaç olduğu zaman hiç tereddüt etmeden bütün varlığımı fedâya hazırım!" derler. İşte, bu da bir çeşit adanmışlıktır ve bunun da umumi manada aynı kategori içinde mütalaa edilmesi lazımdır. Çünkü, İslam, ölümü unutturmayacak, ibâdetten alıkoymayacak, harama yer vermeyecek ve bu hayatı âhiretin önüne geçirmeyecek ölçüde dünyalık talebine cevaz vermiştir. Bu hususta, bazı insanlara azîmet çizgisi gösterilse bile, bir kısım kimselere de ruhsatlar zaviyesinden muamelede bulunmak gerekebileceği unutulmamalıdır.

Bu itibarla, istikbal endişesi mevzuunda herkes kendi konumu ve hâli açısından değerlendirilmeli, insanların tabiatları ve zaafları da nazardan dûr edilmemeli ve her insana özel durumuna göre teklif-i mâlâyutâk olmayacak bir hedef gösterilmelidir.

Belki adanmış ruhlar arasında zirveyi tutanlar, her an ölüme hazırlıklı olmalıdırlar. Şayet akşama kadar yaşarlarsa, iman dairesi içinde ve mümkün olduğu kadar Allah'a itaat üzere akşamladıklarından dolayı Cenâb-ı Hakk'a şükretmelidirler. O günü de imanlı olarak geçirdiklerine, gündüzü zayi etmeyip ondan da nasiplerini aldıklarına, âhiret yatırımı sayılabilecek bazı hayr ü hasenâta muvaffak olduklarına ve öteler için biraz daha azık edindiklerine sevinmelidirler. Eğer sabaha ulaşabilirlerse, gündüz için düşündükleri aynı şeyleri gece için de mülahazaya almalı ve kalblerini yarınlar beklentisinden arındırmalıdırlar. Buna muvaffak olamayanlar da, en azından istikbal endişesini dengelemeye gayret göstermeli; onun yüzünü kabirden sonraki hayata ve teminat altında olmayan ebedî istikbale çevirmelidirler. Madem ki, Rezzâk-ı Hakîkî, dünyada inanan inanmayan herkese rızk vermeyi taahhüt etmiş, ahiret rızkını ise, sadece hakikî mü'minlere tahsis etmiştir; öyleyse, insan, vaad edilen dünyevî rızkın endişesini duyacağına, ebedî şekavetten kurtulma ve sonsuz saadete ulaşma kaygısı, endişesi ve tasasıyla dolu bulunmalıdır.

Yol Yorgunluğuna Düşmemek İçin...

Evet, en çok düşünülmesi ve endişe duyulması gereken istikbal, beş-on yıl sonraki "yakın gelecek" sayılan günler değil, her an başlaması muhtemel olan âhiret istikbalidir. İnsan, Cennet'e nâil olma istikbali, Cemalullah'ı müşahede istikbali ve Allah'ın rızasını kazanma istikbali peşine düşmeli ve her şeyden önce, her beklentiden öte, her arzunun üstünde bunları düşünmelidir. Nitekim, Nur Müellifi, "Ey insan! Bilir misin nereye gidiyorsun ve nereye sevk olunuyorsun? Dünyanın bin sene mes'udâne hayatı, bir saat hayatına mukabil gelmeyen Cennet hayatına ve o Cennet hayatının dahi bin senesi, bir saat rüyet-i cemâline mukabil gelmeyen bir Cemîl-i Zülcelâlin daire-i rahmetine ve mertebe-i huzuruna gidiyorsun." diyor.. diyor ve nihayet yetmiş, seksen, doksan sene de yaşasa, insanın ölüp gideceğini ama ötelere sehayate çıkarken iman gibi bir iksiri azık edinirse tarife gelmez âhiret nimetlerini orada hazır bulacağını hatırlatıyor.

Şu hâlde, bu hakikatlerin her zaman hatırlanması, kalbin bunlarla sürekli cilalanması ve âhiretle alâkalı mülahazaların daima canlı tutulması gerekiyor. "İkbalim, istikbalim, mutlu geleceğim..." diyen kimselere, "İlle de bir istikbalden bahsedecek ve ona ait meselelerle dertleneceksiniz, işte size seksen-doksan seneyle de sınırlı olmayan ve hiç sonu gelmeyen bir istikbal.. nimetleriyle bitip tükenme bilmeyen bir istikbal.. istikbal-i âhiret!.." deyip ölüm ötesine dikkat çekmek icap ediyor.

Heyhat ki, hususiyle içinde yaşadığımız zaman diliminde ve şartlarda bu duyguyu tetikleme, ihya etme, diri tutma oldukça zor bir meseledir. Bu önce inanmaya, sonra imanda derinleşmeye, akabinde marifete yürümeye ve nihayet müzakere meclisleri kurarak, okunması faydalı eserleri okuyarak, muhavereleri sohbet-i Cânân etrafında örgüleyerek, fikir ve duygu alış-verişiyle irfan ocağını iyice kızıştırarak, böylece sürekli köpürüp duran bir marifete ulaşarak Allah aşkını ve O'na iştiyakı yüreklerde canlı tutmaya bağlıdır. Şayet, bu hususta muvaffak olunursa, işte o zaman insanlar, o ebedî istikbal iştiyakıyla, "Vallahi önümüzde öyle bir gelecek var ki, dünyevî ikbal ve istikbal olsa da olur, olmasa da!.." diyeceklerdir. Bu mülahazayla, asıl istikbale im'an-ı nazar edecek ve böylece yoldakilerle oyalanıp gerçek hedefi şaşırma yanlışlığına düşmekten de kurtulacaklardır.

İmam Gazâlî Hazretleri yolda kalanların hâline şöyle bir misal verir: Bir adam Ankara gibi bir şehirden kalkar, İstanbul misali güzel mi güzel bir beldeye gitmek üzere yola çıkar. Bir süre ilerledikten sonra, yol meşakkati ve yorgunluk ağır basar, biraz dinlenmek ister. Müsait bir yer ararken, bir su kenarı bulur. Şırıl şırıl akan su, meyveli ağaçlar, serin gölgelikler, bülbül gibi şakıyan kuşlar, tatlı tatlı öten kuşçuklar, etrafta uçuşan rengârenk kelebekler... bütün bu güzellikleri görünce oraya hayran kalır, adeta büyülenir ve bir ağacın gölgesine otağını kurar. Suyun çağlamasını dinlemeye, kelebeklerin uçuşunu seyre, ağaçların meyvelerinden yemeye ve serinlikte dinlenmeye durur. Çok geçmeden de içinde bulunduğu hâlin cazibesine vurulur ve dalar gider, İstanbul güzelliğindeki o diyarı unutur. Başlangıçta o beldeyi kastederek azm-i râh etmiş olsa da, önüne çıkan güzellikler sebebiyle maksadından vazgeçer ve yol yorgunu olarak oraya yıkılıp kalır.

Şayet, insanlara asıl hedefleri ve varıp ulaşmaları gereken ebedî meskenleri sürekli hatırlatılmazsa, -hafizanallah- herkesin -aynı o yorgun yolcu gibi- şirin bir gölgeliğe, lezzetli birkaç meyveye, câzibedâr bir güzelliğe takılıp yolda kalması ve oracığa yığılması muhtemeldir. Dolayısıyla, her insanın bu mevzuda her yeni gün bir kere daha takviyeye ihtiyacı vardır. Gelecek kaygısını, âhirete ait istikbal endişesine dönüştürmek ve bu duygunun canlılığını koruyabilmek ancak müzakere meclisleri oluşturmakla, sohbet-i Cânân vesilesiyle kalbleri yumuşatıp gözleri yaşartmakla ve gönülleri ihya eden hakikatleri hemen her gün farklı bir üslupla yeniden mülahazaya almakla mümkündür.

Hâsılı; istikbal endişesi, yerinde kullanılırsa, ebedî istikbalde sonsuz saadete erişmeye vesile olan çok önemli bir sermayedir. Gözlerin görmediği, kulakların işitmediği, beşerî tasavvurları aşkın ne nimetler, ne ziyafetler ve ne mükafatlar ancak endişe-i istikbalin yerli yerinde kullanılmasıyla elde edilebilir. O, Cuma yamaçlarında Cenâb-ı Hakk'ın cemalini seyretmeyi mümkün kılacak vesilelerden biridir. Böyle büyük bir sermayeyi gelip geçici dünya hayatının basit arzuları peşinde tüketmek onu boşa harcamak demektir. Bu açıdan, mü'min, çoğu sıkıntılarla geçen elli, altmış, yetmiş seneyi daha iyi yaşamanın kaygısını taşıyacağına, uzak görülen ama aslında yakınlardan yakın olan âhiret istikbalinin endişesini duymalı ve o endişenin gereği olarak âcilen hayr ü hasenâta sarılıp hayatı değerli kılma yoluna dahil olmalıdır.

El-Kulûbu'd-Dâria
[Yakaran Gönüller]

Soru: Cenâb-ı Allah'a yakarış âdâbını öğrenmemiz ve O'na sürekli teveccühte bulunmamız açısından "el-Kulûbu'd-Dâria" adlı dua mecmuası çok önemli bir boşluğu dolduracak gibi görünüyor. Fakat, Kur'an harflerini okuyabilsek bile, ekseriyet itibarıyla, kitaptaki evrâd ü ezkârın manalarını anlayamıyoruz. Bu konuda bize neler tavsiye edersiniz?

Cevap: "el-Kulûbu'd-Dâria", tek sığınak bildiği ilahî dergâhın kapısını gözyaşlarıyla çalan, onun eşiğinde boyun büküp el pençe dîvan duran, tazarru ve niyazda bulunan, içini şerheden, dertlerini bir bir sayıp döken ve yana yakıla "derman" deyip inleyen kalbler demektir; bütün bu manaları çağrıştırmak üzere kısaca "Yakaran Gönüller" de denilebilir. Bu kitap, Gümüşhanevî Ahmed Ziyaüddin Efendi'nin "Mecmuatü'l-Ahzâb" adlı üç cildlik eserinden seçilen evrâd ü ezkârın (okunması âdet edinilen belli âyet, sûre, dua ve zikirlerin) yeniden tasnif edilmesi suretiyle hazırlanmıştır.

Gümüşhanevî Hazretleri ve Mecmuatü'l-Ahzâb

Son devrin Osmanlı ulemasından merhum Ahmed Ziyâüddin Efendi, 1813 yılında Gümüşhane'nin Emirler Köyü'nde doğmuştur. Sadece zâhirî ilimlerle meşgul olmamış aynı zamanda bâtınî ilimleri de okumuş ve her iki sahada da icazet almıştır. Nakşibendî-Hâlidî şeyhlerinden birisi olan Gümüşhanevî hazretleri, hayatını ilim ve irşada adamış; 1893 senesinde İstanbul'da dâr-ı bekâya irtihal ederken geride onlarca eser bırakmıştır.

İşte, Hazret'in yâdigârlarından biri de, "Mecmuatü'l-Ahzâb" adlı yaklaşık iki bin sayfalık eser olmuştur. Gümüşhanevî hazretleri, eserini talebeleriyle beraber büyük bir itina ile hazırlamış ve bu vesileyle onlarca Hak dostunun yüzlerce evrâd ü ezkârını biraraya getirmiştir. Mecmuada her bir hizbin ismini, müellifini, ne zaman ve ne şekilde okunacağını da belirtmiştir. Mesela, Hasan Basrî Hazretleri'nin, Cuma'dan başlayıp haftanın her gününde bir bölüm okuduğu İstiğfar Üsbûiyyesi'ni kaydetmiş, hangi güne hangi bölümün düştüğünü de göstermiştir. Ayrıca, kitapta, Hazreti Ali (kerremallahu vechehû), Hazreti Üsame (radıyallahu anh), Muhyiddin İbn Arabî, Ebu Hasan Şazilî ve İmam Cafer-i Sâdık gibi maneviyat âleminin sultanlarının da "Üsbûiyye" adıyla andıkları ve haftanın her günü belli bir bölümünü okudukları hizibleri, virdleri, gece zikirleri, duaları, istiğfarları, istiâzeleri, tesbihleri, tehlilleri, salavat ve na'tları vardır.

"Mecmuatü'l-Ahzâb", Bediüzzaman Hazretleri'nin de elinden hiç düşürmediği bir dua kitabıdır. Öyle ki, Hazreti Üstad'ın, yaklaşık üç mushaf-ı şerif hacmindeki bu kıymetli eseri her onbeş günde bir hatmetmeyi itiyad hâline getirdiğini Nur Mesleği'nin çok önemli bir rüknünden birkaç defa dinlemiştim. Demek ki, Nur Müellifi, her gün en az beş-altı saatini bu mecmuaya ayırıyor ve evrâd ü ezkârla meşgul oluyormuş.

Burada, istidradî (antrparantez) bir hatırayı arz edeyim: Büyük alimlerden ehl-i kalb bir insan, Hazreti Üstad'ın iman hakikatlerini ele alışına, anlatışına, tahlillerine ve onları neşretmedeki üslubuna çok hayran kalıyor. Nur Risaleleri'nin, yazılması çok zor, pek kıymetli eserler olduğunu ve bunların sadece düşünüp taşınmakla kaleme alınamayacağını söylüyor. Eserlerin çoğaltılmasının ve neşrinin de ancak çok güçlü bir kaynağa dayanmak suretiyle gerçekleşebileceğini ifade ediyor. Nur Müellifi ve iman hizmeti hakkındaki takdirlerini her fırsatta dile getiriyor. Sonra birisi ona, Hazreti Üstad'ın başucundan hiç ayırmadığı "Mecmuatü'l-Ahzâb"ını gösterince, o zat diyor ki: "Şimdi o kaynağın ne olduğunu anladım; demek ki, Bediüzzaman'ın Rabbimizle çok ciddi bir münasebeti var, Cenâb-ı Hak'la irtibatı pek kavî. O, Allah'a teveccühten bir lahza dûr olmadığı ve kat'iyen gevşeklik göstermediği için Mevlâ-yı Müteâl de onu sürekli te'yid ediyor ve ilahî ihsanlara mazhar kılıyor."

Evet, Hazreti Üstad'ı hangi yanıyla ele alırsanız alınız, bir mükemmeliyet abidesi olarak karşınıza çıkıyor. "Ben hizmet ediyorum, evrâd u ezkârım eksik olsa da olur!" veya "Ben kendimi zikr ü fikre adadım, i'lâ-yı kelimetullah vazifesinde geri kalsam da mahzuru yok!" ya da "Şu işi tam yapayım, bunu ihmal etsem de olur!" demiyor. Tam bir denge insanı olarak yaşıyor; her hususta esas kabul ettiği iktisadı, zamanı iyi kullanma mevzuuna da uyguluyor. Asla israfa girmiyor ve hiçbir anını boşa geçirmiyor; her saatini dolu dolu değerlendiriyor. Dolayısıyla, kulluğa ait hiçbir vazifeyi ihmal etmiyor; günlük virdlerini ve zikirlerini de hiç aksatmıyor. Kendisi "Mecmuatü'l-Ahzâb"ın tamamını okuduğu gibi, ondan bazı kısımları da alıp, Cevşenü'l-Kebir, Şah-ı Nakşibend'in Evrâd-ı Kudsiyesi, Delâilu'n-Nur, Sekine, Münacât-ı Üveys el-Karnî, İsm-i Azam Duası, Münacât-ı Kur'an, Tahmidiye ve Hulâsatü'l-Hulâsa misillü duaları biraraya getirerek bir "hizip" yapıyor. Mecmua'nın tamamını okuyamayanlardan hiç olmazsa bu hizbi takip etmelerini istiyor. Hazreti sevip sözlerine itimad edenler dünden bugüne o hizbi hep okudular, hâlâ da okuyorlar; bundan sonra da devamlı okumalılar.

Çünkü, evrâd u ezkâr, i'lâ-yı kelimetullah yolunda mücahede eden bir mü'minin en önemli zâd ü zahîresi; Allah Teâlâ ile münasebetinin de emaresidir. Cenâb-ı Hakk'ın gücüne ve kuvvetine, her şeye kâdir olduğuna ve her şeyi O'nun yaptığına inanan bir insan, bu inancının gereği olarak mutlaka Mevlâ-yı Müteâl'e teveccüh eder, ihtiyaçlarının giderilmesini ve arzularının yerine getirilmesini sadece O'ndan ister. Dua eden bir kimse, bütün gönlüyle Allah'a yönelip yalvarışa geçebildiği takdirde, kendi beden ve cismaniyetinden kaynaklanan uzaklığı aşmış ve kendisine her şeyden daha yakın olan Rabb-i Rahîm'e kurbet kesbetmiş olur. Cenâb-ı Hak da ona, duyması lüzumlu olan sesleri duyurur, görmesi gerekenleri gösterir, söylemesi icap eden sözleri söyletir ve onu yapması lâzım gelen amelleri yapmaya muvaffak kılar.

Yakaran Gönüller

Bu mülahazalara bağlı olarak, öteden beri çok değer atfettiğim "Mecmuatü'l-Ahzâb"ın bütün hizmet erlerinin başucu kitaplarından birisi olması gerektiğine inandım. Fakat, eserin eski nüshaları yeni nesillerin rahatlıkla okuyabileceği şekilde olmadığından bu düşüncemi yeterince dile getirememiştim. Gerçi, Gümüşhanevî Hazretleri, döneminin şartları zaviyesinden, olabilecek en güzel çalışmayı ortaya koymuştu; heyhat ki, o günün yazı ve baskı teknikleri yüzünden bu nadide eser bazı hatalara maruz kalmıştı. O dönemde matbaalar çok ibtidaî olduğundan dolayı baskı sırasında bir kısım yanlışlıklar yapılmış ve sonra da bu kıymetli mecmua hatalarıyla öylece kalmıştı. Daha sonraları, Gümüşhânevi Hazretleri'nin bizzat kendisi asıl nüsha üzerinde bazı tashihlerde bulunmuştu; ayrıca, farklı matbaalar tarafından el yazması nüshalardan fotokopi olarak tab'edilen baskılarda da, metin kenarlarına yer yer bir kısım tashihler ve şerhler düşülmüştü. Ne var ki, bu kitap genellikle o ilk baskılardaki haliyle çoğaltılmıştı; zira, o tarihlerde hemen herkes Arapça bildiği ve kıraat esnasında baskı hatalarını kolayca fark edip düzgünce okuduğu için, mecmuanın tashih edilerek yeniden basılmasına ihtiyaç duyulmamıştı. Böylece, Merhum'un hassasiyet, itina ve dikkatine rağmen, eser teksir edilirken ortaya çıkan cümle, kelime ve hareke hataları günümüze dek sürüp gelmişti.

Bu hususlar nazar-ı itibara alınınca, "Mecmuatü'l-Ahzâb"ın tekrar gözden geçirilerek yeni bir tasnif ve güzel bir baskı ile daha geniş kitlelerin istifadesine sunulabileceği düşüncesi hasıl oldu. Önce kitap baştan sona birkaç defa taranarak muhafaza edilecek ya da kitap haricinde tutulacak virdler tefrik edildi. Hazret-i Üstad'ın "Ben şurayı okumuyorum" demek suretiyle işaret ettiği yerler de dikkate alınarak, zâhir itibarıyla Usuluddin'e ve Ehl-i Sünnet'in tarz-ı telakkilerine uygun düşmeyen evrâd ü ezkâr çıkarıldı. Aslında, keşf ve müşahedelerinde eşsiz bir zevke ve aşkın bir hâle mazhar olan bazı ehl-i irfanın ve meşayihin bir kısım hususi mülahazalarının tazarru ve niyazlarına da yansımış olması pek tabiidir. Ne var ki, bu mülahazaların, aynı seviyenin insanı olmayan kimseler tarafından yanlış anlaşılması ve su-i te'vile maruz kalması da söz konusudur. Bundan dolayı, o türlü hususi mülahaza ihtiva eden hizbler mecmuanın dışında tutuldu.

Yine Hazreti Üstad'ın düzelttiği yerler de göz önünde bulundurularak, seçilen metinler üzerinde tashih çalışması yapıldı; eser birkaç kere de hem ferdî olarak hem de ders halkasında lafız, gramer ve hat hatalarını giderme maksadıyla okundu. Tashihler tamamlandıktan sonra, bu defa da dinî kaynaklarda Ashab-ı Bedir arasında ismi zikredildiği halde, bu dua kitabında adı anılmayan sahabîlerin isimlerinin derc edilmesi gibi bazı ilaveler yapıldı. Kitabın sonuna

İmam Bûsîrî'nin Kaside-i Bürde'si ve Kaside-i Mudariye'si ile beraber câmi' bir salât ü selam da eklendi. Bugünkü kuşakların rahatlıkla okuyabilecekleri bir dizgi ve isimlendirme metodu izlendi; Peygamberlerin münacaatlarının yanı sıra, Hazreti Ebû Bekir ve Hazreti Ali Efendilerimiz gibi Ashab-ı Kirâm'ın yakarışları, Üveys El-Karnî, Abdülkadir Geylanî, Muhyiddin İbn Arabî, İmam Zeynülâbidîn, İmam Gazâlî, Ebu Hasan Şâzilî, Hasan Basrî gibi her dönemden pek çok İslâm büyüğünün duaları ile Esmâ-i Hüsnâ, değişik hal ve şartlarda okunacak dualar, çeşitli tarikatlerin zikirleri, günlük ve haftalık virdler belirli bir düzen içinde sıralandı. Böylece, 590 küsur sayfalık bir eser ortaya çıktı ve adına da -başta da ifade ettiğim gibi- "el-Kulûbu'd-Dâria" denildi.

Bu dua mecmuasının hazırlanmasındaki en önemli sâiklerden birisi şu olmuştur: Şayet, hizmet erleri iştirak-i amâl-i uhreviye mülahazasına bağlı olarak kitaptaki duaları paylaşır ve manevî bir halka yapmış gibi her gün belli bir sıraya göre okurlarsa, mesela, kırk kişi, her biri onbeşer sayfa okumak suretiyle her gün bir defa mecmuayı bitirirse, o zincire dahil olan herkesin amel defterine el-Kulûbu'd-Dâria'nın tamamını okumuş olma sevabı yazılır. Bu hakikat, İhlas Risalesi'nde misalleriyle anlatılır; dört beş adamdan, biri gazyağı, biri fitil, biri lâmba, biri şişe, biri kibrit getirip iştirak niyetiyle bir lâmbayı yaksalar, onlardan herbirinin tam bir lâmbaya mâlikmiş gibi istifade edeceği ve aydınlanacağı ifade edilir. Hazreti Üstad bu misali verdikten sonra şöyle der: "...Aynen öyle de, emvâl-i uhreviyede sırr-ı ihlâs ile iştirak, sırr-ı uhuvvet ile tesanüd ve sırr-ı ittihad ile teşrikü'l-mesâi neticesinde, o "iştirak-i a'mâl"den hâsıl olan umum yekûn ve umum nurun, herbirinin defter-i a'mâline bitamâmihâ gireceği, ehl-i hakikat mâbeyninde meşhud ve vakidir. Ve vüs'at-i rahmet ve kerem-i İlâhî'nin muktezasıdır." Demek ki, bin kişinin dahil olduğu bir halkada yer almak, hasenât defterine o bin adamın hepsinin sevabını kaydettirmeye vesiledir. Bu itibarla, böyle büyük bir manevî şirketten hisse alma ve o şirketin kârına ortak olma çok mühim bir meseledir.

"el-Kulûbu'd-Dâria"nın Tercümesi

Evrâd ü ezkârın manalarının anlaşılmasına gelince; tabii ki, bir duayı, manasını da anlayarak okumak daha engin mülahazalara açılmaya ve daha derin hislerle dolmaya vesile olur. Bazı ifadeler vardır ki, okuyan ya da dinleyen insanın yüreğini ağzına getirir. Hususiyle, Hak dostları daha önce kimsenin söylemediği ve hiç matbaa mürekkebi görmemiş sözler söylerler. Onlar aşk u iştiyaklarını, Allah'a karşı o kadar saygılı, üslup itibarıyla o kadar ince ve Mevlâ-yı Müteâl'e o kadar layık bir eda ile seslendirirler ki, o ifadeler karşısında kalbinizin ritmi değişir, bayılacak gibi olursunuz ve kendinizi yere atarsınız.

Hazreti Şah-ı Geylanî'nin Evrâd-ı Kudsiye'sini ilk defa okuduğum zaman bana çok tesir etmişti. Adeta kendimden geçmiştim; Hazret'in Cenâb-ı Hak'la münasebetine, O'na içini döküşüne ve Rabb-i Rahim'e hitap ederken seçtiği kelimelere hayran kalmıştım. Hacı Kemal Efendi, duadan çok etkilendiğimi görünce hemen yanıma gelmiş ve "Hocam, size o kadar tesir eden dua hangisi?" demişti. Evet, gönlün sesi-soluğu olan o sözler karşısında müteessir olmamak elde değildi.

Bu açıdan, okunan evrâd ü ezkârın manalarını bilmek, insana engin bir ruh haleti kazandırır; yakarış heyecanlarını tetikler, konsantrasyonun temin edilmesini sağlar ve dudaklardan dökülen kelimelerin dilden değil gönülden kopup gelmesine zemin hazırlar. Bu itibarla da, keşke herkes okuduğunu anlasa, o büyük insanların hissiyatlarına ortak olsa ve o derin manalarla dolup manen doysa.. bu arzulanan bir neticedir. Ne var ki, böyle bir anlama söz konusu olmayınca, yapılanın hiçbir işe yaramadığını düşünmek de kat'iyen doğru değildir. Kur'an-ı Kerim'in ayetleri ve Rasûl-ü Ekrem (sallallahu aleyhi ve sellem) Efendimiz'in duaları zatında nuranî olan ifadelerdir. el-Kulûbu'd-Dâria'da yer alan sözlerin çoğu, Kur'an-ı Hakîm'den ve İnsanlığın İftihar Tablosu'nun (aleyhi ekmelüttehaya vetteslimat) dualarından mülhemdir; ayet-i kerimelerden ve hadis-i şeriflerden alınmış, format değişikliği yapılarak farklı bir şekilde yeniden seslendirilmiştir. Dolayısıyla, biz onların manalarını hiç bilmesek de, abdestimizi alır, kıbleye dönerek oturur, saygılı durur, gönlümüzü Cenâb-ı Hakk'a tevcih eder, huzur-u kalble o duaları okur ve Allah Teâlâ'ya karşı bir dilenci edasıyla ellerimizi açarsak umulan sevaba ulaşırız.

Evet, dualardaki derin manaları his, akıl ve mantığımızla yakın takibe alıp onlardan azamî istifade etmemiz için Arapça'yı anlamak ya da o virdlerin Türkçe meallerini okumak lüzumludur ve bu olsa çok iyi olur; fakat o olmayınca, duanın hiçbir fayda sağlamayacağını zannetmek de yanlıştır. Bir kere, manası ister anlaşılsın isterse de anlaşılmasın, duayla meşgul olmanın kendisi bir teveccühtür; dua ile değerlendirilen zaman da başlı başına bir teveccüh vaktidir. İnsan, arzularını yalnızca Allah Teâlâ'nın is'af edebileceğine, ihtiyaçlarını sadece O'nun giderebileceğine inanır ve bu inançla Cenâb-ı Hakk'a yönelirse, o müddet zarfında onun kalbi, hisleri, latife-i Rabbaniyesi çok istifade eder, ihsasları dua boyunca demlenir ve insan huzurda bulunuyor olmanın lezzetiyle zaman zaman kendinden geçer. Dolayısıyla, tazarru ve niyaz yine kâmet-i kıymetince eda edilmiş olur; kazandıracağı mükafatı yine kazandırır ve okuyan kimseyi Allah'a yaklaştırır.

Şüphesiz, daha baştan heyecanı tetikleme, konsantrasyonu temin etme, kalb ve ruhun yanı sıra akıl ve mantığı da besleyip doyurma

açısından, takip edilen virdlerin mealinin okunması çok faydalı ola-
caktır. İnşaallah ileride, Arapça ile beraber Türkçe'yi de iyi bilen ve
her iki dildeki temel espriye vakıf olan bir arkadaşımız, bazı yerler-
de derkenar yaparak, bir kısım haşiyeler (şerhler, açıklamalar) düşe-
rek el-Kulûbu'd-Dâria'yı tercüme edebilir. Mana-yı ismîden ziyade
mana-yı harfîyi öne çıkararak; yani, bir cümledeki kelimelerin tek
başlarına bulundukları zamanki anlamlarını değil de, cümle içindeki
konumlarını, diğer sözcüklerle biraraya geldikleri zamanki manala-
rını ve üzerlerine yüklenen mazmunları (nükteli, sanatlı, ince sözle-
ri) nazar-ı itibara alarak; bir de, "Bu mefhumu Türkçe dile getirsey-
dim, nasıl ifade ederdim?" ölçüsüne bağlı kalarak o güzel duaları di-
limize çevirebilir.

Evet, el-Kulûbu'd-Dâria gibi kitapları ya da onlardaki bazı me-
tinleri Türkçe'ye çevirirken, deyimleri, atasözlerini ve bazı hususi
tabirleri dilimizin temel esprisi ve genel özellikleri açısından değer-
lendirip, dil zevkimize uygun şekilde manalandırmak da çok
önemlidir. Mesela, bir velinin "Allahım, halimi Senin bilmen, be-
nim onu şerhetmeme ihtiyaç bırakmıyor!" şeklindeki sözünü keli-
mesi kelimesine tercüme etmek yerine, "Halim sana ayan, söze ne
hâcet!" diyerek Türkçe'ye aktarmak daha hoş düşebilir. Bu açıdan,
harfi harfine mana vermeye çalışmamak ve kelimelerin ilk anlamla-
rına takılıp kalmamak gerekir; çünkü, Kur'an-ı Kerim meallerinin
bazılarında olduğu gibi, kelime kelime tercüme meseleye darlık ge-
tirir; sözün ruhunu ve cümlenin ışığını söndürür. Öyleyse, anlatıl-
mak istenen hususu ve o sözün maksadını kendi dilimizde nasıl ifa-
de ediyorsak, onu o şekilde meallendirmek, en azından antrparen-
tez olarak belirtmek icap eder.

Şayet, bu hususları da gözetebilecek bir arkadaşımız bu mecmuayı
Türkçe'ye çevirirse, yapılan tercümeler sayfaların kenarlarına yazıla-

rak kitap yeniden basılabilir. Gerekirse sayfa düzeni biraz değiştirilir, harfler için daha küçük bir karakter kullanılır; virdlerin ve zikirlerin asılları ortaya, mealleri de kenarlara yerleştirilir. Böylece, dua edecek olanlar, önce okuyacakları yerlerin Türkçe'sine bakarlar, sonra da Arapça'sını okurlar. Gerçi, kendi hisselerine on beş sayfa düşmüşse, işin içine meal de girince otuz sayfa okumaları icap eder; fakat, biraz zahmetli de olsa duyarak, hissederek ve bilerek okumuş olurlar.

Evet, ileride bu da yapılmalı ama o ana kadar biz orjinal metniyle okumaya ve bu vesileyle Mevlâ-yı Müteâl ile münasebetimizi kuvvetli tutmaya devam etmeliyiz. M. Lütfî Hazretleri'nin,

"Ey tâlib-i feyz-i Hudâ gel halkaya, gir halkaya!

Ey âşık-ı nûr-i Hudâ gel halkaya, gir halkaya!" davetine icabet ederek, bir manevî şirkete de biz başvurmalı ve halkadaki yerimizi almalıyız.

Hasılı; dua halkaları, kalbî ve rûhî hayata sıçrama faslı gibidir.. herhangi bir halkada gönüllerini göklere bağlamış ve kendilerini uhrevîliklere salmış zâkirler, ötede kim bilir ne kevserler ne kevserler içeceklerdir. Adanmış ruhlar, "Yakaran Gönüller"in dua halkasından hiç ayrılmamalı, ruh haleti itibarıyla bast (inşirah, neş'e ve sevinç) anlarında başkalarına şevk kaynağı olmalı, kabz (gönül darlığı) yaşadıkları zamanlarda da dostlarının kanatlarıyla uçmalı; fakat, ne yapıp edip yol yorgunluğunu tazarru ve niyazla aşmaya çalışmalıdırlar. Halkanın dışında kalanlar, dışta kalmış sayılırlar; -hafizanallah- zamanla heyetten de kopup ayrılırlar. Halkanın içinde bulunanlar ise, Allah Teâlâ'nın bütün halkaya teveccühü ölçüsünde sevaptan nasipdar olurlar. Onlar kalb ve ruh ufku itibarıyla tutukluk yaşadıkları anlarda bile, dahil oldukları halkadaki arkadaşlarının sînelerinden kopup gelen inanç ritimli sesler ve rikkat yüklü iniltiler sayesinde haşyetle dolar ve canlılıklarını hep korurlar.

Kalbim Uyumaz!..

Soru: Rasûl-ü Ekrem (sallallahu aleyhi ve sellem) Efendimiz'in "Benim gözlerim uyusa da kalbim uyumaz!" sözünü nasıl anlamalıyız?

Cevap: Hazreti Âişe validemiz, İnsanlığın İftihar Tablosu'nun (aleyhi ekmelüttehâyâ) gece ibadetini nazara verirken, bir keresinde kendisine "Yâ Rasûlallah! Vitr'i kılmadan mı uyuyorsunuz?" diye sorduğunu ve Allah Rasûlü'nün "Yâ Âişe! Şüphesiz benim gözlerim uyur, fakat kalbim uyumaz!" buyurduğunu söylemiştir.

Gece İbadeti ve Vitir Namazı

Hazreti Sâdık u Masdûk Efendimiz'in "Kalbim uyumaz" deyişine sebep olan soru (sebeb-i vürud) nazar-ı itibara alındığında, Allah Rasûlü'nün, bu sözü biraz istirahat ettikten sonra kalkıp teheccüd ve vitir namazını kılmak üzere müteyakkız bir surette yattığını ifade sadedinde söylediği anlaşılacaktır.

Bir hadis-i şerifte, "Gecenin sonunda uyanamayacağından korkan, gecenin evvelinde vitri eda etsin, sonra yatsın! Gece kalkabilen ise vitri o zaman kılsın! Çünkü gecenin âhirindeki kıyamda rahmet melekleri hazır olur." buyurulmuştur. Bir başka nebevî sözde de, "En son kıldığınız namaz vitir namazı olsun." denilmiştir. Bu itibarla, gece uyanabilecek kimselerin vitir namazını tehir etmeleri daha faziletlidir. Ayrıca, teheccüde kalkma hususunda zorlayıcı bir sâik olması için vitri sonraya bırakmak ve vâcibi eda etmek maksadıyla mecburen uyanınca birkaç rek'at nafile namaz kılmaya gayret göstermek gece ibadetini itiyad haline getirebilme yolunda mühim bir vesiledir.

İşte, Hikmetin Lisan-ı Fasîhi (sallallahu aleyhi ve sellem) Efendimiz'in, kalbinin her zaman uyanık olduğunu beyan edişi münasebetiyle en evvel akla gelmesi gereken hususlar; kendisi için -normal şartlarda- gece ibadetine kalkamama gibi bir endişenin söz konusu olmadığı, biraz istirahat etmek üzere gözlerini yumsa da mübarek gönlünün namaz heyecanıyla hep tetikte bulunduğu ve salât-ı vitri umumiyetle teheccüdden sonraya bıraktığıdır.

Kesintisiz Huzur ve Dâimî Yakaza

Rehber-i Ekmel (aleyhi elfü elfi salâtin ve selâm) Efendimiz'in hayatına genel olarak bakıldığında ise; "Kalbim uyumaz" beyanından, O'nun hususî donanımına, özel konumuna ve kendi seviyesine has bir maiyyete mazhar kılındığını istinbat etmek lazımdır. Evet, Cenâb-ı Hak, Hazreti Rûh-u Seyyid'il-Enâm'a öyle bir tabiat vermiştir ki, O her an, hatta gözlerini kapayıp dinlendiği zamanlarda dahi Rabbin huzurunda duruyor gibidir ve gönül ufkunda o huzurun âdâbına hep riâyet etmektedir. Aslında, ümmet-i Muhammed'den (aleyhissalâtü vesselam) bazıları, Cenâb-ı Hak ile münasebetleri bir an kesilse mahvolacaklarına inanmış; ne zaman O'nunla irtibatlarının azıcık perdelendiğini hissetseler ve muvakkat bir bulutlanmaya maruz kalsalar neredeyse kalbleri duracakmışçasına korkmuşlardır. Bir ömür boyu, her zaman O'nu görüyor ya da en azından O'nun tarafından görülüyor olma şuuruyla yaşamışlardır. Çıraklarının dahi gafletten bu derece uzak kaldıkları hesap edilirse, Sultanlar Sultanı'nın gözlerini yumduğu zamanlarda bile asla gaflete dalmayacağı daha iyi anlaşılacaktır.

Evet, Allah Rasûlü çok farklı bir maiyyete mazhar idi ve çok farklı bir "maallah" hakikatini temsil ediyordu. Dolayısıyla O, cismanîyet itibarıyla uyurken bile gönlüyle her zaman uyanıktı. Tasavvuftaki ifadesiyle "yakaza" O'nun daîmî haliydi.

Lügat itibarıyla uyanıklık demek olan yakaza; ıstılah açısından, Hakk'ın emir ve yasakları karşısında uyanık, titiz ve duyarlı olmak; değişik makam ve mertebelerin bazı vâridlerine karşı her zaman fikrî ve ruhî istikameti muhafaza etmek, iltibaslara düşmemek ve hep basiret üzere bulunarak kulluk âdâbını korumak manalarına gelmektedir.

Gönlün yakazası ise, Hakk'ın her an, kullarının her hâline nigehbân bulunduğunun şuuruyla, his, idrak, irade ve kalb ile O'na tahsis-i nazar ederek ve hep ilahî huzurun edeplerini gözeterek yaşamaktır.

Evet, sürekli Hakk'ın dergahına müteveccih bulunmak ve "O her an beni gördüğüne göre, ben de her zaman temkinli olmalıyım" mülâhazasıyla O'ndan gelecek vâridatı beklemek müteyakkız bir kulun devamlı hâlidir ve böyle bir hak yolcusu ömür boyu Cenâb-ı Hakk'ın riayet ve inâyeti altındadır. Bu mansıbın en büyük kahramanı Hazreti Sultanu'l-müteyakkızîn, "Benim gözlerim uyur kalbim uyumaz" beyanıyla işte böyle bir yakaza-i dâimîye işaret buyurmuştur.

Gönül Uyanıklığı Esastır

Ferîd-i Kevn ü Zaman (aleyhissalatü vesselam) Efendimiz'in dâimî bir yakaza içinde bulunması, mükellefiyeti açısından da O'nun tavırlarına aksetmiştir. Allah Rasûlü'nün kalbi daima uyanık bulunduğundan -sadece kendisine has bir keyfiyet olarak- uykudan kalktıktan sonra hemen namaza durduğu vâkîdir.

Hazreti İbn Abbas (radıyallahu anh) Rasûl-ü Ekrem'in yanında namaz kıldığı bir geceyi anlatırken "Namazını bitirince yana yaslandı ve uyudu. Hatta nefes alış verişleri uykuda olduğunu belli edecek şekildeydi. Bir müddet sonra Bilâl (radıyallahu anh) gelerek sabah namazı vaktini haber verdi. Bunun üzerine, Allah Rasûlü mescide çıkarak namazını kıldı; fakat abdest almadı." demiştir. Demek ki, Fahr-i Kâinât Efendimiz'in mübarek kalbi, uyku da dahil her zaman abdestinden emin olacak ve abdestinin bozulup bozulmadığını bilecek kadar hüşyardır.

Diğer taraftan, insanın uyuması ya da uyanıklığı illa gözlerinin açık ya da kapalı olmasına bağlanmamalıdır. Gözü açık olup da gönlü uyuyan bir sürü insan vardır. Gözlerinin mevcudiyetine rağmen göremeyen, kulakları olduğu halde işitemeyen ve maddî bir kalb taşısa da hakikatleri anlayamayan pek çok kimse bulunduğunu Kur'an-ı Kerim ifade etmektedir.

Aslında, hakiki görme mahalli kalbdir. Kalb gözünün açıklığı da diyebileceğimiz basîret sayesinde insan, ilâhî tecellîlerle nurlanıp Zât-ı Ulûhiyetin ünsiyeti ziyâsıyla sürmelenmiş bir idrâke sahip olur. Bu idrak ile de o, delil ve şâhide ihtiyaç duymadan eşyânın perde arkası sırlarıyla halvete erer ve aklın şaşkın şaşkın dolaştığı yerlerde gider hakikatler hakikatine ulaşır.

Bundan dolayıdır ki, sıradan insanlar açısından gaflet vakti sayılan uyku zamanı bile İnsanlığın İftihar Tablosu için metafizik dünyalara açılma rıhtımı olmuştu. Çünkü O'nun hayali hep dupduru, rüyaları da sahihti. O, gözleri kapalı olduğunda dahi basiretiyle görülmezleri görüyor, hadiseleri süzüyor ve her şeyi değerlendiriyordu. Hatta maiyyetinin derinleştiği ve tamamen dünyaya kapandığı anlar,

O'nun duymasının, görmesinin, idrak etmesinin ve değerlendirmesinin en keskin olduğu zamanlar sayılırdı. Mâsivâdan tamamen alâkasını kestiği o türlü hallerde vahiy geldiği çok olurdu. Allah Rasûlü, o halde iken, inzal olunan ayetlerin tek kelimesini bile zayi etmiyor; bazen bir cüz kadar yekûn tutan âyât-ü beyyinâtı bir anda kelimesi kelimesine hafızasına yerleştiriyordu. Oysa ki, o esnada kendisine dokunulsa farkına varamayacak kadar dışa karşı kapalı oluyordu; fakat, şuuru fevkalâde uyanıktı.

Bu itibarla, Rasûl-ü Ekrem (sallallahu aleyhi ve sellem) Efendimiz'in gözleri uyusa da kalbi hiç uyumazdı; belki zahirî ve cismanî ihsaslarının (dış duyu organlarının) muvakkaten işlemediği anlar olurdu, fakat, ihtisasları (havâss-ı bâtınenin, yani iç idrak latifelerinin duyuşları) her zaman faaldi.

Doğruluğumla Kurtuldum!..

Soru: Daha önceki bir sohbetinizde "mazeret döktürme"nin de "zımnî yalan" olduğunu ifade etmiştiniz. Mü'minleri ve münafıkları birbirinden ayıran davranışlar açısından, hata ve günahlar karşısında "mazeret döktürme" meselesini bir misalle açıklayabilir misiniz?

Cevap: "Mazeret döktürme" tabiri, bir kusur, kabahat ya da suç için mücbir sebepler ileri sürmeyi ve onun hoşgörülmesi maksadıyla bahaneler sayıp dökmeyi ifade etmektedir. Bazı kimseler, hatalarını kabul etmeye bir türlü yanaşmazlar; ya atf-ı cürümlerde bulunur, başkalarını suçlarlar ya da zorlayıcı sebepler ve olmadık bahaneler sıralayarak işin içinden sıyrılmaya çalışırlar.

Oysa, bir suç işlemek veya bir günaha girmek kötüdür, çirkindir; fakat, o suça veya günaha mazeret bulma istikametinde beyanda bulunmak daha kötü ve daha çirkindir. Hatanın hoşgörülmesi ya da suçun affedilmesi için "şöyle olmuştu, böyle vuku bulmuştu" diyerek mazeretler ileri sürmek ve o türlü bahanelerin arkasına sığınarak kendini temize çıkarma kasdıyla sözü eğip bükmek vebali daha da katlamak demektir. Çünkü, böyle bir davranış, nefsi tezkiye etmenin, kendi kusurlarını hiç görmemenin, ahirette her şeyin hakikatinin ayan beyan ortaya çıkacağını düşünmemenin ve dolayısıyla bağışlanma arayışında olmamanın ifadesidir.

Bu açıdan da, "özür dilemek" ile "mazeret döktürmek" birbirinden çok farklı şeylerdir. Bir kabahatten sonra hatayı kabullenme, suçu itiraf etme, hak sahiplerinden özür dileme ve Allah'tan da mağfiret dilenme, yapılan yanlışı telafi etmek için ortaya konan çok önemli bir gayret ve bir fazilettir. Fakat, kendisinin masum olduğuna başkalarını inandırmak için vâkıaya tam mutabık olmayan sözler söyleme ve muhataplarını kandırmaya mâtuf bahaneler ileri sürme, insanları aldatma çabasıdır, yalandır ve mü'mine yakışmayan bir davranıştır.

Aslında, bir kabahat ya da günah karşısındaki en doğru davranış, nefsi tezkiye etmeye çalışmadan ve mazeretler arkasına saklanmadan, "Allah affetsin, siz de bağışlayın. Cismaniyetime yenik düştüm, cürüm işledim; zaten benden de ancak bu beklenirdi!" diyerek hem muhataplardan affedilmeyi istemek hem de Cenâb-ı Hakk'a tevbe etmektir. Ne var ki, böyle bir civanmertlik ancak hakiki mü'minlere has bir güzelliktir; münafıkların şiarı ise, sürekli bahanelere ve mazeretlere sığınarak paka çıkma gayretidir.

İşte, bu meselede mü'min ile münafığın birbirinden nasıl ayrıldığını -bir turnusol kağıdı gibi- gösteren en güzel misallerden biri Tebük Seferi olmuştur.

Tebük Seferi ve Seferberlik Hâli

Bilindiği üzere; Tebük Seferi, Rasûl-ü Ekrem (sallallahu aleyhi ve sellem) Efendimiz'in Şam'da toplanan kırkbin kişilik Bizans ordusuna karşı yapmış olduğu askerî harekettir. Bu hareket, Arap yarımadasının kuzeyinde, Medine ile Şam'ın ortasında bulunan, suyu ve hurmalığı bol bir yer olan Tebük'e kadar uzanıp orada sona erdiği için bu adı almıştır. Ciddî bir savaş hazırlığı içinde gidilip de, savaş olmadan geriye dönülen Tebük Seferi'nde, o zamana kadarki en güçlü ve düzenli İslâm ordusu techiz edilmiş; Bizans'a karşı sindirme harekâtı ve savaş tatbikatı yapılmış ve neticesi itibarıyla askerî ve siyasî açıdan önemli bir zafer kazanılarak geri dönülmüştür.

Sıcaklık, kuraklık, kıtlık, uzaklık ve düşman ordusunun gücü gibi unsurların iyice zorlaştırdığı bu sefere çok çetin bir savaş olacağı mülahazasıyla çıkılmıştı. Allah Rasûlü (aleyhi ekmelüttehâyâ), güçlüsüyle zayıfıyla bütün Müslümanları açıktan cihada davet etmiş ve inananlar arasında umumî seferberlik havasının yayılmasını sağlamıştı. O, bir yandan "Allahım, şu bir avuç İslâm toplumunun yok olmasına fırsat verirsen, artık yeryüzünde Sana ibadet eden kalmayacak!" diyerek Mevlâ-yı Müteâl'e içini dökmüş, O'nun havl ve kuvvetine sığınmış; diğer taraftan da, bütün mü'minleri mallarıyla ve canlarıyla cihada teşvik etmiş, zafer için gereken sebepleri yerine getirmişti.

Tebük hazırlıkları sırasında, Rasûl-ü Ekrem (sallallahu aleyhi ve sellem) Efendimiz'in teşvikleri üzerine tarihte eşine az rastlanabilecek fedakârlık örnekleri sergilenmişti. Zenginiyle fakiriyle topyekün Ashab-ı Kiram orduya yardım için koşmuşlardı. "Aileme Allah'ı ve Rasûlü'nü bıraktım" diyen Hazreti Ebu Bekir malının tamamını infak etmişti. Onu hayranlıkla seyreden Hazreti Ömer ve Abdurrahman b. Avf gibi önde gelenler mallarının yarısını verirken, diğer sahabîler de servetlerinin büyük bir bölümünü infak etmişlerdi.

Ordunun techizinde en büyük yardımı Hazreti Osman yapmıştı. O, üçyüz deve, yüz tane de at bağışlamış; sonra birer altın sarf ederek on bin askeri su içtikleri kapların ağız bağlarına ve askı iplerine kadar techiz etmişti. Bununla da yetinmeyerek, ayrıca bin altını Rasûlullah'ın kucağına dökünce, İnsanlığın İftihar Tablosu, "Allahım, ben Osman'dan râzıyım, Sen de razı ol!" diye dua etmiş ve akabinde

"Bundan sonra Osman'ın yaptığı ona zarar vermeyecektir; Allah onu günahtan koruyacaktır." buyurmuştu.

Sadece erkekler değil, kadınlar da "infak edenler" defterine kaydolmak için koşmuş ve onlar da imkanları ölçüsünde yardımda bulunmuşlardı. Sadaka ve himmetlerini Hazreti Aişe Validemizin evinde toplamış; bilezik, halhal, yüzük, küpe ve daha işe yarayacak ne varsa getirip yere serdikleri bir örtüye bırakıvermişlerdi. Kimisi birkaç tane bilezik verirken, kimisi de develerin ayağını bağlamaya yarayacak bir kayışı ancak bulabilmiş ve onunla da olsa yardım edenlerin arasına dahil olmuştu.

Sahabenin bu himmeti sayesinde sefere katılacak mü'minlerin ekseriyeti techiz edilmişti ama sayı çok fazla olduğu için yapılan yardımlar herkese yetişmemişti. Bundan dolayı, özellikle -bir kısım kaynaklarda "ağlayanlar" olarak anılan- yedi tane sahabî, infak edecek ve sefer hazırlığı yapacak imkan bulamamanın hüznüyle Allah Rasûlü'ne gelmiş, hazinede de bir şey kalmadığını öğrenince çaresizlikle ve gözyaşları içinde geri dönmüşlerdi. Daha sonra, bazı sahabîler son bir fedakarlık yapmış ve onların ihtiyaçlarını da gidermişlerdi.

O gün elinde hiç imkanı olmayan sahabîler bile, infakta bulunanların arasında yer alabilmek için adeta çırpınmışlardı; onlardan kimisi başındaki sarığını çıkarıp vermiş, kimisi sabaha kadar su çekerek kazanıp getirdiği bir avuç hurmayı tasadduk etmiş ve kimisi de evindeki tek su kırbasını himmet mallarının içine katarak umumî sevaba ortak olmuştu. Evet, o gün, gönülden inanmış her insana, hiçbir bahane ve mazeretin ardına saklanmadan, yüreğini ortaya koyup gücü ve kuvveti ölçüsünde infakta bulunmak düşüyordu; mü'minler işte bunu yapmışlardı.

Münafıklar ise; her meseleye nefsanîlik açısından yaklaşıp her şeyi egoizmaya bağlı değerlendirdikleri için sürekli fesada sebebiyet verdikleri gibi, gerek Tebük gazvesi hazırlıklarında ve gerekse yolculuk sırasında fitne çıkarmaktan geri durmamışlardı. Mü'minlerin yüreklerine korku ve ümitsizlik salmaya çalışmışlar; "Allah senin azıcık malına mı muhtaç!" diyerek himmet edenler arasında yer almak isteyenleri alaya almışlardı. Münafıklardan yaklaşık seksen tanesi Tebük seferine katılmamak için Rasûl-ü Ekrem'e bir sürü bahane saymış ve izin istemişlerdi. Onlardan bazıları da, ganimet devşirmek ümidiyle orduya katılmış ama yol boyunca bozgunculuk yapmaktan bir an dûr olmamışlardı.

Mü'min olduğu halde küçük bir ihmalden dolayı geride kalıp İslam ordusundan ayrı düşenler de mevcuttu. Bunlardan birisi de Ebû Hayseme el-Ensarî idi. Seferin başladığı zaman tam bağ bozumu mevsimiydi; dallardaki meyveler insanlara tebessüm ediyordu. Güneşin kavuruculuğuna karşılık gölgenin daha bir kıymetlendiği sıcak bir gündü. Ebû Hayseme'nin güzelliğiyle meşhur zevcesi bahçedeki ağaçları sulamış ve çardağa su serperek havayı iyice serinletmişti. Leziz yemekler hazırlamış, sofrayı serin su ve taze meyvelerle donatmıştı. Ebû Hayseme, kendisine arz edilen bu nimetler içinde, gölgenin serinliğini damarlarında hissettiği, soğuk sudan kana kana içtiği ve eşinin varlığıyla daha da inşiraha erdiği bir anda zihnine hücum eden bir mülahazayla ürperivermişti. Kendi kendine, "Allah'ın elçisi güneşin altında, kızgın rüzgar karşısında ve boğucu kum fırtınaları içinde harbe gitsin; Ebû Hayseme ise serin gölgede otursun, tatlı tatlı yemekler yesin ve güzel eşinin yanında safa sürsün; bu revâ mıdır, bir mü'mine hiç yakışır mı?" demişti. Hemen ayağa kalkmış, devesini semerlemiş ve ailesiyle vedalaşıp yola koyulmuştu.

O esnâda, ashabıyla beraber bir su başında azıcık dinlenmekte olan Rasûl-ü Ekrem (sallallahu aleyhi ve sellem), Medine tarafından bir toz bulutunun yükseldiğini görünce, "Keşke Ebû Hayseme olsan!.." demişti. Biraz sonra da beklediği ve tahmin ettiği insanı karşısında görünce büyük memnuniyet duymuştu. Telaşla ve canı dudağında kervana katılan Ebû Hayseme ise, kendisini Allah Rasûlü'nün kucağına atarken sadece "Yâ Rasûlallah, nerede ise helak oluyordum" diyebilmişti. Zira o, mü'minlerden ayrılmanın ve mücahededen geri kalmanın ciddî bir günah olduğunu biliyordu ve işte böyle bir günahla helâk olmaktan çok korkmuştu. Geç de olsa her şeyi elinin tersiyle itip kafileye arkadan yetişmiş ve böylece Efendiler Efendisi'nin sancağı altına girerek o korkudan emin olmuştu.

Heyhat ki, "nasıl olsa yetişirim" deyip ağırdan alan ama Tebük Kervanı'nı kaçırdıktan sonra ona ulaşma fırsatını bir daha da hiç bulamayan ve meşrû bir özrü olmadığı halde sefere katılmayan mü'minler de vardı. Kâ'b b. Mâlik, Mürare b. Rebî' ve Hilâl b. Ümeyye bunlardandı.

Hazırlıklı, düzenli ve güçlü İslâm ordusunun her çeşit savaş riskini göze alarak Tebük'e kadar ulaşması, psikolojik bakımdan güç dengesini Müslümanların lehine çevirmişti. Hicaz'a saldırıp İslam coğrafyasını yakıp yıkmak üzere yola çıkan Heraklius ve askerleri, mü'minlerin cesareti karşısında çok korkmuş, dehşete kapılmış ve savaştan vazgeçmişlerdi. Bunun üzerine, Peygamber Efendimiz (aleyhissalatü vesselam) Tebük'te yirmi gün kadar kaldıktan sonra, Ashab-ı kiramın ileri gelenleri ile istişare ederek geri dönmeye karar vermişti.

Fahr-i Kainat Efendimiz, seferden döndüğü zaman, Tebük gazvesine katılmayıp Medine'de kalanlar tek tek gelip özür dilemişler ve mazeretlerini yeminlerle te'yit etmişlerdi. Hazreti Sâdık u Masdûk Efendimiz de, onların sözlerini dış görünüşleri itibarıyla kabul edip, işin iç yüzünü ve onların niyetlerini Allah'a havale etmiş ve haklarında istiğfarda bulunmuştu. Sadece, Kâ'b b. Mâlik ve diğer iki arkadaşı Rasûl-ü Ekrem'in huzuruna girince bahane uydurma yoluna gitmeden doğruyu söylemiş ve haklarında verilecek hükmü intizar etmişlerdi.

Kâ'b b. Mâlik'in Hicranı

Kâ'b b. Mâlik, Akabe'de İnsanlığın İftihar Tablosu'na bey'at etmiş, Bedir dışındaki bütün gazalara katılmış; kılıcı kadar sözü, sözü kadar da kılıcı keskin bir insandı. Şiirleriyle hasımların moral dünyalarını alt-üst edebilecek kadar söz üstadıydı. Fakat, her türlü imkana sahip olduğu ve bir özrü de bulunmadığı halde Tebük seferine katılmamıştı. İşte, bu büyük sahabînin sefer esnasında ve sonrasında yaşadıkları, duygu ve düşünceleri, tavır ve davranışları mevzumuza çok güzel bir misaldir. Fakat, bu hazin hikaye, o yüce kâmeti sorgulama manasına da gelebileceğinden dolayı, hadisenin mevzuyla alakalı kısmını, Kâ'b b. Mâlik hazretlerinin kendi dilinden aktarmak daha doğru olsa gerektir. En muteber kaynaklarda nakledilen hadis-i şeriflere göre; Hazreti Kâ'b serencamesini şöyle anlatmıştır:

"Ben hiçbir zaman, katılmadığım bu gazve sırasındaki kadar kuvvetli ve zengin olamamıştım. Vallahi Tebük Gazvesi'nden önce iki deveyi bir araya hiç getirememiştim; fakat, bu sefere çıkılacağı esnada, iki tane binek devesine birden sahiptim.

Aslında, Rasûlullah (sallallahu aleyhi ve sellem) bir gazveye hazırlandığı zaman asıl hedefi söylemezdi, bir başka yere gittiği sanılırdı. Ne var ki, bu gazve sıcak bir mevsimde, uzak bir yere yapılacağı ve kalabalık bir düşmanla karşı karşıya gelineceği için Rasûl-ü Ekrem hedefi açıkça söylemiş; iyice hazırlanabilmeleri için Müslümanlara nereye gideceklerini haber vermişti.

Diğer taraftan, Rasûlullah (aleyhissalatü vesselam) ile beraber harbe gidecek Müslümanların sayısı çok fazlaydı. Herkesi isim isim bir deftere kaydetmek mümkün değildi. Savaşa gitmemek için gözden kaybolunduğu takdirde, hakkında bir âyet nâzil olmadıkça, işin gizli kalacağı zannedilebilirdi. Dahası, Allah Rasûlü (sallallahu aleyhi ve sellem) bu seferi meyvelerin olgunlaştığı ve gölgelerin iyice tatlılaştığı sıcak bir mevsimde yapmıştı. Ben de bunlara pek düşkündüm. Allah Rasûlü (sallallahu aleyhi ve sellem) ile Müslümanlar savaş hazırlığına başladıklarında, ben de onlarla beraber harp ihtiyaçlarını tedarik etmek için evden çıkıyor, fakat hiçbir şey yapmadan geri dönüyordum. Kendi kendime de "Canım hazırlık da ne ki, dilersem çabucak hazırlanabilirim!" diyordum. Günler böyle geçti. Herkes işini ciddi tuttu ve bir sabah Rasûlullah (sallallahu aleyhi ve sellem) ile yanındaki Müslümanlar erkenden yola çıktılar. Ben hâlâ hiçbir hazırlık yapmamıştım. Bu maksatla bir süre daha çarşı-pazara gidip geldim; sabah evden çıktım, ama hiçbir şey yapamadan geri döndüm. Bu hal de böyle sürüp gitti. Savaş henüz başlamamıştı, ama mücâhidler bir hayli mesafe almışlardı. "Yola çıkıp onlara yetişeyim" dedim, keşke öyle yapsaymışım; heyhat, bu da bana nasip olmadı.

Rasûl-ü Ekrem (sallallahu aleyhi ve sellem) Medine'den ayrıldıktan sonra, halkın arasına çıktığım zaman gördüğüm bir manzara beni çok üzüyordu: Savaşa gitmeyip geride kalanlar ya münafıklık damgası yemiş kimselerdi veya zayıflıkları sebebiyle Cenâb-ı Hakk'ın mazur addettiği özürlü mü'minlerdi.

Öte yandan, Rasûlullah (aleyhissalatü vesselam) da Tebük'e varıncaya kadar adımı hiç anmamış. Orada ashâbının arasında otururken, "Kâ'b İbni Mâlik ne yaptı? (Ondan ne haber?)" diye sormuş. Bunun üzerine Benî Selime'den bir adam, "Ey Allah'ın Rasûlü! Elbiselerine ve sağına soluna bakıp gururlanması onu Medine'de alıkoydu!" demiş. Bunun üzerine Muâz İbni Cebel ona, "Ne fena konuştun!" diye karşılık vermiş. Sonra da Peygamber Efendimize (aleyhisselâm) dönerek, "Yâ Rasûlallah! Yemin olsun, biz onun hakkında hayırdan başka bir şey bilmiyoruz!" diye eklemiş. Rasûlullah (sallallahu aleyhi ve sellem) hiçbir şey söylememiş.

Rasûlullah'ın (aleyhi ekmelüttehaya vetteslimat) Tebük'ten Medine'ye hareket ettiğini öğrendiğim zaman beni bir üzüntü aldı. Bir aralık bir yalan uydurmayı düşündüm. Kendi kendime "Ne söylesem ki yarın Allah Rasûlü'nü (aleyhissalâtu vesselâm) darıltıp gücendirmekten ve O'nun tarafından cezalandırılmaktan kurtulsam?" dedim. Yakınlarımdan görüşlerine değer verdiğim kimselerin fikirlerine de müracaat ettim. Rasûlullah'ın (sallallahu aleyhi ve sellem) gelmek üzere olduğunu söyledikleri zaman, kafamdaki saçma sapan düşünceler dağılıp gitti. İyice anladım ki, yalana başvurmakla asla kurtulamam... Her şeyi dosdoğru söylemeye karar verdim.

Derken Rasûlullah (aleyhissalâtu vesselâm) bir sabah Medine'ye geldi. O, bir seferden dönerken önce Mescid-i Nebevî'ye girerek iki rek'at namaz kılar, sonra halkın arasına çıkıp otururdu. Yine öyle yaptı. Bu sırada savaşa katılmayanlar huzuruna koştular; neden savaşa gidemediklerine dair mazeretlerini yemin billah ederek bir bir anlatmaya başladılar. Bu kimselerin sayısı seksenden fazlaydı. Peygamber Efendimiz onların ileri sürdüğü mazeretleri kabul etti; kendilerinden bîat aldı; Allah Teâlâ'dan bağışlanmalarını niyâz etti ve iç yüzlerini O'na bıraktı.

Sonunda ben de huzura girdim. Selâm verdiğim zaman Allah Rasûlü acı acı gülümsedi ve "Gel!" dedi. Yaklaştım ve önüne oturdum. Bana, "Niçin savaşa katılmadın? Sen Akabe'de bîat edip söz vermemiş miydin; hem sefer için binek hayvanı satın almamış mıydın?" diye sordu. Ben şu cevabı verdim: "Evet ey Allah'ın Rasûlü! Şu anda senin değil de dünya ehlinden bir başkasının yanında oturmuş olsaydım, inandırıcı mazeretler ileri sürüp, mutlaka öfkesini gidererek yanından ayrılırdım. Çünkü, -Allah'ın lütfu- insanlara fikrimi kabul ettirmeyi iyi beceririm. Fakat, yemin ederim ki, bugün sana yalan söyleyerek gönlünü kazansam bile, yarın Cenâb-ı Hak işin doğrusunu sana bildirecek ve sen bana güceneceksin. Şayet doğruyu söylersem, o zaman da bana kızacaksın. Ama ben doğruluğu seçerek Allah'tan hayırlı sonuç bekliyorum. Vallahi savaşa gitmemek için hiçbir özrüm yoktu. Hiçbir zaman gazâdan geri kaldığım sıradaki kadar da kuvvetli ve zengin olamamıştım!.."

Benim bu itirafım üzerine Rasûlullah (aleyhissalâtu vesselâm), "İşte bu doğru söyledi" dedi. Sonra da bana müteveccihen, "Haydi kalk, senin hakkında Allah Teâlâ hüküm verene kadar bekle!" buyurdu. Ben kalkınca Benî Selime'den bazıları peşime takılarak, "Vallahi senin daha önce bir suç işlediğini bilmiyoruz. Sen de savaşa katılmayan diğerlerinin ileri sürdükleri gibi bir mâzeret söyleseydin ya!.. Halbuki günahlarının bağışlanması için Peygamber Efendimiz'in (aleyhisselâm) istiğfâr etmesi yeterdi!" dediler. Beni o kadar çok ayıpladılar ki, tekrar Rasûlullah'ın yanına dönüp biraz önceki sözlerimi inkar etmeyi bile düşündüm. Sonra onlara, "Benim vaziyetime düşen başka biri var mı?" diye sordum. "Evet iki kişi daha tıpkı senin gibi itirafta bulundular. Onlara da sana söylenen söylendi." dediler. Onların kim olduklarını sorunca da "Biri Mürâre İbni Rebî' el-Amrî, diğeri de Hilâl İbni Ümeyye el-Vâkıfî" diyerek, Bedir Gazvesi'ne katılmış olan nümune-i imtisal iki mükemmel şahsiyetin adını verdiler. Bunun üzerine ben geri dönüp özür beyan etme fikrinden vazgeçtim.

Derken Rasûlullah (sallallahu aleyhi ve sellem) gazveye katılmayanlardan sadece üçümüzle konuşulmasını yasakladı. İnsanlar bizimle konuşmaktan kaçındılar ve bize karşı tavırlarını değiştirdiler. Öyle ki, yeryüzü bile bana yabancılaştı. Sanki dünya, o zamana kadar bilip tanıdığım dünya olmaktan çıktı..

İşte, bu minval üzere tam elli gün geçirdik. Diğer iki arkadaşım halktan uzaklaşıp boyunlarını büktüler; ağlayarak evlerine kapandılar. Fakat ben onlardan daha genç ve dayanıklı idim. Dışarı çıkarak cemaatle namaz kılar, çarşıda dolaşırdım. Ne var ki, kimse benimle konuşmazdı. Bazen namazdan sonra, ashabıyla oturmakta olan Rasûlullah'a (aleyhissalâtu vesselam) uğrayıp selam verirdim. "Acaba selâmımı alarak dudaklarını kıpırdattı mı kıpırdatmadı mı?" diye kendi kendime sorardım. Sonra ona yakın bir yerde namaz kılar ve farkettirmeden kendisine bakardım. Ben namaza durunca bana doğru yöneldiğini, ama kendisine baktığım zaman yüzünü hemen geri çevirdiğini görürdüm.

Müslümanların bana karşı sert tutumları uzun süre devam edince, bir gün dayanamayıp amcamın oğlu ve en çok sevdiğim insan Ebû Katâde'nin bahçesine gittim, duvardan içeri atladım ve selâm verdim. Hayret, vallâhi selamımı almadı. Ona, "Ebû Katâde! Allah aşkına söyle; Allah'ı ve Rasûlü'nü ne kadar sevdiğimi bilmiyor musun?" dedim. Hiç cevap vermedi. Tekrar "Allah aşkına..." dedim, yine konuşmadı. Bir daha yemin verince, "Allah ve Rasûlü daha iyi bilir" dedi. Bunun üzerine gözlerimden yaşlar boşandı. Geri dönüp duvardan atladım ve oradan uzaklaştım.

Bir gün Medine çarşısında dolaşıyordum. Erzak satmak üzere gelen Şamlı bir çiftçi, "Kâ'b İbni Mâlik'i bana kim gösterir?" diye sordu. Halk da beni işaret etti. Adam yanıma gelerek Gassân Meliki'nden bir mektup verdi. Ben okuma yazma bilirdim. Mektubu açıp okudum. Selâmdan sonra şöyle diyordu: "Duyduğumuza göre arkadaşın seni üzüyormuş. Allah seni değerinin bilinmediği ve hakkının çiğnendiği bir yerde yaşayasın diye yaratmamıştır. Hemen yanımıza gel, seni aziz tutalım." Mektubu okuyunca, "Bu da başka bir imtihan" dedim. Hemen mektubu tandıra atıp yaktım.

Bu boğucu elli günün kırkı geçmiş, fakat hakkımızda hâlâ vahiy gelmemişti. O sırada, Rasûlullah'ın (sallallahu aleyhi ve sellem) gönderdiği bir şahıs çıkageldi; "Allah Rasûlü (aleyhissalâtu vesselam) eşinden ayrı oturmanı emrediyor!" dedi. "Onu boşayacak mıyım, yoksa ne yapacağım?" diye sordum. "Hayır, ondan ayrı duracak, kendisine yanaşmayacaksın!" dedi. Peygamber Efendimiz, diğer iki arkadaşıma da aynı emri göndermişti. Bunun üzerine eşime, "Allah Teâlâ bu mesele hakkında hüküm verene kadar ailene git ve onların yanında kal." dedim.

Bu vaziyette, sıkıntısı gittikçe artan on gece daha geçirdim. Ellinci gecenin sonunda, evlerimizden birinin damında sabah namazını kıldım. Allah Teâlâ'nın (Kur'ân-ı Kerîm'de bizden) bahsettiği üzere ruhum iyice sıkılmış, o geniş yeryüzü bana dar gelmiş bir halde otururken, Sel Dağı'nın tepesindeki birinin var gücüyle, "Kâ'b İbni Mâlik! Müjde!" diye bağırdığını duydum. Sıkıntılardan kurtulma zamanının geldiğini anlayarak hemen secdeye kapandım.

Meğer Rasûlullah (sallallahu aleyhi ve sellem) Cenâb-ı Hakk'ın bizi affettiğine dair sevindirici haberi o gün sabah namazında halka duyurmuş, halk da bize müjde vermek üzere koşuşmuş. İki arkadaşıma da müjdeciler gitmiş. Bunlardan biri bana doğru at koşturmuş. Eslem kabilesinden bir diğer müjdeci de koşup Sel Dağı'na tırmanmış; oradan bağırmaya başlamış. Tabii ses attan önce bana ulaşmıştı. Sesini duyduğum müjdeci yanıma gelip beni tebrik edince, sırtımdaki elbiseyi çıkarıp müjdesine karşılık ona giydirdim. Vallahi o gün giyecek başka elbisem yoktu. Emanet bir elbise bulup hemen giydim. Rasûlullah'ı (aleyhissalâtu vesselâm) görmek arzusuyla yola koyuldum. Beni grup grup karşılayan sahâbîler tevbemin kabul edilmesi sebebiyle tebrik ediyor ve "Gözün aydın, Allah'ın seni bağışlaması kutlu olsun!" diyorlardı.

Nihayet Mescid'e girdim. Rasûlullah (sallallahu aleyhi ve sellem) ashâbın ortasında oturuyordu. Peygamber Efendimiz'e selam verdiğimde memnuniyetten ışıl ışıl, mütebessim bir yüzle, "Müjdeler olsun! Annenden doğalıdan beri yaşadığın en hayırlı gününü tebrik ederim!" buyurdu. Ben de, "Yâ Rasûlallah! Bu sizin tarafınızdan bir bağışlanma mıdır, yoksa Allah tarafından mı?" diye sordum. "Hayır, bu Allah'tan gelen bir lütuftur!" buyurdu. Rasûlullah'ın (aleyhissalâtu vesselam) vech-i mübarekleri, sürurlu anlarında, bir ay parçası gibi parıldardı. Biz onun sevindiğini böyle anlardık; o anda da memnuniyeti yüzünden okunuyordu. Ben önüne oturunca, "Ey Allah'ın Rasûlü! Tevbemin kabul edilmesine şükür olarak bütün malımı Allah ve Rasûlullah uğrunda tasadduk etmek istiyorum." dedim. Rasûlullah (sallallahu aleyhi ve sellem), "Malının bir kısmını dağıtmayıp elinde tutman senin için daha hayırlı olur." buyurdu. Ben de, "Hayber fethinde hisseme düşen malı elimde bırakıyor, gerisini bağışlıyorum!" dedikten sonra sözüme şöyle devam ettim: "Yâ Rasûlallah! Cenâb-ı Hak beni doğru sözlülüğümden dolayı kurtardı. Tevbemin bir gereği olarak, artık yaşadığım sürece sadece doğru söz söyleyeceğim."

Mazeret Döktürme, Hatanı Kabul Et ve Bağışlanma Dile!

İşte, Kâ'b b. Mâlik, Mürare b. Rebî' ve Hilâl b. Ümeyye gerçek mü'min olduklarından Tebük Seferi'ne katılmamalarını mazur kılacak bir sebep göstermek için bir sürü bahane uydurma ve mazeret döktürme yerine suçlarını itiraf etmiş, Allah Rasûlü'nden bağışlanma dilemiş ve tevbelerinin kabul olması için istiğfar televvünlü bir bekleyişe koyulmuşlardı. Rasûl-ü Ekrem (aleyhi ekmelüttehaya vetteslimat) Efendimiz de, münafıkların mazeretlerini kabul etmiş olmasına rağmen, bu üç sahabiyi cezalandırmış; onları muvakkaten dışlamış ve Müslümanları onlarla konuşmaktan menetmişti. Çünkü, bu üç büyük insan, harem dairesine girmişlerdi bir kere, başkaları gibi davranamazlardı; şayet dışarıdakiler gibi hareket ederlerse, işte bu şekilde cezalandırılmaları da icap ederdi. Nitekim, elli gün süren, ama kendilerine elli bin sene gibi gelen, büyük bir imtihana tabi tutulmuş ve sadâkatlerini ispatlayınca Allah'ın mağfiretine nail olmuşlardı. Mazeret beyan etme kadar bile olsa, hilaf-ı vaki bir beyana tenezzül etmemeleri, doğru sözlülükleri ve samimi davranışları onlara ebedî kurtuluşun kapısını açmıştı. Münâfıklar uydurdukları yalan mazeretler yüzünden helâk olurken, onlar doğrulukları sayesinde selâmete çıkmışlardı.

Cenâb-ı Hak, onlarla alâkalı olarak şu mealdeki ayet-i kerimeyi indirmişti: "Allah, savaştan geri kalan ve haklarındaki hüküm ertelenen o üç kişinin de tevbelerini kabul buyurdu. Çünkü onlar öylesine bunaldılar ki dünya bütün genişliğine rağmen başlarına dar geldi. Vicdanları da kendilerini sıktıkça sıktı. Nihayet, Allah'ın cezasından kurtulmak için yine Allah'ın kapısından başka sığınacak hiçbir yer olmadığını anladılar da, bundan sonra, önceki iyi hallerine dönsünler diye, Allah onları tevbeye muvaffak kıldı. Çünkü Allah tevvâbdır, rahîmdir (kullarını tevbeye yönlendirir, sonra da onların tevbelerini kabul buyurur ve onlara hep rahmetiyle muamele eder.)" (Tevbe, 9/118)

Hâsılı, hata ve günahlar karşısında münafıklar, vurdumduymaz ve lâkayt kimselerdir. Çılgınlık ve hezeyân en mümeyyiz vasıflarıdır onların; cismânî ve nefsânî arzular arkasından koşmak ise her zamanki hâlleri. İşleri-güçleri yalan ve hıyanettir; her davranışları da apaçık riya ve süm'a. Dertleri sadece menfaatlerine zarar gelmemesidir; mefkûre ölçüsünde davaları ise, yalnızca yaşama tutkusu. Dolayısıyla da onlar, yorgun, bitkin ve bezgin bir görüntü sergilerler işe yarar bir çağrıya muhatap olduklarında.. ve bin bir mazeret beyanına kalkarlar herhangi bir hizmet teklifi karşısında...

Bilakis, işlediği bir hata, irtikâp ettiği bir mâsiyet ve Allah'ın hoşnut olmayacağı bir davranıştan ötürü, mü'minin boynu hemen bükülür; ruhunda içini kanatan bir burukluk ve yüzünde kahreden bir hicap hasıl olur. Gönlünde mütemâdî bir ürperti ve kabirdeki suallere muhatap olma telaşı gibi bir ruh hâleti belirir. İçinden kopup gelen ve her lahza daha bir büyüyen o derinlerden derin mehâfet hissiyle ürperir. Bahanelerin ardına saklanmanın ve mazeretler sıralamanın yersiz olduğunu, her şeyin iç yüzünün ötede ortaya döküleceğini ve kendisini sıdk u sadâkatten başka hiçbir vesilenin kurtaramayacağını çok iyi bilir. Günah yüzünden vicdanında duyduğu azaptan dolayı dünya başına dar gelir; iç huzurunu ve gönül rahatlığını bütün bütün yitirir, kendi yüreği bile ona zindan kesilir. İşte o anda, Allah'a ilticadan, O'na yönelip O'na sığınmaktan başka bir çıkar yol olmadığını iyice anlar; mâsivâya kapanır, bütün ümit ve beklentilerini Allah'tan ummaya başlar. Böylece, onun için de nur-u Tevhid içinde sırr-ı Ehadiyet zuhur eder; o andaki durumu itibariyle hususi bir teveccühe mazhar kılınır. Gönlüne tevbe duygusu ve teveccüh istidadı verilir. Sonra da, Cenâb-ı Hak, her şeyden kesilip sadâkat ve samimiyetle sadece Kendisine yalvaran ve sığınan bu kulunu mağfirete erdirir.

Dine Hizmet Eden Fâcir

Soru: İman ve Kur'an hizmetinde bulunan bir insanın kendisini "racul-ü fâcir" kabul etmesi ne demektir. İ'lâ-yı kelimetullah vazifesi fâcir kimseler için de bir arınma fırsatı sayılır mı?

Cevap: Arapça olan "racul" kelimesi, insan, adam, erkek, kişi, şahıs ve fert manalarına gelmektedir. "Fâcir" ise, Allah'ın emirlerini yerine getirmeyen, dinin yasaklarını çiğneyen, aşırı isyana dalan, günahta ısrar eden ve en büyük günahlardan dahi kaçınmayan kimse demektir. Dolayısıyla, bu ölçüde kötülüklere mübtela, işrete düşkün, kendini fısk u fücura kaptırmış sefîh adama "racul-ü fâcir" denilmektedir.

Kendini Racul-ü Fâcir Bilmelisin!...

Dine hizmet eden bir insanın kendisini fâcir kabul etmesine gelince; bu mesele, benzer iki hadiseden dolayı farklı rivayetleri bulunan bir nebevî beyana dayanmaktadır. Hadis kitaplarında şöyle bir vakıa anlatılmaktadır:

Allah Rasûlü (sallallahu aleyhi ve sellem) ve Ashâb-ı Kirâm (radıyallahu anhüm ecmaîn) müşriklerle cihad etmek üzere Uhud'a çıktıklarında, Kuzman isminde bir şahıs Medine'de kalır. Bazı kadınlar, "savaş kaçkını" diyerek onu alaya alınca, Kuzman bunu bir onur meselesi haline getirir; hemen cepheye koşar ve ön safta yer tutar. Hatta ilk oku o atar, sonra kılıcını çeker ve herkesi hayran bırakan bir kahramanlık sergiler. Bazıları onun cesaretini ve mücadelesini övünce Rasûl-ü Ekrem Efendimiz, "O, ateş ehlindendir!" buyurur.

Bu habere çok şaşıran bazı sahabîler Kuzman'ı takip etmeye başlarlar. Onun yiğitliği karşısında iyice hayrete düşerler. Çünkü, Müslümanların muvakkaten dağılıp geri çekildikleri bir anda bile Kuzman kılıcının kınını kırar, "Kaçmaktansa ölmeyi tercih ederim!" diye bağırarak ileri atılır ve cesurca savaşırken derin bir yara alır. Onun bu haline şahit olan Sahabîler, "Ya Rasûlallah, az önce ateş ehlinden olduğunu söylediğiniz adam, büyük bir metanetle savaştı ve kahramanca öldü!" derler. Sâdık u Masdûk Efendimiz (aleyhissalâtu vesselâm), yine "O Cehennemliktir!" buyurur. Bu cevabı işiten Müslümanların bütün bütün hayrete kapıldığı esnada, o şahsın henüz ölmediği ancak ağır şekilde yaralandığı haberi getirilir.

Kuzman acılar içinde kıvranırken, Rasûl-ü Ekrem Efendimiz'in ihbarından habersiz olan Katade İbnu Nu'man onun yanına varır ve "Şehitlik sana mübarek olsun!" diye tebrikte bulunur. Bunun üzerine, Kuzman, "Vallahi ben din için mücahede etmedim; kavmimin itibarı için savaştım!" diye mukabele eder. Sonra da, yarasının ızdırabına dayanamayarak kılıcının keskin tarafını göğsüne dayar, üzerine yüklenir ve intihar eder.

Evet, bu hadisenin bir benzeri Hayber Gazvesi'nde meydana gelmiştir; bunun üzerine Rehber-i Ekmel (aleyhissalâtu vesselâm) Efendimiz, halka şu hakikatin ilan edilmesini emir buyurmuştur: "Cennet'e ancak Allah'a gönülden teslim olmuş mü'minler girecektir. Şu kadar var ki, Allah (dilerse), İslam dinini fâcir bir kişi ile de te'yid edip kuvvetlendirir."

İşte, Nur Müellifi, mezkur hadis-i şerife istinaden, "Sen, ey riyakâr nefsim! 'Dine hizmet ettim' diye gururlanma. 'Muhakkak ki Allah, bu dini fâcir adamla da te'yid ve takviye eder.' hadisi sırrınca, müzekkâ olmadığın için, belki sen kendini o racul-ü fâcir bilmelisin. Hizmetini ve ubudiyetini, geçen nimetlerin şükrü, vazife-i fıtrat, farize-i hilkat ve netice-i san'at bil, ucub ve riyadan kurtul." demiştir.

Demek ki, nefis tezkiyesine nâil olamamış bir insan, dine ve diyanete hizmet ediyor olsa bile, gurur, ucb ve riyaya düşmemek için çok temkinli hareket etmeli ve kendisinin de o racul-ü fâcirin akıbetine uğrayabileceğini düşünüp titremelidir. Hizmetlerinden dolayı asla şımarmamalı, gurura kapılmamalı ve kendisini emniyette saymamalıdır; aksine, Allah yolundaki mücahedesini tabi-i bir vazife, bir kulluk borcu ve o zamana kadar lutfedilen nimetlerin şükrü kabul etmelidir. Şahsı itibarıyla fısk u fücura açık olduğunu hep hatırda tutmalı, nefsi ile başbaşa kaldığında her haltı karıştırabileceğine inanmalı; dolayısıyla her zaman Allah'a sığınmalı ve eksiklerine, kusurlarına, hatalarına ve günahlarına rağmen hâlâ imana hizmet dairesinde bulunuyor olmasını büyük bir arınma fırsatı olarak görmelidir.

Şüphesiz, bu mülahazalarla dolu olan bir insan, yapılan hizmetlerden dolayı nefsine hiçbir pay çıkarmaz, muvaffakiyetleri kendisine mal etmez. Hem hizmet edenlerle beraber bulunmayı hem de bu yoldaki başarıları Cenâb-ı Hakk'ın rahmetinin bir çeşit tecellisi ve ilahî merhametin farklı bir dalga boyu olarak değerlendirir. Hata ve günahlarına rağmen, daire dışına atılmamış olmayı, O'nun rahmetinin ve inayetinin enginliğine bağlar; dolayısıyla, O'na karşı saygısını her zaman yeniden gözden geçirir, daha bir aşk u iştiyakla hizmete koşar. Zira, "Onca günahıma ve şu perişan halime rağmen, beni bu kutlu insanların arasına dahil eden Rahmeti Sonsuz, demek ki dine hizmet sayesinde temizlenmem ve arınmam için bana fırsat veriyor!"

der. Sonra da, "Şu anda adanmış ruhların arasındayım ama yarın akı-
betim nice olur bilemiyorum; öyleyse, yaptıklarımla şımarmamalı,
asıl eda etmem gerekli olan vazifelere daha gönülden sarılmalıyım."
düşüncesiyle sâlih amellere yapışır.

Arınma Kurnaları

Aslında, Cenâb-ı Hakk'ın muradı her zaman kullarını günah lekele-
rinden kurtarmak, arındırmak, saflaştırmak ve huzuruna tertemiz
olarak almak yönündedir. Erzurumluların "Bahane Tanrısı" sözünde
de bu mana vardır. Evet, Allah Teâlâ, kimi kullarını gönülden tevbe
ile, kimisini namaz, oruç ve hac gibi ibadetlerle ve bazılarını da mu-
sibetlerle arındırmakta ve dergah-ı ilahiye gönülden teveccüh edenle-
ri çeşit çeşit vesilelerle, hatta çok küçük bahanelerle Cennet'e ehil ha-
le getirmektedir.

Nitekim, Mevlâ-yı Müteâl, şirk, haksız yere cana kıyma, zina, is-
raf gibi kötülükleri tek tek sayıp, bunları işleyenlerin cezalarının "bü-
yük buluşma" gününde katmerli olacağını haber verdikten sonra -
meâlen- şöyle buyurmuştur: "Ancak günahlardan vazgeçip Hakk'a
yönelen, gönülden iman eden, sonra da güzel ve makbul işler yapan-
lar bundan müstesnadır. Allah onların kötülüklerini iyiliklere, günah-
larını sevaplara çevirir. Çünkü Allah gafûrdur, rahîmdir (çok affedici-
dir, merhamet ve ihsanı boldur)." (Furkan, 25/70)

Bu ayet-i kerimede, günahlardan uzaklaşıp yeniden Cenâb-ı
Hakk'a teveccüh eden, sonra imanını bir kere daha gözden geçirip
tecdîd-i imanda bulunan ve akabinde büyük bir azimle sâlih amel-
lere bağlanıp hayatını hayırlı işler peşinde değerlendirmeye çalışan
kimselerin "seyyiâtının hasenâta çevrileceği" vaad edilmektedir.

Bu vaadin bir manası, bizim gibi avamın da anlayacağı üzere, gönülden tevbe edip sâlih daireye dâhil olan kimselerin günahlarının affedileceği şeklindedir. Evet, Rahmeti Sonsuz (celle celalühu), bir iyilikten dolayı çok kötülükleri siler. Maalesef, çoğu insanlar, bu ilahî ahlakın rağmına olarak, bir kötülük yüzünden pek çok iyiliği setrederler. Mesela, bir adamın dünya kadar fazileti vardır, herkese ihsanda bulunuyor ve iman hizmetinde de işi önde götürüyordur; fakat, o insan bir yerde az sürçünce, bazıları onun hakkında hemen kötü bir hüküm verir ve bir daha da onun üzerinden o hükmü kaldırmazlar. Bazı imtihanlarda birkaç yanlışın bir doğruyu götürmesinin ayrı bir tezahürü olarak, bazen onlarca iyiliği bir tane hataya kurban ederler. Allah'ın rahmetinin enginliğine bakın ki, O, kulunu tertemiz olarak huzuruna almak için bir sürü bahane halkeder, insanın önüne onlarca vesile çıkarır; kul onlardan hangisine tutunursa tutunsun, bir arınma musluğundan geçmiş gibi yunup yıkanır, saflaşır ve O'na ulaşır. Allah Teâlâ, bazen tek iyilikten dolayı insanın o âna kadar yaptığı bütün hataları affeder; denebilir ki, O'nun rahmet ve inayetiyle, bir iyilik bütün hataların hakkından gelir, onlara kendi rengini içirir ve günahları sevaplara çevirir. İşte, "kötülüklerin iyiliklere tebdil edilmesi"nin bir manası budur.

Diğer taraftan, Hazreti Üstad, bu ilahî vaadi tefsir ederken, şu enfes yorumu yapmaktadır: "Ondaki nihayetsiz kabiliyet-i şer, nihayetsiz kabiliyet-i hayra inkılâb eder." Evet, insanın donanımında kötülüklere açık bir sistem vardır; bu sistem bir fenalık ibresi gibi onu hep şerlere yönlendirir, sürekli çirkin işlere sevkeder. Fakat, insanın gönülden tevbesi, imanını bir kere daha gözden geçirmesi ve sonra amel-i sâlih ile onu taçlandırması öyle bir iksir olur ki, onun vesilesiyle Cenâb-ı Hak, kulun mahiyetindeki şer istidadını hayır kabiliyetine çevirir; ondaki sonsuz fenalık istidadını iyilik yapmaya doymama istikametine yönlendirir. Bu itibarla da, mezkur ayet-i kerimede söz konusu olan, sadece insanın kötülüklerinin silinmesi değil, aynı zamanda fenalıklara karşı önünün kapanması ve iyiliklere meylinin artmasıdır.

İbadetlerin Temizleyiciliği

Tevbe ve tecdîd-i imanın yanı sıra, namaz, oruç, hac ve zekat gibi ibadetler de birer arınma kurnasıdır. Namazı insanın kapısının önünden akan tatlı ve tertemiz bir ırmağa benzeten, günde beş defa o nehre girip yıkanan bir kişinin üzerinde kir namına hiçbir şeyin kalmayacağını beyan eden Rasûl-ü Ekrem (aleyhi ekmelüttehâyâ vetteslimât) Efendimiz'in "Namazlar, büyük günahlardan kaçınıldığı sürece aralarındaki küçük günahlar için birer keffârettir." müjdesi bu hakikatin yüzlerce delilinden sadece biridir. Cemaatle namaz kılmak için mescide giden bir mü'minin her adımıyla bir günahının silineceğini ve yerine bir sevap yazılacağını; gönülden inanarak ve mükafatını Allah'tan umarak oruç tutan bir insanın geçmiş günahlarının affolunacağını; keza, yolculuk esnasında büyük günahlara girmeden, küçük günahları işlemekte ısrar etmeden ve fena söz söylemeden haccını tamamlayan kimsenin günahlarından kurtularak annesinden doğduğu günkü gibi tertemiz evine döneceğini açıkça ifade eden hadis-i şerifler misillü daha pek çok Nebevî söz, ibadet ü taatin önemli bir arınma vesilesi olduğunu göstermektedir.

Bu hususa delil olarak zikredilebilecek ayet-i kerimeler de mevcuttur. Mesela; Cenâb-ı Allah, "Gündüzün her iki tarafında ve gecenin saçaklarında (gündüze yakın olan saatlerinde) namaz kıl! Çünkü, iyilikler kötülükleri silip giderir. Bu, düşünen ve ibret alanlara bir nasihattır." (Hud, 11/114) buyurmuştur.

Hadis kitaplarında bu ayetle alâkalı şöyle bir hâdise nakledilmektedir: Bir gün, genç bir sahabî, nefsine hâkim olamamış ve bir kadına sarkıntılık yapmıştı. Az sonra da ciddi bir pişmanlık hissiyle kendisini Rasûl-ü Ekrem Efendimiz'in huzuruna atmıştı. Helak olmaktan korkuyor gibi bir hali vardı; bir an önce yunup yıkanma ve bağışlanma yolu aramaktaydı. Aslında, en ufak bir hata karşısında mahvolmaktan korkma duygusu, Sahabe efendilerimizin hepsinde hâkimdi. Onlar, ruh dünyaları itibarıyla bir yara alınca hemen Hekim'e koşarlar ve dertlerine çare ararlardı. Bir kusur için günlerce gözyaşı döker ve hatalarının menfi izlerini gözlerinden boşalan yaşlarla silmeye çalışırlardı. İşte o genç de bir hata işlemişti; fakat, çok geçmeden derlenip toparlanmış, derin bir nedametle ürpermiş ve adeta kolu-kanadı kırılmış olarak kendisini Gönüllerin Tabibi'nin (sallallahu aleyhi ve sellem) atmosferine atıvermişti. Her kelimesinden "Mahvoldum ben!" hissi dökülen cümlelerle halini arz etmişti. Hazreti Ömer (radıyallahu anh), "Allah seni setretmiş, keşke sen de kendini örtseydin, günahını açıklamasaydın, tevbe edip af dileseydin!" demişti. Allah Rasûlü, (aleyhissalâtu vesselâm) önce hiçbir şey söylememiş, ama bir müddet sonra o gence -mealini verdiğim ayet-i kerimeyi okuyarak- namaza sarılıp onunla arınmasını tavsiye etmişti. Bunun üzerine başka bir sahabî, "Ey Allah'ın Rasûlü, bu hüküm sadece soru sahibi için mi (yoksa başkasına da şâmil mi)?" diye sorunca, Rasûl-ü Ekrem (aleyhissalâtu vesselâm), "Herkes için…" cevabını vermişti.

İnsanlığın İftihar Tablosu'nun bu irşadı da göstermektedir ki; insanî kurallar itibarıyla birkaç yanlış bir doğruyu götürse de, Allah'ın rahmetinin enginliğine bağlı olarak, gönülden yapılan bir iyilik belki bin tane yanlışı yok etmektedir; evet, hasenât seyyiâtı gidermektedir.

Günah Lekelerini Gideren Musibetler

Ayrıca, çoğu zaman musibetler de arınmaya vesiledir. Kur'ân-ı Kerim'de, -meâlen- "Başınıza gelen her musîbet, işlediğiniz günahlarınız (ihmalleriniz ve kusurlarınız) sebebiyledir, hatta Allah günahlarınızın çoğunu da affeder." (Şura, 42/30) buyurulmaktadır.

Aslında, genel kabule göre, bu hitap günahkârlaradır. Zira, sevaba ve yüksek mertebelere ulaştırılmak üzere günahkâr olmayanların maruz bırakıldıkları musibetler de az değildir. Dolayısıyla, mü'minlerin başlarına gelen her musibetin onların günahları yüzünden olduğu söylenemez. Öyleyse, insan kendisiyle alâkalı musibetleri hatalarının cezası olarak görse de, diğer mü'minler hakkında hüsn-ü zan etmeli; onların, günahlarının keffaretini ödediklerini değil, Hak katındaki derecelerinin artması için o türlü sıkıntılara düçar olduklarını düşünmelidir. Evet, bilhassa Allah'ın dinine hizmet için çalışan bir insanın çektiği sıkıntılar, sadece onun günahlarına keffaret olmakla kalmayıp aynı zamanda Allah katındaki derecesinin yükselmesine de vesiledir.

Şu kadar var ki, bir insanın, kendi başına gelen musibetleri kendi kusurlarının neticesi olarak görmesi temkinli olmasının gereğidir. Bu meseledeki en önemli husus, bir insanın kendisini problemlerin kaynağı olarak kabul etmesidir. Çünkü insan, "Bu problem benim hatalarımdan kaynaklandı" demiyor ve hâdiselere bu perspektiften bakmıyorsa, o, her suçu başkalarına atfeder, diğer insanlar hakkındaki olumsuz düşüncelerinden dolayı yeni günahlara girer. Böyle bir insan, Cenâb-ı Hakk'a yönelme gibi bir payeden de mahrum kalır; çünkü, sürekli atf-ı cürümlerle kendini paka çıkardığı için onun gönlünde tevbe duygusu hasıl olmaz; dolayısıyla o, Allah'a tazarru ve niyazda bulunmaz. Oysa, şayet insan, ayağına batan bir dikeni, bir sürçmeyi, azıcık sendelemeyi, bir şeyi elinden kaçırmayı, bir fırsatı değerlendirememeyi ya da bir projesinin fiyaskoyla neticelenmesini... yani musibet televvünlü her şeyi kendisine ait kusurlara bağlarsa, o zaman ne kadere taş atar, ne dışarıda bir mücrim arar ve ne de başkalarını suçlar. Her menfilik karşısında, önce kendiyle hesaplaşır, bir savcı gibi nefsinin yakasına yapışır. Böyle bir hesaplaşma da onun içinde istiğfar hislerini tetikler ve onu tevbeye sevkeder.

Evet, her musibet, mü'min için başlı başına bir arınma kurnasıdır, mü'min o musluğun altından her geçişinde hataları silinir gider; bu sayede o, özündeki safveti korumuş ve hatta kurbet ufkuna doğru biraz daha mesafe katetmiş olur. Nitekim, Rasûlullah (sallallahu aleyhi ve sellem) şöyle buyurmuştur: "Cenâb-ı Hak, Müslümanın başına gelen yorgunluk, hastalık, tasa, keder, sıkıntı ve gamdan ayağına batan dikene varıncaya kadar, her musibeti onun hatalarının bağışlanmasına vesile kılar."

Dine Hizmet Arınmak İçin Fırsattır!..

Diğer taraftan, Allah'ın adının gönüllere nakşedilmesi ve İslâm dininin şanına uygun bir şekilde yüceltilip yayılması manasına gelen "i'lâyı kelimetullah" vazifesi de arınma yollarının başında gelir. Hususiyle günümüzde, sırf rıza-yı ilahîyi tahsil maksadıyla, Nâm-ı Celîl-i İlâhî'yi yüceltmeye çalışmak, Allah Teâlâ'ya ve Rasûl-ü Ekrem'e karşı alâkanın ifadesidir. Evet, özellikle bu asırda, Kur'an'a sahip çıkanlar arasında yürümek, bir yönüyle surî ve nazarî dahi olsa Hak maiyyetinin alâmetidir ve masiyet kirlerinden sıyrılmak için de çok önemli bir vesiledir. Bir insan, fâcir de olsa, Hakk'a hizmet yolunda bulunuyorsa, ona hâlâ temizlenme ve Cennet'e ehil hale gelme fırsatı veriliyor demektir. Günahlar, o maiyyet-i İlahiyeyi ve maiyyet-i Nebeviyeyi vicdanın derinliklerinde duymaya mani olabilir; fakat, "i'lâ-yı kelimetullah" hizmetinde yer alan herkesin Cenâb-ı Hak'la ve Rasûlullah'la -bir ölçüde- beraber olduğu muhakkaktır. Şayet, insan Mevlâ'nın hoşnutluğunu hedefler ve sâlihlerle kol kola yürümesini sürdürürse, zamanla günahlarının engelleyiciliğinden kurtulacak ve o kudsî maiyyeti vicdan mekanizmasıyla da sezip duyacaktır.

Hadis kitaplarında, Allah'a ve Rasûlü'ne karşı şahsî alâkanın dahi çok büyük kıymet ifade ettiğine dair şöyle bir hâdise nakledilmektedir: Henüz içki, şıra ve şerbeti birbirinden tefrik edemeyen ve bağımlılıktan kurtulamayan bir sahabî, zaman zaman sarhoş olacak kadar mahmurlaşmakta ve her defasında da Rasûl-ü Ekrem tarafından te'dib edilmektedir. O sahabî, bir gün yine aynı suçtan dolayı Rasûlullah'ın huzuruna getirilir. Cemaatten birisi, "Allah'ım şu adama lânet et! Bu kaçıncı defadır aynı günah yüzünden tecziye ediliyor ama bir türlü ıslah olmuyor." diye bedduada bulunur. Bu sözü işiten Şefkat Peygamberi (aleyhissalâtu vesselâm) "Ona lânet etmeyin. Allah'a yemin ederim, o, Allah'ı ve Rasûlü'nü gönülden sevmektedir!" der; "Allah'ım, ona rahmet et ve onun taksiratını bağışla!" diye dua etmelerini emir buyurur.

Demek ki, Allah'ı ve Rasûlü'nü sevme, bir ölçüde onlarla beraber olmayı netice verecek ve mü'minlerin hayır dualarını almaya yetecek kadar değerlidir. Böyle şahsî ve küçük bir alâkaya bu kadar teveccüh gösterildiği nazar-ı itibara alınınca, i'lâ-yı kelimetullahın insana neler kazandıracağı hakkında bir değerlendirme yapılabilir. Zira, ruha mal olan sevgi meltemiyle cihana açılma ve Allah'ın adının kalblere nakşedilmesi için çalışma, o ferdî ve basit alâkanın kat kat üstündeki bir sadâkat ve muhabbetin remzidir. Dolayısıyla, bu yoldaki bir insanın mazhar kılınacağı teveccüh, sadece cüz'î planda sevgi besleyen birisine lutfedilenden çok daha fazla olacaktır.

Bu itibarla, i'lâ-yı kelimetullah çok önemlidir; onun uğrunda mücahede eden bir insan ister muharebede şehit olsun isterse de yolun herhangi bir durağında kanatlanıp ötelere uçsun, mutlaka arınmış olarak Cenâb-ı Hakk'a kavuşacak ve O'nun sürpriz nimetlerine ulaşacaktır. Günümüzün Karasevdalıları hakkındaki mülahazalarımız da bu istikamettedir. Talebesini kurtarmak isterken bataklıkta boğulup ahirete yürüyen, yakalandığı amansız bir hastalık neticesinde diyar-ı gurbette bir garip olarak öbür aleme giden ya da iman hizmetinin başındaki belalara paratoner olurcasına bir trafik kazasında dünyaya veda eden fedakâr ruhlar da inşaallah Cenâb-ı Hakk'ın rahmetinin enginliğine yaraşır şekilde mukabele göreceklerdir. Öyle inanıyor ve ümit ediyorum ki; sırf rıza-yı ilahî için annelerinin sıcak kucağını terk eden, baba ocağına hasret kalan, bazen aylarca yârdan-yârandan, çoluk-çocuktan ayrı durmaya razı olan ve çeşit çeşit mahrumiyetlere katlanan bu sevgi kahramanları, ötede beşer idrakini aşkın ilahî ihsanlarla karşılanacaklardır. Allah Teâlâ, rızası uğruna bin bir zorluğa tahammül eden bu kutluları, öyle lütuflarla sevindirecektir ki, onlar her nimet karşısında büyük bir memnuniyetle "Elhamdulillah ya Rabbi, dünyada bizi bir kısım sıkıntılara maruz bıraktın, bize bazı meşakkatler yaşattın; fakat, onları buradaki hüzünden, tasadan ve sarp yokuşlardan kurtulmamıza vesile yaptın, bizi ebedî hüsrandan kurtardın ve bakî nimetlerinle serfiraz kıldın!" diyeceklerdir.

Evet, tevbe, tecdîd-i iman, ibadet ü taat, musibetlere karşı sabır ve i'lâ-yı kelimetullah.. bunların hepsinde Allah Teâlâ'nın merhametinin ayrı bir tecelli dalga boyu sezilmektedir. Bu vesileler, insanı beşerî kirlerden arındırmakta, böylece Hak maiyyetine mazhar kılmakta ve ona

Cennet'e girmek için liyakat kazandırmaktadır. Madem kulluk yolunda maruz kalınan sıkıntılar, insanı Cennet'e, Cemalullah'ı temâşâya ve Rıdvan'a ulaştıracak bir burak halini almaktadır; öyleyse, ubudiyet çizgisinde çekilen meşakkatler büyük zahmetler olarak görülmemelidir. Burada Allah'ın ve Rasûl-ü Ekrem'in maiyyetine ermek, üns billaha ulaşmak; ötede de Cennet'e girmek, Enbiyalar Sultanı'nın sofrasına oturmak, ona ikram edilen nimetlerden istifade etmek, dahası her türlü lütfun verasında rü'yete ve rızaya nail olmak gibi, mukabilinde bütün yeryüzü ve semalar verilse elde edilemeyecek kadar büyük nimetler karşısında bir kısım dünyevî meşakkatler hiç bahse değmeyecek ölçüde küçük sayılmalıdır.

Sözün özü; bir mü'min, başına gelen her musibeti, işlediği bir kötülüğün neticesi bilmeli ve onu kasvet bağlamış ufkunun açılmasına bir vesile telâkkî etmelidir. Ayrıca, ahirete inanan bir insan, iman hizmetinde en önlerde olsa da, nefsî ve şeytanî tuzaklara düşmemek için temkini hiç elden bırakmamalı, her zaman kendisinin dini teyid eden bir racul-ü fâcir olabileceğinden korkmalı; fakat, hâlâ bu salih dairede bulunuyor olmadan dolayı da Allah'a karşı hamd ü senâ hisleriyle dolmalı ve kendisine bahşedilen bu arınma fırsatını en iyi şekilde değerlendirmeye çalışmalıdır.

İnsan Ömrü ve İki Büyük Tehlike

Soru: Kendisine altmış sene ömür verilmiş bir insan için artık hiçbir mazeretin söz konusu olamayacağını belirten hadis-i şerifin ifade ettiği manalar nelerdir?

Cevap: Allah Rasûlü (aleyhissalâtu vesselâm) -mealen- şöyle buyurmuştur: "Cenâb-ı Hak, altmış yıl yaşayacak kadar ömür verdiği kişinin mazeret gösterme imkanını bütün bütün ortadan kaldırmış ve ona bahanelerin ardına sığınma fırsatı bırakmamıştır."

Ortalama Ömür

Evvela; Rasûl-ü Ekrem (sallallahu aleyhi ve sellem) Efendimiz, bu beyanıyla, vasatî ömre işarette bulunmaktadır. Evet, Allah Teâlâ, her mahluka yaratılışı itibarıyla bir hayat süresi tayin etmiştir ki, buna "ecel-i fıtrî" denilir. Vasatî ömür kabul edilen ecel-i fıtrî insanlar için altmış-yetmiş senedir. Nitekim, Tirmizî'de yer alan bir hadis-i şerifte, "Ümmetimin vasatî ömrü altmış-yetmiş yıldır; bunu aşabilenler azınlıkta kalacaklardır." buyurularak, bu hususa dikkat çekilmektedir.

Sâniyen; İmam Buhârî Hazretleri Câmiu's-Sahih adlı eserinde bu hadisi naklederken, Fâtır Suresi'nin 37. ayetini o bâbın unvanı (bölüm başlığı) olarak zikretmiştir. Demek ki, hem altmış yaşın hem de "mazeret" meselesinin bu ayet-i kerime ışığında şerh edilmesi gerek-

mektedir. Söz konusu ilahî beyandan önce, inkarcı müşriklerin sürek-
li cehennemde kalacakları, oradaki azabın dehşetine dayanamadıkla-
rı için ebedî ölümü arzulayacakları; fakat artık haklarında ölüm hük-
münün verilmeyeceği ve ateşin şiddetinin de hafifletilmeyeceği, Al-
lah'ı ve nimetlerini inkar eden her nankörün bu cezayı hak ettikleri
anlatılmaktadır. Sonra da -mealen- şöyle denmektedir:

"Onlar orada imdad istemek için 'Ey Yüce Rabbimiz! Ne olur, çı-
kar bizi buradan, dünyaya geri gönder de, daha önce yaptıklarımız-
dan başka, güzel ve makbul işler yapalım!' diye feryad ederler. Fakat,
onlara şöyle cevap verilir: 'Biz, size, bir kimsenin ibret alıp gerçeği gö-
recek kadar düşünebileceği bir ömür vermedik mi? Hem size uyarıcı
da gelmişti. Öyleyse tadın azabı! Çünkü, zâlimleri kurtaracak yok-
tur!" (Fâtır, 35/37) Bazı alimler, ibret alıp gerçeği görecek kadar dü-
şünebilmek için on beş yaşın yeterli olduğunu söylerken, bazıları da
on sekiz yaşını esas almışlardır. Bir kısım müfessirler ise, ayeti "Sizi
kırk sene yaşatmadık mı?" şeklinde anlamışlardır. Ulemadan kimileri
de, ayette işaret edilen sürenin "bülûğ yaşı" olduğunu söylemişlerdir.
Fakat, Abdullah İbni Abbas hazretlerine ve müfessirlerin pek çoğuna
göre; bu beyan-ı ilahî, "Biz sizi altmış sene yaşatmadık mı?" demek-
tir. Çünkü, burada mevzubahis olan vasatî ömürdür; hadis-i şerifler
zaviyesinden ortalama yaşın alt sınırı ise altmış senedir.

İbn Abbas hazretleri başta olmak üzere, bazı alimler mezkur ayet-
te geçen "Hem size uyarıcı da gelmişti" ifadesindeki "nezir"den mak-
sadın Rasûl-ü Ekrem (aleyhissalatu vesselam) olduğunu söylemişler-
dir. Kimileri de "nezir" sözünün umum peygamberler ve kitaplara şâ-
mil bulunduğunu belirtmişlerdir. Bazıları ise, bu uyarıcıyı akıl, ihti-
yarlık ve yakınların ölümü şeklinde te'vil etmişlerdir. Mesela; İkrime
ve Süfyân İbni Uyeyne gibi büyükler, "nezir" kelimesini "ihtiyarlık"
olarak yorumlamışlardır.

Aslında, bunların hepsini birer nezir olarak kabul etmek gerekir. Çünkü, bütün peygamberler ve ilahî kitaplar "ölüm var" deyip ahireti haber verdikleri ve insanları ötelere hazırlıklı olma hususunda ikaz ettikleri gibi; Allah Rasûlü de hem Kur'an ayetleriyle hem de hadis-i şerifleriyle her mahlukun fâni ve her nefsin ölümü tadıcı olduğunu her fırsatta hatırlatmıştır.

Dahası, tekvinî ayetlerin bir parçası olan her hâdise de insana "Sen gidicisin" demektedir. Bükülen beller, tutmayan dizler, ağaran saçlar, titreyen eller, göremeyen gözler, duyamayan kulaklar, ağrılar, sızılar, çeşit çeşit hastalıklar ve türlü türlü rahatsızlıklar birer nezirdir; bunların hepsi bir yönüyle ölümü ve ahireti hatırlatır.

Ayrıca, her insanın önüne ömür boyu başka hatırlatıcılar da çıkar; camide imam-vaiz "ölüm var" der, ezan-namaz hesabı akla getirir; eş-dost ebedî beraberlik isteğini izhar eder ve insanın nazarlarını sermedî bir âleme çeker. Dolayısıyla, düşünüp ibret almak ve gerçeği bulmak için bütün bu uyarıcılar birer fırsattır. Altmış sene yaşayan bir insan, bunların hepsi tarafından değişik şekillerde ve defalarca ikaz edilmiştir. Bu itibarla da, şayet bir kimse onca uyarıcıya karşı kulaklarını tıkamış ve gözlerini yummuşsa, artık onun mahşerde herhangi bir geçerli mazeret ileri sürmesi mümkün değildir.

İbret Alacak Kadar Yaşıyoruz

Haddizatında, bülüğ çağına erdikten sonra ölen her insan için, ibret alacak kadar yaşama süresi gerçekleşmiş demektir. Bir insan yirmi, otuz, kırk, elli... yaşında da ölse, artık o "Düşünüp gerçeği görebileceğin kadar ömür vermedik mi?" itabının muhatabı sayılır. Çünkü, şuurluca bir saat bile yaşamak Yüce Yaratıcı'nın varlığına ve hilkatin esasına uyanmak için yeterlidir; dolayısıyla, şuurlu bir saat geçiren insanın bilhassa küfür mevzuunda hiçbir mazereti kalmamıştır. Halbuki, Allah Teâlâ insanların çoğuna büluğdan sonra uzun süre yaşama imkanı vermektedir. Hâlık-ı Kainat, bazı canlıları sadece bir saat, hatta çok daha kısa süre yaşatmakta, onları bir anlığına bir kısım isimlerinin tecellilerine mazhar etmekte ve sonra hayatlarına son vermektedir. Ömrü bir hafta, bir ay ya da bir yıl... olan canlılar vardır. Fakat, Cenâb-ı Hak, insanı sadece bir saatliğine halketmemiştir; ona normal şartlarda altmış senelik bir ömür bağışlamıştır.

Bu açıdan, etrafını duyacak, hissedecek ve değerlendirecek şekilde, şuurlu olarak bir saat bile yaşasa özellikle inkar ve şirk hususunda bir mazeret hakkı kalmayacak olan insanın, vasatî ömür sayılan altmış seneyi tamamladığında Cenâb-ı Allah'ın emir ve yasaklarına tâbi olma konusunda hiçbir mazeret hakkına sahip olamayacağı aşikârdır. Büluğ çağına eren bir gencin artık mesul sayılacağı ve onun küfür, şirk ve masiyet üzere yaşama mevzuunda herhangi bir bahanesinin geçerli olmayacağı düşünülürse, vasatî ömrü geride bırakan bir insanın da evleviyetle mazeret hakkını kaybetmiş olacağı açıktır. Şu halde büluğu idrak ettikten sonra ölen herkes, düşünüp ne yapacağına karar verecek zamanı bulmuş sayılır. Altmış sene yaşamış bir insan ise, ahiretini kurtarması için duyup görmesi gereken her şeyle karşılaşmış, hakikatleri düşünüp anlaması için gereken vakti fazlasıyla elde etmiş ve ebedî saadeti kazanma yolunda pek çok fırsat yakalamış demektir.

Evet, onca sene eğitimini, istikbalini, evini barkını, çoluk çocuğunu ve iaşesini düşünen; yaşamanın, kazanmanın, rahat etmenin, caka yapmanın ve çalımın ne olduğunu bilen; dünyevî menfaatleriyle alâkalı iyiyi kötüyü ayırt edebilen ve kafasına koyduğu bir meseleyi senelerce takip edip onu sona erdirebilen; yani yüzlerce, binlerce, milyonlarca hususu düşünüp onlarla ilgili kararlar verebilen bir insanın ulûhiyet hakikatini ve âhiretini de düşünmüş olması gerekmez mi? Dahası, bu kimse, İnsanlığın İftihar Tablosu'nu duymuşsa, Kur'an'dan haberdâr olmuşsa, ölümün keşif kolları sayılan hastalıklarla tanışmışsa ve ihtiyarlık pek çok dille kendisine "yolcusun" demişse, artık onun bütün bütün ahirete teveccüh etmiş, eksiklerini gidermiş ve öteler için zâd ü zahîre hazırlamış olması lazım gelmez mi? İşte, bu hakikate karşı kapalı yaşayan ve ömrünü gafletle tüketen bir insanın acı âkıbetle karşılaşınca pişmanlık duyması, yeniden dünyaya gelmek gibi olmayacak isteklerde bulunması ve dünya hayatındaki hataları için mazeretler döktürmesi ona hiçbir şey kazandırmayacaktır. Onun mazeretleri dikkate alınmayacak ve bahanelerin arkasına saklanmasına fırsat verilmeyecektir.

Bu açıdan, mealini verdiğim ayet-i kerime ve manası sorulan hadis-i şerif, kendini gaflete salan kimseler için bir tevbîhi de ihtiva etmektedir; bunlar, özellikle belli yaşın üzerindeki kimselere bir ikaz mahiyetindedir. Onlara, "Bunca sene hak ve hakikat hesabına pek çok şeye şahit oldunuz, dahası bir sürü meşguliyeti de arkada bıraktınız; artık hiçbir mazeretiniz kalmadı. Şu halde, iyi bir mü'min olmak için daha ne duruyorsunuz?" demektir. Aynı zamanda, ömrün sonunda iyilikleri, ibadetleri, sâlih amelleri daha da artırmaya ve geçmişteki eksikleri bir ölçüde de olsa telâfi etmeye bir teşviktir. Öyleyse, yaşlılıkta dine ve diyanete daha bir candan sarılmak inanmışlığın gereğidir.

İki Büyük Tehlike

Mevzuyla alâkalı bulduğum bir hususu daha arz etmek istiyorum:

İnsan için çok büyük iki tehlike vardır ki; biri umumiyetle gençlikte, diğeri de ekseriyetle yaşlılıkta kendisini gösterir: Bunların ilki, mebde'de nazarîde kalmaktır; ikincisi ise, müntehada her şeyi bir kültür şeklinde, şuursuzca ele almaktır.

Bir devrede insanı aldatan husus, işin sadece nazariyesi ile meşgul olmak ve amelîde derinleşmeyi düşünmemektir. Öyle kimseler vardır ki, sorduğunuz her meseleyi bilirler; daha siz "ihlas" demeden onlar "İhlas Risalesi"ni ezberden okuyuverirler; "Besmele"ye dair olan Birinci Sözü ezbere bilirler; "uhuvvet" kelimesini duyar duymaz, hafızalarına nakşettikleri "Uhuvvet Risalesi"ni gözlerinin önüne getirirler. Heyhat ki, her söz, her tavır ve her davranışlarıyla sürekli kendilerini nazara vermekten bir türlü kurtulamazlar; hep "desinler", "görsünler", "duysunlar" mülahazalarına bağlı hareket ederler. "Birinci Söz"ü okumaya başlarken bile, dersi "Besmele"yle açmayı hatıra getirmezler. "Kardeşlik" derken dahi hiç utanmadan çok rahatlıkla dost ve arkadaşlarının gıybetini yapabilirler.

İşte, böyleleri nazarîde kalmış ve kat'iyen amelîye geçememiş zavallı insanlardır. İmanı sinesine yerleştirememiş, inancı gönlüne oturtamamış, onu -moda tabirle- içselleştirememiş zayıf karakterli kimselerdir. İlim adına da bir yönüyle disketleşmiş insanlardır bunlar. Bazı kitapları okurlar ve bir kısım fihristleri fişlerler; fakat, ham malumatı kafalarına öylece doldururlar, bilgiyi marifete dönüştüremezler. Bu açıdan da, bunlar, nazarîyi amelî olanla derinleştirememiş, ilmi irfan ufkuna yükseltememiş, inancı tavırlarına mal edememiş, dahası kendisiyle yüzleşemeyen ve nefsini sorgulayamayan disketleşmiş dimağlardır.

Oysa ki; insanın yaratılışından ve fıtratından kaynaklanan tabii hususiyetlerine ve mebde'deki durumuna "cibilliyet" dediğimiz ve onun inkişafına da "karakter" adını verdiğimiz gibi, bu meselede de işin nazarî yanına cibilliyet, amelî yanına da karakter nazarıyla bakılabilir. Mesela, namazı büyüklerden görme, onunla alâkalı ilmihal bilgilerine vâkıf olma ve herkesin yaptığı bir iş olarak özellikle Cuma ve bayram günlerinde onu eda etme namazın cibillî olarak ele alınmasıdır. Şayet, insan namazı ikâme etmediği zaman hayatında bir boşluk hissetmiyorsa, onu henüz karaktere tebdîl edememiş demektir. Namazı vaktinde kılmayan, cemaate yetişememesine aldırmayan, hemen her tesbihatı ciddiyetle tamamlamayan ve bunları yapmadığından dolayı içinde hiçbir burukluk duymayan bir kimse, bütün bu meselelerde nazarîde kalmış, onları tabiatının bir derinliği haline getirememiş ve benliğine mal edememiş sayılır ki; işte bu, uhrevî hayat hesabına çok büyük bir tehlikedir.

İkinci tehlike ise, müntehayla alâkalıdır; nazarîden amelîye geçmek ama zamanla o ameli folklora dönüştürmektir. Bir insan, belli bir noktada İsm-i A'zamın tecellilerine mazhar olsa ve başını kaldırdığı zaman İsrafil'in azametli heykelini görecek keyfiyete erse bile, şayet bir süre sonra meseleyi sadece kültürün bir parçasıymış gibi ele almaya başlarsa, onun karbonlaşması ve yıkılıp gitmesi kaçınılmaz olur. Sadece semayla, semahla, mevlitle, gazelle ve gırtlak ağalığı yapan bazı kimselerin ilahileriyle müteselli olma, bir kültür faslına ve sönme dönemine adım atma demektir. Karbonlaşmamak, yıkılmamak, sönmemek ve dinin amelî yanını kültüre kurban etmemek için İslam'ın her meselesini şuurluca ele almak lazımdır. Kimileri, şuursuzca yatar kalkar ve bu yaptıklarına "namaz" derler; sadece yemeden içmeden kesilip aç durmayı "oruç" zannederler; mukaddes topraklarda bir turist edasıyla dolaşmayı "hac" bilirler. Babadan-anneden gördükleri ya da kültürün bir parçası olarak algıladıkları fiilleri şuurunda olmadan ve içte bir ürperti duymadan ortaya koyar ve kendilerini ibadetin hakkını vermiş sayarlar. Halbuki, Kur'an-ı Kerim bu ibadetleri nazara verirken, onların tamamiyetini huşu' ve hudu' ile yapılmalarına bağlamaktadır. Huşu'; Allah'a karşı korku ve sevgi ile boyun eğmektir, gönülden saygı ve inkıyattır. Hudu'; Allah'ın azameti karşısında mahviyetle iki büklüm olmaktır, samimi teslimiyettir. Huşu' ve hudu' ise; bir kulun, Cenâb-ı Hakk'ın azamet, celâl ve ceberûtu ile kendi acz, fakr, ihtiyaç ve küçüklüğünü müşterek mülâhazaya alması sayesinde kalbinin hep saygı ve tâzimle atması; hâl ve beyanlarının da bu telâkkiye tam bir tercüman olmasıdır. Böyle bir kul, yolun başında da sonunda da her zaman edepli davranır, saygıyla oturup-kalkar, haşyet soluklar; meleklerle atbaşı hale gelse bile her zaman mahviyet ve tevazu mırıldanır. İşte, Kur'an ancak bu hava içinde namazı ikâme edenlere (ve ubudiyette bulunanlara) kurtuluş vaad etmiştir.

Tabiî, bu ruh haletini yakalayamayan kimselerin namazları da boşa gitmez; onlar da vazifelerini yapmış ve kulluk borçlarını ödemiş olurlar. Ne var ki, böyleleri için bir kurtuluş vaadi söz konusu değildir; onların durumları Allah'ın rahmetinin enginliğine emanettir; birisinin bir şefaat eli uzatmasına vâbestedir.

Kur'an-i Kerim, kurtuluş teminatını huşu' ve hudu'ya bağladığı gibi, kudsî hadis diye rivayet edilen hoş bir beyanla Rehber-i Ekmel Efendimiz (sallallahu aleyhi ve sellem) de duaların kabulü hakkında aynı hususa işaret buyurmuştur: "Cenâb-ı Hak kuluna şöyle ferman etmektedir: Sen gönlünün huşûunu ve gözünün yaşını Bana armağan et, sonra hâcetin ne ise onu Benden iste ki, Ben de icabet edeyim; zira Ben yakınım ve her duada bulunana icâbet ederim."

Sözün özü; ötede boş temennilerle çırpınıp durmamak ve can yakıcı bir azaba düçar olmamak için hayatın her anını değerlendirmek, vakit varken düşünüp ibret almak ve gerçekleri bulup onlara sarılmak gerekmektedir. Büluğa erdikten sonra şuurlu olarak bir saat bile yaşasa, özellikle inkar ve şirk konusunda ötede hiçbir mazeret ileri süremeyecek olan insan, bir de vasatî ömür sayılan altmış seneyi tamamlarsa, artık Cenâb-ı Allah'ın emir ve yasaklarına tâbi olma konusunda hiçbir mazeret hakkına sahip olamayacaktır. Bu itibarla da, yaşı genç olanlara bir an önce nazarîden sıyrılıp amelîye yürümek ve ahiret için azık edinmek düşmektedir. İhtiyarları bekleyen vazife ise, işin amelî buudunu sürekli canlı tutmak, ibadetleri şuurluca eda etmek ve her hasenâtı içte duyarak yapmaktır.

Yuva Tutkusu ve Yaşama Sevinci

Soru: Adanmış ruhlar için büyük tehlike olduğu ifade edilen "hâneperestlik" ne demektir? Bu maraz, sadece erkekleri alâkadar eden bir hastalık mıdır? Günümüzde, günde on-onbeş saat çalıştığı halde işini evinde yapan insanların varlığı da düşünülürse, hâneperestliğin çerçevesi nasıl belirlenmelidir?

Cevap: "Hâneperest", sıcak yuva ve cıvıl cıvıl çocuklar sebebiyle evine aşırı bağlı olan, hanesindeki huzurun ve rahatın devam etmesi için gerekirse her şeyden vazgeçmeyi göze alan; bazen de rahata düşkünlüğünden dolayı dışarıya hiç adım atmayan, halkın arasına hiç karışmayan ve insanlardan gelebilecek eziyetlerden kaçmak için kendisini adeta dört duvar arasına hapseden insan demektir.

Ev Mahkumları

Hâneperest tabirinde, belâgat ilmi açısından "mahalli zikir, hali murad" söz konusudur; bu söz bir mecazdır. Zira, bir insanın hâneperest olmasında hanenin suçu bulunmadığı gibi ev halkının günahı da yoktur. Ayrıca hâneperestlik, evde uzun ya da kısa kalma, işini kendi mekanında veya dışarıda yapmayla da alâkalı değildir. Dolayısıyla, bu ifade ile, toplumdan kopmuş, iradesini rahat ve rehavete teslim etmiş, evinde kendine has bir dünya kurup ona müdahale edebilecek her şeye karşı sırtını dönmüş, bir kısım ihtiyaçlar için dışarı çıksa bile yine gözü evde olan ve ilk fırsatta yeniden oraya kapanan, evde akşamlayıp evde sabahladığından insanlara fazla faydası dokunmayan ve ömrünü "hücre-i saadet" bildiği hanesinin duvarları arasında geçiren insan kastedilmektedir.

Dünden bugüne bazı insanlar, nefislerini tezkiye ve kalblerini tasfiye etmek için halvethanelere çekilip inziva yapmışlardır. Halvetîlik de bu anlayıştan doğup yayılmıştır. Ne var ki, içinde yaşadığımız asırda, sürekli insanların arasında bulunmak, onlardan gelecek sıkıntılara katlanmak ve bir manada celvetî olmak, inzivada Allah'a ulaşmak için cehd ü gayret göstermekten daha sevaplı görülmüştür. İnsanların dertlerine ortak olmak, aynı zamanda sevinçlerini paylaşmak ve hep yanlarında bulunarak onları irşat etmek, bilhassa bu zaman diliminde çok daha önemli sayılmıştır.

Bu açıdan, hâneperestlik, evine kapanma ve herkesten alâkayı kesme şeklindeki bir tecerrüd halinin adıdır; dolayısıyla hem erkekler hem de bayanlarla alâkalıdır. Evet, hâneperestlik marazı, hemşirelerimiz için de çok tehlikeli bir hastalıktır. Anne-babaya karşı sıla-yı rahim vazifesinden arkadaşlık bağlarını korumaya kadar çok önemli olan insanî irtibatlara değer vermeme, insanlarla görüşmeme, eş-dostla biraraya gelmeme, evinin kapılarını hiç kimseye açmama ve kendi dar dairesinde ikâme ettiği mutluluk vesileleriyle yetinip bütün bütün şahsî bir hayat sürme şeklinde kendini gösteren hâneperestlik en az erkekler kadar kadınları da mahveden bir illettir.

Tabii ki, bir kadın, evine çok değer vermeli ve çoluk çocuğuna iyi bakmalıdır; fakat, ailesini ihmal etmemenin yanı başında, onun da toplum hayatı açısından bazı vazifeleri vardır. O da, sohbet-i Cânân meclislerine katılmalı, dinî ve ilmî müzakerelerde yer almalı, arkadaşlarıyla beraber dersler yapmalı; bu arada içtimaî hayatın ortak problemlerine çareler aramalı, bu gayeye matuf olarak akdedilen meşveretlerde fikir cehdinde bulunmalı ve dine hizmet edebilmek için her vesileyi değerlendirmelidir.

İster kadın ister erkek, her mü'min, kendi üzerinde Allah'ın, nefsinin ve aile fertlerinin hakları olduğunu bilip onların gereklerini yerine getirmeye çalıştığı gibi, içinde yaşadığı topluma karşı da bir kısım sorumluluklarının bulunduğunu düşünerek onları da mutlaka gözetmelidir ve Rasûl-ü Ekrem (sallallahu aleyhi ve sellem) Efendimiz'in buyurduğu üzere, her hak sahibine hakkını vermeye çalışmalıdır. Şayet, eşler, kendi aralarında vazife taksimini iyi yapar, mesailerini güzelce tanzim eder ve her hususta birbirlerine yardım eli uzatırlarsa, her ikisi de hem birbirinin hem diğer aile fertlerinin hukukuna bitamâmiha riayet etme, hem de Cenâb-ı Allah'ın, Rasûl-ü Ekrem'in, Kur'an-ı Kerim'in, Din-i Mübîn'in ve iman hizmetinin haklarını gözetme konusunda istikameti yakalayabilirler.

Rahata Düşkün Hânezedeler

Aslında, hâneperestliğin temelinde, her türlü zillet ve mahrumiyetin en başta gelen sebeplerinden olan tenperverlik, tembellik ve rahata düşkünlük vardır. Hâneperest insan, evinin kapı ve pencerelerini sıkı sıkıya kapadığı gibi, gönlünü de başkalarına karşı tamamen kapar. Hem içeriye hem de içine kapanır; hayatını bütünüyle hanesinde geçirmeyi ister. Bir iş ya da ihtiyaç için dışarıda olduğu zaman bile hep gözü evdedir. Haddizatında, insanın gözünün evinde olması bir yönüyle çok güzel bir haslettir; bu, hayat arkadaşına ve çoluk çocuğuna bağlılığının ifadesidir. Fakat, bir diğer taraftan, onda rahata düşkün olma, hiçbir meşakkate yanaşmama ve dine hizmet adına da olsa zahmete katlanmayı düşünmeme ruh haletinin tesiri vardır. İşte, bu şekildeki eve düşkünlük, Hücumât-ı Sitte'de farklı bir zaviyeden anlatılan tenperverliğin (rahata düşkünlüğün) ta kendisidir ve hak erleri için en büyük afetlerden birisidir.

Evet, yuva dünyevî bir kısım ihtiyaçları gidermeye matuf ve ahiret hayatına hazırlık hususunda yardımcı bir unsur olmasına rağmen, onun evvelen ve bizzat maksutmuş gibi algılanması ve insanı toplumdan koparacak bir mahiyet alması çok hatarlı bir kayma noktasıdır. "Ya evimden olursam; ya ailemi kaybedersem; ya çocuklarımdan ayrı düşersem; başkası neme lazım, benim de bir hayatım var!.." gibi mülahazalar, hususiyle adanmış ruhlar için öldürücü virüslerdir. Zira, bunlar gayesiz, hedefsiz, dava düşüncesinden mahrum ve hilkatin manasını kavrayamamış kimselerin düşünceleridir. Mefkure kahramanları, insanı bir hânezede ve bir ev düşkünü haline getiren bu hislerden fersah fersah uzaktır, uzak olmalıdır. Heyhat ki, bazen düşünce ve beyan açısından celvetî görünen ve sürekli "halkın arasında insanlardan bir insan" olmak gerektiğini söyleyen ama amel ve tavır zaviyesinden bu çizgiyi takip etmeyen ve fiilî inhiraf içine düşüp tam bir hâneperest misillü yaşayan kimseler ne kadar da çoktur.

Unutulmamalıdır ki; Osmanlı erenlerindeki mücadele aşkı ve "serhat tutkusu" sayesinde, küçük bir aşiretten koca bir cihan devleti doğmuştur. Bir gün gelip de, bu aşk ve arzunun yerini harem sevdası alınca, koskoca bir millet yerle bir olmuştur. Dahası, harem tutkusu ve hâneperestlikle nöbet yerini terkedenler, çok defa maksatlarının aksiyle tokat yemiş, sıcak yuvalarını ve cıvıl cıvıl çocuklarını da kaybetmişlerdir.

$\mathcal{S}$oru: Günümüzde "yaşama sevinci" adı altında sürekli dile getirilen duygunun bir adanmış ruh nezdindeki karşılığı ne ve nasıl olmalıdır?

Cevap: Şayet, "yaşama sevinci" tabiriyle kastedilen, hayatın bütün zorluklarına rağmen, insanın ümit ve azmini kaybetmemesi, meselelere hep müsbet yanlarıyla bakması ve istikbal hakkında ümitvar olması ise, bu telakki makbul sayılabilir. Ömrün her karesini çok iyi değerlendirme, zamanı boşa harcamama, hayata küsmeme; varlıkların kıymetini bilme, mahlukâtı esmâ-yı ilahiyeye bakan yanlarıyla çok sevme, dostların mevcudiyetiyle inşiraha erme ve bütün bu unsurlar sayesinde ruhen canlı kalabilme çizgisinde ele alınan "yaşama sevinci" kabul edilebilir bir anlayıştır.

Yaşama Zevki Değil, Hizmet Şevki

Ne var ki, hiç ölmeyecekmiş gibi dünyaya sarılma, gününü gün etme gayretinde olma, cismanî ve bedenî zevkleri tatmin peşine düşme, ömür boyu maddî bir lezzetten diğerine koşma ve ötelere gitmeyi çok kerih görerek hep burada yaşamayı arzulama şeklindeki bir zihniyet merduttur. Bu manadaki hayat tutkusu, ruhun sefilleşmesi ve insanın, insanî melekelerini kaybederek içten içe çürümesi demektir. Tarih şahittir ki, böyle bir yaşama zevki ve sevinci, hangi millete kanca takmışsa, onu baştan çıkarmış, azdırmış ve sonra da yerle bir etmiştir.

Mü'minlerde yaşama sevincinden ziyade, ubudiyet şevki ve yaşatma iştiyakı bulunur. Bildiğiniz gibi şevk; hizmette fütur getirmeme, asla ye'se düşmeme; mâruz kalınan en kötü, en çirkin gibi görünen durumlarda bile, Cenâb-ı Hakk'ın bir hikmetinin ve rahmetinin var olabileceği mülâhazasıyla buruk, hüzünlü fakat ümitli bir bekleyiş içinde bulunma ve her zaman Allah'a gönülden tevekkül etme manalarına gelmektedir.

Cenâb-ı Hakk'a sonsuz hamd ü senâ olsun ki, O bizi insan olarak yaratmış, Müslümanlığa uyarmış ve iman hizmetiyle şereflendirmiş. Yürüdüğümüz yolda dine ve diyanete ait hiçbir meselede çözülemeyecek bir problemle karşı karşıya kalmıyoruz, elimizi kolumuzu büsbütün bağlayan bir tıkanıklığa şahit olmuyoruz. Bir kısım muvakkat tıkanıklıklar görsek bile, onların da Allah'ın inayetiyle bir şekilde açıldığını müşahede ediyoruz. İşte bütün bunlar şevk ve iştiyak duygularımızı tetikliyor; içimizde metafizik gerilim hasıl ediyor.

Evet, bu konuda mü'minler için esas olan, ubudiyet yolunda ve iman hizmetinde iç coşkunluğuyla, aşk ve heyecanla yürümek ve mânevî duyguları daima aktif halde tutmaya çalışmaktır. İnananlar yaşama sevincini, kalb merkezinin daima enerjiyle dolu bulunması, insanî melekelerin hamle ruhuyla şahlanması, manevî canlılığın hep korunması ve insanı ibâdetlere, sâlih amellere ve din uğrundaki hayırlı faaliyetlere sevkedip koşturacak bir güç kaynağının gönülde mevcud olması şeklinde anlamalıdır. Nitekim, Nur Müellifi, böyle bir "şevk"i günümüz hizmet erlerinin dört buud ve dört derinliğinden biri olarak saymıştır.

Neş'enin Mü'mincesi

Ne var ki, şevk bazılarınca yanlış yorumlanmakta; gülme, eğlenme, keyif sürme ve zevkli vakit geçirme şeklinde anlaşılmaktadır. Kur'an-ı Kerim, bir kısım ehl-i gafletin keyiflenme, eğlenme ve neşeyle hoplayıp zıplama olarak anladıkları yaşama sevincini zemmetmiştir; onun müşriklerin ve münafıkların sıfatı olduğunu belirtmiştir.

Hayır, şevk, kat'iyen kahkahayla gülüp oynama, sevinçten hoplayıp zıplama, ölçüsüzce neşelenme ve gâfilane yaşama demek değildir. Böyle bir anlayış, ehl-i gafletin işi ve tarz-ı telakkisidir. Şevk, az önce de ifade ettiğim gibi, asla ye'se düşmeme, gevşeklik göstermeme, sürekli hizmet etme arzusuyla gerilme ve Cenâb-ı Hakk'ın inayetlerini gördükçe daha bir coşkuyla kanatlanma manalarına gelmektedir. Allah Teâlâ'nın muvaffak kıldığı hizmetler ve başarılar karşısında, "Değildir buna lâyık bu bende / Bana bu lutf ile ihsan nedendir?" hissiyle ve rahmet-i ilahiyenin sağanak sağanak yağdığını görmenin verdiği heyecan neticesinde nimetlere kendi cinslerinden şükretme isteğiyle dolmaktır. Bu mülahazayı tahdis-i nimet kabilinden seslendirerek, "Ya Rabbî, bana da güzel bir urba giydirdin, bütün hata ve kusurlarıma rağmen beni de bu halkaya dahil ettin; kardeşlerimden ayırmadın. Dahası, Sen dünyanın dört bir yanında gönül kapılarını açtın ve arkadaşlarımızı muvaffak kıldın; kainâtın zerrâtı adedince şükürler olsun Sana!" demek ve kendini sürur içinde hissetmektir.

Gerçi, bu duygularla dolan bir mü'minin gönlünü de bir çeşit neş'e kaplar. Ne var ki, gafillerin neşeleri nefsi heyecanlandırır, hevesi uyarır ama ruhu karartır. Kur'an yolundaki neş'e ve şevk ise, insanın nazarlarını meâliye (ulvi hakikatlere) çevirir, ruhu coşturur ve nefsi zayıf düşürür. İşte bu sırra binaendir ki, İnsanlığın İftihar Tablosu'nun Sünnet-i Seniyyesinde lehviyâta yer yoktur.

Bu açıdan, bizim neş'emiz yürüdüğümüz yolun şevki suretinde olmalı; biz, bu yolun gidip Cennet'e ulaştığını ve Allah'a vardığını düşünerek bir inşirah duymalıyız ve bu mülahaza sayesinde, en müthiş hadiseler karşısında dahi asla ye'se düşmemeliyiz. Cenâb-ı Hakk'a müteveccih olduğumuz sürece başımıza ne gelirse gelsin, neticesi itibarıyla hakkımızda hayırlı olacağına gönülden inanmalı ve bu inançla bir iç sevinç yaşamalıyız. Tavır ve davranışlarımızda bir taşkınlığa girmeden kalbî bir sevinç içinde olma halini hep korumalıyız.

Hâsılı, hizmet şevki ve kalbî sevinç mü'minin daimî hâlidir. Gaflete gömülmüş kimselerin şe'ni ise şımarıklık, lâubalîlik ve ölçüsüzce eğlenmektir. Mü'minlerdeki şevkin semeresi, Mevlâ'ya tevekkül ve itminan; gafillerde geçici sevinçlerin neticesi, bitip tükenme bilmeyen stresler ve anguazlardır. İnanan insanlarda -ekseriyetle- stres görülmez; çünkü, mü'minlerin musibetler karşısında bütün bütün çaresiz kalmaları, hadiselere teslim olmaları, uzun süreli derin boşluklar yaşamaları ve ebedî hüsrana uğramaları söz konusu değildir. Mü'minler olsa olsa "bir kısım terslikler karşısındaki kudsî heyecan" diyebileceğimiz hafakana düçar olurlar; nihayet onu da "Lâ havle ve lâ kuvvete illâ billah" diyerek aşağıya indirir, çekip küçültür ve Allah'ın inayetiyle kolayca aşarlar.

Çocuk Terbiyesinde Denge

Soru: Bazıları, "Ben çocuklarımla arkadaş gibiyimdir!" diyor; onlara karşı oldukça rahat davranıyorlar. Doğru buldukları bu anlayışı, Peygamber Efendimiz'in hutbede ve namazda dahi torunlarıyla ilgilenmesini, onları kucağına almasını ve omuzunda taşımasını delil göstererek destekliyorlar. Bu zaviyeden, valideynin çocuğa karşı hal ve hareketlerinde denge nasıl olmalıdır?

Cevap: Rasûl-ü Ekrem (sallallahu aleyhi ve sellem) Efendimiz, başta Hazreti Hasan ve Hazreti Hüseyin olmak üzere torunlarına ve diğer çocuklara karşı her zaman çok şefkatli davranmış; onları zaman zaman alınlarından ve yanaklarından öpüp sevmiştir. Onlara karşı muhabbetini ifade eden medh ü senalarda ve haklarında dualarda bulunmuştur. Bazen mübarek torunlarından birini bir omuzuna diğerini de öbür omuzuna alıp gezdirmiş; hutbe verdiği esnada mescide giren torununun tökezlediğini görünce hemen sözlerini kesip onun yanına gitmiş, onu kucaklayarak minberin üzerine oturtmuş ve hutbesine o şekilde devam etmiştir.

Omuzlarda Gezen Torunlar

Hazreti Berâ (radıyallahu anh) şahit olduğu bir hâdiseyi şöyle nakletmektedir: "Rasûlullah'ın (aleyhissalâtu vesselâm) Hazreti Hasan'ı omuzunda taşıdığını ve 'Allahım, ben bunu seviyorum, onu Sen de sev!' dediğini gördüm."

Abdullah İbnu Şeddâd hazretleri de babasından dinlediği benzer bir vakıayı anlatmaktadır: İnsanlığın İftihar Tablosu'nun (aleyhi ekmelüttehâyâ) Hasan veya Hüseyin efendilerimizden birini kucağında taşıdığını, mescide girip namaz kıldırmak üzere öne geçtikten sonra çocuğu yere bıraktığını, sonra tekbir getirip namaza durduğunu; namaz esnasında uzunca secde yaptığını ve namaz bitince cemaatten birinin "Ey Allah'ın Rasûlü! Namaz sırasında secdeyi öyle uzun tuttunuz ki, bir hâdise meydana geldiğini veya sana vahiy indiğini zannettik!" demesi üzerine, "Hayır! Bunlardan hiçbiri olmadı; torunum sırtıma bindi. Acele etmeyi ve hevesi geçmeden onu sırtımdan indirmeyi uygun bulmadım; (kendisi ininceye kadar bekledim.)" cevabını verdiğini rivayet etmektedir.

Evet, Şefkat Peygamberi bütün insanlara ve özellikle de çocuklara karşı çok müşfik idi; bununla beraber, O'nun iki aziz torunu Hazreti Hasan ve Hazreti Hüseyin'e karşı hususî bir muhabbeti söz konusuydu. Şu kadar var ki, Rehber-i Ekmel'in bu sevgi ve alâkası, sadece kan bağının ve nesebî duyguların bir neticesi değildi; Peygamber Efendimiz'in (sallallahu aleyhi ve sellem) bu sevgisi bir yönüyle O'nun risâlet vazifesinin bir gereğiydi. Nur Müellifi'nin ifadesiyle, gayb-âşina kalbiyle dünyadan meydan-ı Haşri temâşâya duran, yerden Cennet'i gören, zeminden gökteki melekleri müşahede eden, hatta Zat-ı Zülcelâl'in rü'yetine mazhar olan ve zaman-ı Âdemden beri mazi zulümatının perdeleri içinde gizlenmiş hâdisatı bilen Zat-ı Ahmediyye (aleyhissalatü vesselam) nuranî nazarı ile elbette Hazreti Hasan ve Hüseyin'in soyundan gelecek kutupları, imamları ve mürşidleri de görmüş ve onların umumu namına o ikisinin başlarını öpmüştü. Dolayısıyla, Hazreti Hasan'ın (radıyallahu anh) başını öpmesinde Şâh-ı Geylânî'nin de büyük bir hissesi vardı.

Diğer taraftan, Habîb-i Ekrem (sallallahu aleyhi ve sellem) Efendimiz, kız torunu Ümâme'ye karşı da çok şefkatli davranmış; onu da mübarek sırtına almış, kucağında taşımış ve yanaklarından öpüp sevmişti. Ebû Katâde'nin (radıyallâhu anh) rivayet ettiğine göre; Rasûlullah (aleyhissalâtu vesselâm), kızı Zeyneb'in kerîmesi olan torunu Ümâme'yi omuzunda taşıdığı halde halka namaz kıldırmış; secdeye varınca çocuğu yana bırakmış, kıyâm için doğrulunca onu tekrar omuzuna kaldırmıştı. Kız çocuklarının hakir görüldüğü bir zaman diliminde ve onların horlandığı bir toplum içerisinde, İnsanlığın İftihar Tablosu'nun (aleyhi ekmelüttehâyâ vetteslimât) kız torununu omuzunda taşıması ve hususiyle mescidde namaz kıldırırken onu sırtına alması çok derin manalar ihtiva etmekteydi ve büyük ehemmiyeti hâizdi.

O Bir Denge İnsanıydı!..

Aslında, Hazreti Ruh-u Seyyidi'l-Enâm (aleyhi elfü elfi salâtin ve selâm) Efendimiz tabiatı itibarıyla şefkat ve muhabbet doluydu. Fakat O, aynı zamanda bir denge ve sırat-ı müstakim insanıydı. Dolayısıyla, O'nun umumî manada çocuklara ve hususiyle de torunlarına karşı tavır ve davranışları bir bütün olarak ele alınmalı ve o şekilde değerlendirilmelidir. Mesela; Rasûl-ü Ekrem'in şefkatinin yanı sıra mutlaka ciddiyeti de göz önünde bulundurulmalı ve her iki hususla alâkalı hâdiseler beraberce yorumlanmalıdır. Onunla ilgili bir meseleyi yalnızca bir-iki açıdan ele almak ve sadece birkaç misale bakarak onlardan genel hükümler çıkarmak yanlıştır. Bu itibarla, Muktedâ-yı Ekmel

Efendimiz'in çocukları sevmesi, onlarla yakından alâkadâr olması ve torunlarını sırtına alması hususundaki misallerden küllî kaideler çıkarabilmek ve doğru bir sonuca varabilmek için mevzuya daha şümullü yaklaşmak gerekmektedir.

Evvelen; Nebîler Serveri'nin (sallallahu aleyhi ve sellem) torunlarını omuzunda taşıdığı esnada onların hangi vaziyette olduklarına bakmak lazım: Acaba, namazda dahi gelip Rasûl-ü Ekrem'in boynuna sarıldıklarında o İki Güzel'in yaşları kaçtı? Sonra hangi yaşa kadar böyle yapmaya devam etmişlerdi? Acaba rivayet edilen hâdiselerin cereyanı sırasında, kendilerine "Aman yapma, etme!.." dendiğinde meseleyi anlayacak çağa ulaşmışlar mıydı, yoksa daha çok küçük mü sayılırlardı? Bildiğiniz gibi; Hazreti Ali efendimizin Hazreti Fatıma validemizle izdivacı hicret-i seniyyenin ikinci senesinde olmuştu. Hazreti Hasan, Hicret'in üçüncü yılında Ramazan ayında Medine'de doğmuştu. Hazreti Hüseyin ise, Hicrî dördüncü senenin Şaban ayında dünyaya gelmişti. Dolayısıyla, İki Cihân Serveri'nin (aleyhissalâtü vesselam) Allah'a yürüdüğü sırada bile bu iki Peygamber torunu daha altı-yedi yaşlarındaydılar. Demek ki, Nebîler Serveri mübarek omuzlarına aldığında henüz onlar yaş itibarıyla çok küçük idiler. Öyleyse, bu mevzuda nakledilen misallerden anne-babanın çocuğa karşı tavır ve davranışları ile alâkalı bir kâide çıkarılacaksa, öncelikle bu hususu göz önünde bulundurmak, o vakıaların cereyan zamanını ve şahısların durumlarını iyi belirlemek icap etmektedir.

Sâniyen; "Acaba Habîb-i Ekrem (sallallahu aleyhi ve sellem) Efendimiz'in örnek olarak anlatılan hâdiselerdeki hal ve hareketleri belli bir maslahata binâen miydi; yoksa Rehber-i Ekmel her zaman mı öyle davranıyordu?" sorusunun cevabı da iyice tetkik edilmelidir. Bazı muhaddisler, bir kısım hadîs-i şeriflerde yer alan "kâne" fiilinin üslup açısından "yapardı", "ederdi", "şöyleydi", "böyleydi" şeklinde temâdîye (devamlılığa) delalet ettiğini söylemişler ve Allah Rasûlü'nün bu söz ile nakledilen davranışlarının sürekli olduğunu ileri sürmüşlerdir. Ne var ki, hadîsin bazı muhakkik âlimleri, o mevzunun temel esprisini ortaya koymuş ve "kâne"nin her zaman temâdî ifade etmeyeceğini; bu fiille anlatılan hususların bazen "böyle de yapardı" manasına gelebileceğini belirtmişlerdir.

Bu itibarla, Mahbûb-u Âlem (sallallahu aleyhi ve sellem) Efendimiz'in torunlarına karşı tavırlarını nazar-ı itibara alarak, onlardan umumî düsturlar çıkarmak için hadîslerin lafızlarındaki bu nüktelere de dikkat etmek gerekir. Bir manada, "metin kritiği" açısından da mevzuyu incelemek icap eder. Evet, Peygamber Efendimiz'in (aleyhissalâtü vesselâm) çocuklara karşı çok yumuşak davrandığı muhakkaktır; fakat, namazda omuza alma hâdisesinin hangi üslupla anlatıldığına dikkat etmek lazımdır. Dahası, böyle bir hâdisenin kaç defa vuku bulduğuna da bakılmalıdır. Acaba, bu meseleyi kaç sahabî rivayet ediyor? Acaba on ayrı râvînin çok küçük farklarla aktardığı vakıalar zinciri aynı hâdiseye mi ait? Acaba hadîslerin senetlerine de dikkatlice bakılsa, benzer olayların kaç defa meydana geldiğine dair bazı ip uçları yakalanabilir mi? İşte, doğru bir tespitte bulunabilmek için bütün bu soruların cevapları aranmalıdır. Şayet, bir olay hususî şartlar altında ve sadece bir-iki defa cereyan etmişse, terbiye adına ve tergîb mülahazasıyla ona başvurulabilir; fakat, ondan genel disiplinler çıkarmaya kalkmak hatadır.

Şefkat ve Ciddiyetin Cem'i

Sâlisen; aile içinde sevgi asıldır; evde hep inşirah vesilesi bir insan olmak, hane fertlerine karşı her zaman mülayim davranmak ve onları rahatlatmak esastır. Ferîd-i Kevn ü Zaman (aleyhissalâtü vesselâm) Efendimiz de hususiyle hane-i saadetlerinde ve ailesinin güzîde fertleri arasında her zaman mütebessim, müşfik ve merhametliydi. Ne var ki, misyonu ve donanımı itibarıyla, O aynı zamanda bir ciddiyet âbidesi ve bir vakar insanıydı. Ashab-ı Kiram, derlenip toparlanmadan ve Nebevî huzura yakışır bir vaziyet almadan O'nun mübarek yüzüne bakmaya cesaret edemezlerdi. Hazreti Ali ve Hazreti Fatıma da böyleydi. Onlardaki hürmet ifadelerine sürekli şahit olan Hasan ve Hüseyin efendilerimiz de zamanla aynı ruh haletine bürünmüşlerdi; artık Allah Rasûlü'nün atmosferindeyken onları da tatlı bir mehabet hissi sarıverirdi. Bu itibarla da, Şefkat Peygamberi ne kadar yumuşak davranırsa davransın, ne denli merhamet tavrı ortaya koyarsa koysun, O'nun muhatapları asla lâubalîliğe giremezdi. Evet, Efendiler Efendisi'nin sevgi ve şefkati, kat'iyen karşısındaki insanların ciddiyeti ihlal etmelerine sebebiyet vermezdi.

Aslında, sevgiyi ve ciddiyeti cem' etme konusu, pedagojik açıdan öğretmenler için de çok önemli bir mevzudur. Öğrencilerin hissiyatlarını gözetme, onların dertlerini dinleme, başlarını sıvazlama, ellerinden tutma ve ihtiyaçlarını giderme mutlaka ehemmiyetli bir meseledir; fakat, onlar karşısında ciddiyeti koruma da yine pek mühim bir husustur. Şayet bir muallim, yerli yersiz talebeleriyle futbol oynamaya kalkarsa ve onlara tekme savurursa, çok geçmeden onlar da ona tekme atarlar. Zamanlı zamansız öğrencileriyle güreş tutarsa, bir süre sonra onlar da ona kafa tutmaya başlarlar. İster anne-baba, isterse de muallim, çocuğunu ya da talebesini mutlaka bağrına basmalıdır; her zaman onun halini hatrını sormalı, dertlerine ortak olmalı, gerekirse harçlık vermeli, hatta onun için canını feda etmeyi dahi göze alabileceğini göstermeli ve sevgisini ortaya koymak için her vesileyi değerlendirmelidir; ama onun karşısındaki konumunu ve ciddiyetini de hep korumalıdır. Aksi halde, kontrolsüz sevgi ve alâkanın çocuğu şımartıp küstahlaştırması kaçınılmaz olacaktır.

Sözün özü; İnsanlığın İftihar Tablosu (aleyhi ekmelüttehâyâ vetteslimât), torunlarının henüz çok küçük oldukları bir dönemde, birkaç kere onları birer ikişer omuzlarına almış, öpmüş, sevmiş ve onlara dualar etmiştir. Bu vesileyle, hem şefkat ve merhametinin gereğini ortaya koymuş, hem hâdiseye şahit olan Sahabe efendilerimize bazı dinî kaideleri öğretmiş, hem ileride meydana gelecek meş'um olaylardan önce muhterem torunlarının kadr ü kıymetini ehl-i vicdana göstermiş, hem -Ümame misalinde olduğu üzere- kız çocuklarının da sevgiye layık olduklarını belirtme misillü bir maslahatı gerçekleştirmiş ve hem de böylece Hazreti Fatıma soyundan gelecek olan kutuplara, imamlara, mürşidlere iltifat etmiştir. Fakat, daha bilemediğimiz onlarca hikmeti gözeterek, torunlarını omuzuna aldığı zamanlarda bile, Allah Rasûlü, daimî duruşunu, her zamanki tavrını ve sürekli ciddiyetini korumuştur.

Zira O, göklerle irtibat halinde bir insandı; O'nun bir sıradanlığı hiç olmamıştı. O, torunlarını sevme de dahil, her işi iradesiyle yapıyor, şefkatini izhar etmeyi bile vazifesinin bir gereği sayıyordu; dolayısıyla, O'nda kendini salma hiçbir zaman söz konusu olmuyordu. Rehber-i Ekmel Efendimiz'in bu tavrı, ümmeti için de şu manaya geliyordu:

Çocuklarınıza her zaman sevgi, şefkat ve mülayemetle muamele edin!.. Belli yaşlarda, bazı hususî zamanlarda, bir kısım maslahatlar için onları omuzlarınızda dolaştırdığınız, sırtınızda gezdirdiğiniz ve adeta başınıza taç yaptığınız da olsun; fakat, bilhassa sözden anlamaya başladıkları andan itibaren, ciddiyeti ve dengeyi gözetmeyi de hiç ihmal etmeyin. Onların terbiyeleri ve güzel yetişmeleri adına nerede ve nasıl davranmanız gerektiğini iyi belirleyin!..

Mahcubiyet Televvünlü Sevgi

Soru: Ecdadımızda kendi çocuklarını severken hafif bir mahcubiyet duygusu göze çarpıyor; bu, makbul bir tavır mıdır, gelenekten mi yoksa dinden mi kaynaklanmaktadır?

Cevap: Eskiden özellikle bazı bölgelerde çoğu zaman anne, bazen de baba kendi akrabalarının arasındayken çocuklarıyla alâkadar olmazdı. Hususiyle anneler kayınpeder, kayınvalide ve kayınbiraderlerin yanında çocuklarını kucaklarına alamazlardı; bu çok ayıp sayılır, bir günah addedilirdi. Bugün de bazı yörelerde hâlâ aynı âdet devam etmektedir. Aslında, bu türlü uygulamalar, gelenekten gelen bir kısım yanlışlıklardır. Şüphesiz, insanda bir hicab hissinin olması gayet tabiidir; insan utanabilir ya da yetiştiği kültür ortamından dolayı rahat davranışlardan rahatsızlık duyabilir. Mesela; kendi çocuğunu başkalarının yanındayken kaçamak seviyormuş gibi bir tavır takınabilir; fakat, kayınpederi orada hazır bulunduğundan dolayı, bir annenin ağlayan ve çırpınıp duran yavrusunu kucağına almaması gibi âdetleri biraz abartılı ve yanlış buluyorum.

Daha önce de ima ettiğim gibi; insan, ciddiyet ve vakarını muhafaza etmek kaydıyla, çocuğunu sevebilir, bağrına basabilir ve alnından öpebilir. Önemli olan, işi lâubalîliğe götürmemek; çocuğu şımartmamak, küstahlaştırmamak ve onun sonu gelmez isteklere açılmasına meydan vermemektir. İster yalnızken isterse de başkalarının yanında, ölçülü bir şekilde çocuğu sevmek edebe aykırı olmadığı gibi, cahilce bir tavırla değil de hikmetli bir davranışla onu kontrol etmek ve muhabbet izhar ederken bazı sınırları gözetmek de sevgiye münafi değildir.

Maalesef, gelenekten kaynaklanan bazı katı âdetlerin yerini, günümüzde bilhassa Batı kültüründen akıp gelen yırtıklıklar almıştır. Bir kısım katılıklara maruz kalarak büyüyen nesiller, başka kültürlerle tanışınca, bu defa da bazı disiplinlere bağlı olmaktan kurtulma, bir kopma ve bir yırtılma dönemine adım atmışlardır. Heyhat ki, bugünün çocuklarında ve gençlerinde de çok ciddi bir yırtıklık göze çarpmaktadır. Öyle fevkalâde bir yırtıklık ki, çocuklar, anne-babalarının veya diğer aile büyüklerinin karşısına oturup saygısızca konuşabilmekte, değişik şeylerin pazarlığını yapabilmekte ve istediklerini öyle ya da böyle koparabilmektedirler. Evet, ne acıdır ki, gereksiz bir saygı ve faydasız bir terbiye anlayışının yerini, bu defa fevkalâde bir yırtıklık istila etmiştir; bu mevzuda da ifratlar tefritleri netice vermiştir.

İnsanın, "Keşke, bu mesele İslam'ın vazettiği denge çerçevesinde götürülseydi!.." diyesi geliyor. Ne var ki, çoklarının böyle bir derdi bulunmuyor.. "Acaba bu mevzuda İslam ne diyor?" sorusuna cevap arayan bir avuç insan ya var ya yok. Çocuklarımızı yetiştirme mevzuunda irşad ekseni diyebileceğimiz bir çizgimiz mevcut değil. Yeni nesilleri nasıl yetiştirmemiz ve onlara nasıl davranmamız gerektiğini ortaya koyacak çalışmaları hakkıyla yapmamışız. Dolayısıyla, geleceğimiz saydığımız çocuklarımızı sadece geleneğe emanet etmişiz; daha sonra da gelenekteki yanlışlıkları düzeltebilme sevdasıyla yüzümüzü Batı'ya çevirmişiz. Neticede, vatan evladını geçmişten tevarüs ettiğimiz her şeye tavır alırcasına ve özümüze ait bütün değerleri inkar edercesine bir serazadlık ve bir çakırkeyflik duygusuyla başbaşa bırakmışız. Onların lâubalî ve söz dinlemez hale gelmelerine göz yummuşuz. Şimdi, çocuklar küçükken başka, büyüdükleri zaman daha başka şeyleri dayatıyorlar. Öyle ki, anne-baba belli bir yaştan sonra çocuğunun sigarasına, uyuşturucu kullanmasına, akşamları eve geç gelmesine ve hatta geceleri sokakta geçirmesine dahi karışamıyor; oğluna veya kızına bir cümle söylese on katıyla karşılığını alıyor. Nesillerin gönlünden artık haya sıyrılıp gitmiş gibi.. gelenekle tevarüs ettiğimiz iffet perdesi de bugün paramparça olmuş vaziyette.. ve her yanda yüzsüzlük hâkim...

Evet, keşke kendi çocuklarını severken dahi hafif bir mahcubiyet duygusuna kapılan ecdadın torunları o mahcubiyeti ve sevgiyi İslam'ın bu konudaki prensipleriyle dengeleselerdi.. dengelese ve daha rahat olma sevdasıyla sonunda yırtıklığa düşmeselerdi.

Yitiğimiz Kendi Kaynaklarımızda

Soru: Günümüzde aileler daha çok çocuk merkezli bir yapıya bürünüyor, yuva çocuğa göre şekilleniyor; neredeyse, çocuğun bir dediği iki edilmiyor. Bu hususu nasıl değerlendiriyorsunuz?

Cevap: Kanaatimce, bir aile disiplinimiz ve yuvaya dair bazı kurallarımız olmalıdır. Bunlar, çocukların yaşlarına ve hallerine göre belli bir üslup çerçevesinde uygulanmalıdır. Mesela; belli bir yaşa gelinceye kadar çocuğun şuuraltı, temsil ile beslenmeli; anne-baba fazilet adına ne varsa, onları halleriyle ortaya koyup yavrularına göstermelidir. Sonraki senelerde, yine yaşa uygun tebliğ ve irşadda bulunulmalı; mükâfât ve mücazât esasları değerlendirilmeli, yerinde tatlı ve yumuşak te'diplere de başvurulmalıdır; kırıcı olmayan itaplarla "Öyle değil şöyle yap!" gibi ikazlar yapılmalıdır. Günü geldiği zaman bir kısım meselelerde daha ağır tehditler de kullanılabilir; "Allah'a hesap vereceksin!" denilebilir. Daha ileri yaşlarda ise, Cenâb-ı Hakk'ın azabından da bahsedilebilir.

Evet, çocuğun beslenmesi hususunda, süt emzirmekten mama yedirmeye ve sonra da zamanla katı yiyecekler vermeye kadar bir usul ve üslup takip edildiği gibi, onun manevî gıdasını alabilmesi ve güzel yetişebilmesi için de benzer bir metod izlenmeli ve her yaşa uygun bir kısım kaidelere riayet edilmelidir. Ne var ki, her şeyden önce Kitap ve Sünnet bizim pedagoglarımız, psikologlarımız ve muallimlerimiz tarafından sağılmalı ve onlardan süzülebilecek manalar sayesinde terbiye kurallarımız belirlenip bazı rehber kitaplar yazılmalıdır.

Belki piyasada çocuk eğitimine dair pek çok çalışma vardır; fakat, öz değerlerimize bağlı bir eğitim sistemi henüz ortaya konulamamıştır. Maalesef, nesillerin terbiyesi hâlâ geleneklere bağlı vicahî kültüre emanettir ve bu konuda herkes kendi bildiği ile hareket etmektedir. İşin daha da vahim yanı; günümüzde bizim saydığımız terbiye sistemi de Batılıların anlayışına göre düzenlenmiştir. Bugün, ekser eğitimciler, fantezilerin ve lükslerin akıntısına kendilerini salmış vaziyettedirler. Çokları birer Jean-Jacques Rousseau hayranı kesilmişlerdir ve Emile peşinde sürüklenmektedirler.

Oysa, bugün bizim kendi temel kaynaklarımıza yönelerek, onları zamanın idrakine göre sistemleştirmemiz ve herkesin istifadesine sunmamız icap etmektedir. Bataklıklarda gül arayacağımıza, öz değerlerimize müracaat ederek, kendi gülşenlerimize âb-ı hayat akıtmamız ve oralarda çeşit çeşit güller yetiştirmemiz gerekmektedir.

Çocuk Yayınlarında Öze Dönüş

Soru: Çocuğun, yaşına ve yetiştiği çevrenin şartlarına göre, dergi, roman ve hikaye kitapları gibi ürünlerle desteklenmesi de bir çare sayılabilir mi?

Cevap: Günümüzde kısmen bu da yapılıyor; dergiler çıkarılıyor, roman ve hikaye kitapları yazılıyor. Ne var ki, onlar da genellikle Batı taklitçiliği içinde ortaya konuyor; başka kültürlerin terbiye telakkilerine göre hazırlanıyor.

Maalesef, mevcut çocuk mecmualarının hemen hepsinde genel çizgileri yine yabancılara ait bir kısım lüksler ve fanteziler oluşturuyor. İnanan insanlar tarafından neşredilen dergiler dahi kendi duygu ve düşüncelerimizi aksettirmiyor. Müşahhasın boğucu ve kalbi öldürücü argümanlarıyla bazı ulvî hakikatler anlatılmaya çalışılsa da, Batı ahlakından damlayan figürler bizim insanlarımıza bir ruh ve mana kazandırmıyor. Çocuklara ve gençlere, mücerredin geniş ufukları gösterilemediğinden ve bizi "biz" yapan değerler yine bizce verilemediğinden dolayı beslenme eksikliği sürüp gidiyor.

Bu itibarla, bir taraftan günümüz açısından bizi bekleyen mesuliyetler adına tembellikten silkinmemiz, bir diğer taraftan da, üretilip ortaya sürülen yanlış bilgilerden, gayr-i tabii ve bizim kültür dünyamıza yabancı malzemelerden sıyrılmamız gerekiyor. Bizim cins dimağlarımızın asırlık uykulardan sonra nihayet uyanıp vazifelerinin başına geçmeleri icap ettiği gibi, eğitimcilerimizin de, toplumdan kaçıp yalnızlığa sığınan, insanlardan uzak yaşadığı halde içtimaî reçeteler yazdığı iddiasında bulunan, nihayet bir sürü anguaz içinde ölüp giden ama bir kesim tarafından kurtarıcı gibi takdim edilen, hem kendisiyle hem de halkla kavgalı tiplerin naturalizmi aksettiren ve mâl-i hülyaları dillendiren kitaplarından yüz çevirip kendi kültür kaynaklarına dönmeleri lazım geliyor.

Evet, yeni nesillerin gerçek birer fazilet âbidesi olmasını istiyorsanız, bir kere daha öz değerlerinize teveccüh etmeli ve onların ihtiyacı olan esasları kendi kaynaklarınızdan çıkarmalısınız. Şu kadar var ki, öncelikle, Kur'an-ı Kerim'in hem şahsî hem de içtimaî bütün dertlerinize derman olabileceğine ve Rasûl-ü Ekrem'in Sünnet-i Seniyyesinde her türlü hastalığınızın şifasını bulabileceğinize gönülden inanmalısınız. Kendilerine sathî bir nazarla baktığınız zaman onların kıskanç davranacaklarını da hesaba katmalısınız. Dupduru hislerle ve ihtiyaç tezkeresiyle onlara im'an-ı nazar etmeli, muhtevalarında derinleşmeli ve sırlarına vakıf olmaya çalışmalısınız. Unutmamalısınız ki; siz onlara kendinizi vermezseniz, onlar da size bağırlarını açmazlar.

Bir kere olsun deneyin; hâlis bir niyet ve sağlam bir nazarla kendi değerlerinize yönelince, siz de göreceksiniz ellerinizin boş kalmadığını, gönüllerinizin itminana kavuştuğunu... Emin olun, Kur'an her defasında size de çok farklı hakikatler fısıldayacaktır. Kelam-ı İlahî öyle cömerttir ki, bir dilenci edasıyla ellerinizi açıp kapısına gittiğiniz zaman, mutlaka sizin kucağınıza da bir armağan bırakacaktır. Fakat, siz en muhteşem avizeler misillü öz değerlerinizi terk eder ve mum ışığına benzeyen beşerî yakıştırmalara koşarsanız, hem gözlerinizin görme kabiliyetine karşı saygısızlık etmiş hem de müşahede alanınızı daraltmış say.lırsınız; Kur'an güneşinin aydınlatıcılığından ve ısıtıcılığından da mahrum kalırsınız.

Öz Güven ve Mehdîlik İddiası

Soru: "Öz güven" tabirinin mü'mincesi nedir; inanan bir insanda öz güvenin keyfiyeti nasıldır? Düz kulluğa talip olmak ile himmeti âlî tutmak cem' edilebilir mi?

Cevap: "Öz güven", genellikle, bir kimsenin kendisine inanıp itimat etmesi, şahsî kabiliyetlerine ve imkanlarına bel bağlaması; kendisi ve çevresiyle barışık yaşaması ve umumî halinden memnun olması şeklinde tarif edilmektedir. Hayata müsbet yanlarıyla bakmayı ders verdiği için bazı açılardan doğru ve isabetli sayılsa da, bu söz bizim kaynaklarımıza uygun düşmeyen bir mananın ve muhtevanın beyanıdır. Öz güven tabiri, yabancı kültürlerde kullanılan bazı kelimelerin tercümesi olarak Türkçemize sonradan girmiş bir ifadedir ve Batılı terminolojiye ait bir telakkîdir.

Tabii ki, insanın karakteri ortaya çıkarılmalı, kabiliyet ve istidatlarının gelişmesine gayret gösterilmelidir. Fakat, böyle bir neticeyi elde etmek için ferdi şımartacak ve onu bencillik girdabına düşürecek usullere başvurulmamalıdır. Değişik tabirlerin gölgesinde, şahsın ukalâlaşmasına ve küstahlaşmasına meydan verilmemeli; meseleler onun dar imkânlarına, sınırlı iktidarına ve güçsüz iradesine bina edilmemelidir.

Bir kere, her meseleye kendi kabiliyetleri, güç ve iktidarı açısından yaklaşan ve sürekli "ben" diyen bir insanın, zamanla nefsini merkeze koyması, onu esas kabul etmesi, yaptığı her iş ve elde ettiği her başarıyla enaniyetini biraz daha beslemesi kaçınılmazdır. Nefis yörüngeli ve kendine çok güvenen böyle bir insanın, azıcık sürçüp düştüğü bir yerde bütün bütün ümitsiz kalacağı, tutunacak yer bulamayacağı ve bir daha doğrulamayacağı da âşikardır. Evet, insanın mahiyetinde güven duyma ihtiyacı ve hissi vardır; fakat, kime güvenmesi lazım geldiğini bilemeyen ve itimad merciini doğru tesbit edemeyen bir kimse, eninde sonunda tam bir egoist kesilecek ve her meseleyi kendisine mal edecektir. Hatta, küfre sürükleyici mülahazalara girecek ve -hafizanallah- bazı mevzularda -hâşâ- "falan yarattı" ya da "ben yarattım" diyecektir. Zamanla o, kendine hayranlık duyan ve her hâlükârda kendini, kendi davranışlarını, eda ve endamını beğenen bir narsist olacaktır; kendisinin ortaya koyduğu düşünce, tedbir ve çözümlerin dışındaki her şeye karşı tenkide hazır hale gelecektir.

Allah'adır Tevekkülümüz, İtimadımız!..

Bu açıdan, muvahhid bir mü'minin nazarında, öz güven tabirinin yerini "iradenin hakkını verip Allah'a tevekkül etme" anlayışı almalıdır. İnsan kendisine irade verilmiş ve özel bir donanımla yaratılmış bir varlıktır. O, Cenâb-ı Hakk'ın lütuf buyurduğu zahirî ve batınî bütün duyularını ve duygularını (hasselerini ve latifelerini) bir sermaye olarak kullanmakla, sonra da, neticeyi ve mükâfatı Yüce Yaratıcı'dan beklemekle mükelleftir. Bu itibarla, Kur'an-ı Kerim'de ve Sünnet-i Sahiha'da güven duygusu hep Allah'a bağlanmaktadır. Çünkü, her şeyi halkeden ve bütün işleri evirip çeviren Mevlâ-yı Müteâl'dir. İnsan, birer nüve halinde hususi donanımına yerleştirilen istidatları inkişaf ettirir, akabinde onları bir istek ve niyet olarak ortaya koyarsa; Allah Teâlâ da ona o işi yapma gücünü ve imkanını ihsan eder. İster meyelan, ister meyelanda tasarruf, ister şart-ı adi planındaki beşer iradesine Cenâb-ı Hakk'ın doğrudan doğruya teveccühü sayalım, iradenin hakkının verilmesine ne diyeceksek diyelim, insan dileyip meyledince, Hâlık-ı kainat da meşietiyle o kuluna o işi yapmayı mümkün kılar. Dolayısıyla, insan her zaman Zât-ı Uluhiyete itimat etmeli ve O'nun meşietine dayanmalıdır.

Bu itibarla, hâlis bir mü'min her meselede önce Allah Teâlâ'ya güvenip O'nun lütuf buyurduğu kabiliyetleri kullanır; fakat, başarıları kendi nefsine değil, Yüce Yaratıcı'nın inayetine bağlar, onların Allah'tan (celle celâluhû) geldiğini bilip daha sonraki muvaffakiyetlerin de yine O'nun kudret elinde olduğuna can u gönülden inanır. Böyle bir insan acz u fakr hisleriyle dolu bulunduğu aynı anda çok güçlüdür; çünkü, hakiki güç kaynağının "Kudret-i İlâhî" olduğunun farkındadır. O pek zengindir; zira, rahmet hazineleriyle beslendiğinin şuuru içindedir. "İman hem nurdur, hem kuvvettir. Hakikî imanı elde eden adam kâinata meydan okuyabilir!" gerçeğinin kahramanıdır; dolayısıyla, dünyalara meydan okuyacak cesarettedir. Onun sığındığı kale ve kullandığı kılıç ise, "Lâ havle ve lâ kuvvete illâ billah" hakikatıdır.

Evet, hakiki mü'min bir yandan, Cenâb-ı Hakk'ın verdiği iradeyi en iyi şekilde kullanır; diğer taraftan da, "Allah'ım beni göz açıp kapayıncaya kadar bile nefsimle başbaşa bırakma" der ve nefsine değil, Cenâb-ı Hakk'a itimad eder. Nefsini ve nefsânî duygularını en azılı düşman sayar; en güzel vekil, yegâne dost ve yardımcı olarak ise yalnızca Allah'ı bilir. Her hadise karşısında "Hasbunallah ve ni'me'l-vekil – Allah bize yeter, O ne güzel vekildir!" (Âl-i İmran, 3/173) sözünü terennüm eder; "Ey Yüce Rabbimiz! Yalnız Sana güvenip dayandık,

Sana yöneldik ve sonunda da Senin huzuruna varacağız" (Mümtehine, 60/4) hakikatini seslendirir. Her zaman, "Yalnız Allah'a dayanıp güven! Koruyucu olarak Allah yeter." (Ahzab, 33/3); "Ey Rasûlüm de ki: Allah bana yeter. O'ndan başka ilah yoktur. Ben yalnız O'na dayanırım. Çünkü O, büyük Arş'ın, muazzam hükümranlığın sahibidir." (Tevbe, 9/129) beyanlarına bağlı kalır.

Ne var ki, günümüzde "ben, ben" diyerek oturup kalkma ve enaniyet mülahazalarıyla dolup taşma belki her zamankinden daha fazladır. Bugün bencillik o kadar yaygındır ki, çoğu kimseler Mevlâ-yı Müteâl'in lütuflarını bile enaniyetleri hesabına kullanmakta ve onları bencilliği besleyen birer unsur gibi harcamaktadırlar. Mesela; öz güven deyip yola çıkanların ekseriyeti, zamanla kendini beğenme hummasına tutulmakta, bir fâikiyet mülâhazasına kapılmakta ve her fırsatta kendini anlatma hastalığına yakalanmaktadır.

Bundan dolayı, öz güven tabirinin bizim kültürümüzle te'lifi imkansızdır; o bizim için çok iğreti bir kelimedir. Bu da, diğer nesebi gayr-i sahih sözler gibi kendisine yüklenen mana ile dilimize girmiş ve hem kalbleri hem de kafaları karıştırmıştır. Bizim temel değerlerimizde "Tut beni Allahım, tut ki edemem Sensiz!" anlayışı esastır.

Mehdî Taslakları

Hâkiki bir mü'min asla kendini beğenmemeli ve yeterli bulmamalı; Müslümanlığın tevazu, mahviyet ve hacâletten ibaret olduğunu kabul ederek, sâde kulluğu her türlü payenin üstünde saymalıdır. Hazreti Mevlânâ gibi "Kul oldum, kul oldum, kul oldum! Ben Sana hizmette iki büklüm oldum. Kullar âzad olunca şâd olur; ben Sana kul olduğumdan dolayı şâd oldum." demeli; Kitap ve Sünnet'in emirlerini kılı kırk yararcasına yerine getirmelidir. Bununla beraber, himmetini her zaman âlî tutmalı, Allah'ın izni ve inayetiyle hep yüksek uçmaya çalışmalı, sürekli tekamül peşinde olmalı; fakat, büyüklük iddialarına kat'iyen kalkışmamalıdır.

Hususiyle adanmış bir ruh, "Nefis cümleden ednâ, vazife her şeyden a'lâ" hakikatine yapışmalıdır. Kendisini acz u fakr içindeki sıradan bir insan olarak görmenin yanı sıra, iman hizmetini dünyevî hiçbir bedelle değiştirilemeyecek yüce bir lütuf kabul etmelidir. Mazhar olduğu en küçük muvaffakiyeti dahi kendisinden bilmemeli; "Ben böyle uçamazdım, bu çıtayı bu kadar yüksek tutamazdım, maratonda bu kadar hızlı koşamazdım, ipi önde göğüsleyemezdim... Bütün bu başarıları lutfeden O!.." diyerek tahdis-i nimette bulunmalı ve bu ihsanların daha sonrakiler için birer referans olduğunu düşünerek hizmet yolunda daha bir şevkle koşmalıdır. Cenâb-ı Hakk'ın bir dönemde büyük velilere yaptırdığı önemli işleri bir başka zaman sıradan bazı kimselere de yaptırabileceğine inanmalı; "Ben çok zavallıyım, iman hizmeti ise, pek kıymetli; fakat, Allah dilerse, bana da bu sâlih dairede bir yer nasip eder ve beni de bahtiyarlardan kılar." mülahazasıyla dolu bulunmalıdır.

Evet, düz kulluğa talip olma ile himmeti âlî tutma cem' edilmelidir. Bizim, sâde kulluğa razı olmamız ama O'nun inayetiyle çok büyük işlerin altından kalkabileceğimize de inanmamız lazımdır. Kendi acz ü fakrımıza rağmen, Cenâb-ı Hakk'ın lütuflarının başımızdan aşağı yağmasını O'nun keremine vermemiz gerekmektedir. Şimdiye kadar kimsenin muvaffak olamadığı başarılara ulaşsak, yine de bunu büyüklüğümüzün bir delili saymamamız; belki, çok küçük vesilelerle çok büyük işler yapan Allah Teâlâ'nın bizim gibi sıradan insanlara da iman hizmeti gibi pek büyük bir vazifenin bir ucundan tutturmuş olabileceğini düşünmemiz icap etmektedir.

Aksi halde, hizmet erleri arasından bile düz Müslümanlığa razı olmayan, bulunduğu yerde gölge iken kendisini asıl görmeye başlayan ve mazhariyetlerini belli payelere bağlayarak büyük iddialara kalkışan kimseler çıkabilir. İman hizmetindeki mazhariyetleri ölçü kabul ederek ya da şahs-ı manevîye lutfedilen ihsanlardan kendi payına düşenleri nazar-ı itibara alarak, Hak karşısındaki konumunu bunlara göre belirlemeye çalışan ve dolayısıyla -hafizanallah- Kutup, Gavs, Mehdî ya da Mesih olduğunu iddia eden bir sürü halaskâr taslağı zuhur edebilir. Maalesef, günümüzde bu türlü iddialarla ortaya atılanların sayısı her zamankinden çok daha fazladır. Genelde insanlar doğru mülahazalarla yola çıkmış olsalar da, bugünkü nesillere iyi bir ruh terbiyesi verilmediğinden, temel disiplinler kendilerine öğretilmediğinden ve bilhassa rehbersizlikten dolayı çokları yolculuk esnasında yollarını şaşırmakta ve kaybolup gitmektedirler. Demek ki, sadece sırat-ı müstakime girmiş olmak yetmemektedir; asıl önemli olan, yolda kalmadan ve istikameti şaşırmadan Cennet, Cemalullah ve Rıdvan hedefine varabilmektir.

Bundan dolayıdır ki, Cenâb-ı Allah günde en az kırk defa okuduğumuz Fatiha suresinde, sırat-ı müstakime hidayet eylemesi için dua etmemizin yanı sıra, bizi "dâllîn" ve "mağdûbîn" gürühundan uzak tutması için de niyazda bulunmamızı talim buyurmaktadır. Binaenaleyh, her gün defalarca, "Allah'ım bizi Sırât-ı Müstakîm'e; Kendi kitabına, Rasûlü'nün sünnetine ve Ashâb'ın yoluna hidayet et, Kur'ân'ındaki makâsıdı anlamaya muvaffak kıl!" diyor; "Dünyevî ve uhrevî, cismanî ve rûhânî, vehbî ve kesbî bütün nimetleri başlarından yağdırdığın ve kendilerinden hoşnut bulunduğun sâlih zümrenin yoluna bizleri de hidayet eyle Allah'ım" diye yakarıyoruz. Fakat, evliyânın, asfiyânın ve mukarrabînin yürüdüğü bir yolda ilerlerken bile insanın sapıtabileceği mülahazasıyla, bizi "dâllîn" ve "mağdûbîn"den kılmaması için de O'na yalvarıyoruz; "Bizi nimet ve lütfuna mazhar ettiklerinin yoluna ilet; gazaba uğrayanların ve sapkınlarınkine değil." diyoruz. Bu sözümüzle, dalâlete düşmüş ve Hazreti Kahhâr'ın gazabına uğramış ne kadar zavallı varsa hepsini kasdetmiş ve onların akıbetlerine uğramamak için Allah'ın rahmetine ve hidayetine sığınmış oluyoruz.

Evet, bugün kazanma kuşağında kaybeden bir sürü insan var; çünkü, onlar düz kulluğa razı olmuyor ve daha büyük payeler arıyorlar. Kullukta derinleşme yerine değişik ad ve unvanlarla anılma peşine düşüyorlar. Tabii, bu hatalı ve hatarlı yolda olmadık yanlışlıklar yapıyorlar. Eskiden, medrese mollaları kendi aralarında konuşurlarken "cim karnında bir nokta" derlerdi. Malum "cim" harfinin kocaman bir karnı vardır; oraya konan bir nokta o koca karındaki boşluğu doldurmamaktadır; daha ilk bakışta o büyük boşluk hemen göze çarpmaktadır. İşte, bugün cime benzeyen öyle boş adamlar var ki, kendilerini aliyyülâlâ, mükemmel ve aşkın görüyorlar; beklenen kurtarıcı olduklarını iddia ediyorlar. Bunların kimisi deccaliyeti Marks'a bağlamış, onu yıkınca kendi mehdiyetini ispat etmiş olacağına inanıyor; kimisi Engels'i Deccal saymış, onun düşüncesini mağlup ederek Mehdî olduğunu kanıtlayacağını düşünüyor; kimisi de âlem-i İslam'ın başına musallat olan tiranlardan birini devirirse, bir halaskâr olarak gönderildiğini herkese gösterebileceğini ve halkı etrafında toplayacağını umuyor. Bu türlü vehimlere ve kuruntulara kendisini kaptırmış onlarca mecnun, ya üç-beş rüya veya yakazayla, ya şeytan mı yoksa melek mi olduğunu tefrik edemediği birkaç suretle, ya parapsikolojik bir yolla, ya bir çeşit meditasyonla ya da tasavvufun özünden kopuk mistisizm ile yanlış bir koridora giriyor ve hem sapıtıyor hem de başkalarını saptırıyorlar.

İlan Bakımından Nübüvvet ve Mehdiyetin Farkı

Halbuki, bir insan Mehdî olsa da, onun bu mazhariyetini ilan etme gibi bir vazifesi yoktur. Dahası, hakiki Mehdî olduğuna dair elinde kesin bir delili de yoktur; duyuş ve sezişlerinde yanılmış, asıl ile gölgeyi karıştırmış olabileceği her zaman muhtemeldir. Mehdî'nin şahıs mı yoksa şahs-ı manevî mi olduğu da şüphelidir. Dolayısıyla, mehdiyet, arkasına düşülüp aranılacak, bulununca da herkese ilan edilecek bir paye değildir. Heyhat ki, bugün en ciddi insanlar bile o meseleye kafalarını takmışlar. Onu bunu Mehdî ilan etmekle insanlığın meselelerinin hallolacağını zannediyorlar. Falanı filanı getirip o tahta oturtmakla İslam âleminin problemlerinin çözüleceğine inanıyorlar.

Hayır, meselelerin halli başka taraftadır; bugün insanlık iman zaafı veya küfür problemi yaşamaktadır. En büyük dert budur ve illa bir şey yapılacaksa, bu problemin herkese duyurulması ve ona karşı çarelerin ortaya konulması adına bir ilan yapılmalıdır. Mutlaka ilan edilmesi gereken meseleler de vardır, ilan edilmeyecek meseleler de. İnsana rüyada veya yakazada bin defa "Sen şahs-ı manevî hesabına mehdîliği temsil ediyorsun, sen Mehdîsin!" deseler ve o kendisinin Mehdî olduğuna kat'i kanaat getirse bile, onun bu kanaatini ilan etmek gibi bir vazife ve sorumluluğu yoktur. Şayet, insanın bir kıymeti varsa, o, öbür tarafta belli olacaktır ve mükafatını Allah verecektir. Onun burada kendi kendine makamlar ve mükâfatlar takdir etmesi manasızdır. Özünde derin olmayan ve düz kulluğa rıza göstermeyen insan, kendisini hangi makama yakıştırırsa yakıştırsın ya da nasıl takdim ederse etsin faydasızdır.

Söz gelmişken bir farklılığa dikkat çekmek istiyorum: Rasûl-ü Ekrem (sallallahu aleyhi ve sellem) Efendimiz'in risâletini ilan etmesi onun vazifesi cümlesindendir. Farz-ı muhal, o kelime-i Tevhidi söylese ama "Muhammedün Rasûlullah" demeseydi, vazifesini yapmamış olurdu. Nitekim, Rehber-i Ekmel Efendimiz bir münasebetle "Nefsimi yed-i kudretinde tutan Allah'a yemin olsun ki, Musa (aleyhisselam) çıka gelseydi, siz de ona ittiba edip beni bıraksaydınız, doğru yoldan sapıtmış olurdunuz. Eğer Musa (aleyhisselam) hayatta olsaydı ve benim nübüvvetime yetişseydi, muhakkak ki, o da bana tâbi olurdu!" buyurmuştur. Bu söz hem bir tahdis-i nimettir hem de Peygamber Efendimiz'in tebliğ misyonunun edasıdır.

Fakat, meselenin nizaya ve münakaşaya bâdî olması karşısında, İnsanlığın İftihar Tablosu (aleyhi ekmelüttehâyâ) kendisinin, önceki peygamberlerden üstün görülmesine ve onların -hâşâ- hafife alınmalarına aslâ izin vermemiştir. Hatta bir defasında bir sahâbinin Hazreti Musa'nın kadr ü kıymetine uygun düşmeyen bir söz söylediğini duyunca, hemen ona müdahale etmiş ve "Beni Musa b. İmrân'a tercih etmeyin. Zira, ben onu Mahşer Günü'nde Arş'ın kavâimine tutunmuş olarak göreceğim" demiş ve orada meseleyi tadil etmiştir. Oysa, Hazreti Musa da Kainatın Medar-ı Fahri'ne hayrandır. Nitekim, Allah Teâlâ onları miraçta karşılaştırmış, yan yana getirmiş ve konuşup görüşmelerine izin vermiştir. Miraç hadîsinde imâ edildiği üzere, Hazreti Musa, Rasûl-ü Ekrem Efendimiz'in kendi önünden gelip geçmesini ve defalarca huzur-u ilahiye çıkmasını görünce, tatlı bir gıpta ile "Şuna bak! Benden sonra geldi ama nasıl da böyle reftare yürüyor!.." manasına gelebilecek bir edayla takdirini ifade etmiştir. Buna rağmen, Rehber-i Ekmel, "Beni Musa b. İmrân'a tercih etmeyin." demiştir.

Yine Allah Rasûlü (aleyhissalâtu vesselâm), kendisine has o engin tevazuu ve kadirşinaslığı ile Hazreti İsa'yı nazara vermiş, "Ademoğlu arasında doğduğu vakit şeytanın dürtüp de ağlatmadığı kimse yoktur. Bundan sadece Meryem oğlu İsa hariçtir." buyurmuş; bir başka defa, "Ben, dünyada da ahirette de Meryem'in oğluna insanların en yakınıyım. Benimle onun arasında başka bir peygamber yok. Peyamberler anneleri ayrı, babaları bir kardeştirler, dinleri de birdir." demiştir. Fakat, risalet vazifesi söz konusu olunca, "Hazreti İsa gelecek, ümmetimden olacak; benim dinimle amel edecektir." ihbarında bulunmuştur.

İşte, Habîb-i Ekrem (sallallahu aleyhi ve sellem) Efendimiz'in bu iki hali, durduğu yer itibarıyla konumunu değerlendirme adına bize çok önemli mesajlar ve ipuçları vermektedir. Nerede nasıl tavır alınması lazım geldiğini ve neyin ne ölçüde duyurulması gerektiğini göstermektedir. Ben onların kritiğini yapacak durumda değilim; bu mevzuda kullanacağım kelimelerin maksadı aşan tabirler olmasından ve saygısızlık yapmaktan korkarım. Fakat, bu iki misalin dahi ehl-i basirete çok büyük manalar ifade edeceğini zannediyor ve daha rahat söz söyleyebileceğim bir alana geçiyorum:

İddiasız Büyükler

Seyyidina Hazreti Ebu Bekir yüz tane mehdînin yaptığı işi yapmıştır. Fakat, hiçbir zaman herhangi bir büyüklük iddiasında bulunmamıştır. Bilakis, akıbetinden hep korkmuş, sürekli kendini sorgulamış ve devamlı nefsiyle yaka paça olmuştur. Mesela; Sâdık u Masduk Efendimiz'in "Eteklerin yerde sürünmesi kibirdir!" dediğini duyunca ürpermiş ve hemen "Ya Rasûlallah, yoksa ben de mi mütekebbirlerdenim?" deyip, Allah Rasûlü'nden öyle olmadığının teminatını alana kadar endişeyle beklemiştir. Hazreti Ruh-u Seyyidi'l-Enâm (aleyhi elfü elfi salâtin ve selâm) Efendimiz'in onca takdirine, iltifatına ve müjdesine mazhar olduğu halde, iddiadan uzak durmuş, düz kulluğu talep etmiş ve kendisini hep mü'minlerin en gerisindeki biri gibi görmüştür.

Hazreti Sıddîk'ın "Cud bi lutfike ya İlahî men lehu zâdün kalîl / Müflisün bissıdkı ye'tî inde babike yâ Celîl!.." mısraıyla başlayan münacaatı, onun ruh haletini ortaya koyması açısından çok ibretâmizdir: "Allahım, azıcık bir zahîresi kalmış şu kuluna lütf u kereminden bol bol nimet ver; iflas etmiş olsa da, yine sadâkatle kapına gelmiş bulunmasına merhameten büyüklüğünü göster! Evet o, günahı pek büyük, zavallı bir kuldur, fakat, Senden başka kimsesi olmayan bir gariptir; Sen o büyük günahların hepsini yarlığa ve bu bîçâreyi sevindir. Onunki isyan üstüne isyan, hata üstüne hata; Senden ise sürekli fazl u ihsan ve pek çok atâ; artık ne desin, kapında şöyle nasıl inlemesin: Rabbim, günahlarım kum taneleri gibi sayılamayacak kadar çoktur; o güzel müsamahanla muamele eyle ve beni bağışla, bütün günahlarımı affet ne olur!"

Evet, bu yakıcı nağmelerle tazarru ve niyazda bulunan Hazreti Ebu Bekir, açıkça görülüyor ki, insanlık semasının en büyük yıldızlarından birisi olduğu halde, hiçbir paye iddiasında değil, fevkalâde bir mahviyet içerisindedir; ilahî inayet olmazsa, Nebi'nin şefaat eli uzanmazsa Cennet'e dahi girememe endişesindedir. O, Rasûl-ü Ekrem Efendimiz'den sonra dava-yı nübüvvetin ilk ve en büyük temsilcisidir; ama halaskârlık, mehdîlik, müceddidlik iddialarından fersah fersah uzak birisidir. İşte, onun halidir iki esası cem'etme: Yüksek bir himmetle hep zirvelerde gezinme; fakat, bütün mazhariyetlere rağmen kendini düz bir kul bilme.

Hulefa-yı Raşîdin ve Ashab-ı Güzîn efendilerimizin hepsi aynı mahviyet ve tevazunun mümessilleridir. Mesela, bu hususta Hazreti Ömer, Sıddık-ı Ekber'den geri değildir. O, "Ömer aslında bizim hayallerimizde ve ideallerimizde canlandırdığımız prototiptir!" diyen Karl Marks'ın dahi takdirini almıştır. Evet, Rasûlullah'ın İkinci Halifesi, sadece beşerî yanları, insanî meziyetleri ve ahlâkî derinlikleri itibarıyla bile, Allah'ı kabul etmeyen, peygamber tanımayan ve dine saygı duymayan kimseler tarafından da dünyada eşinin gösterilemeyeceği ve insanların daima ibret alabilecekleri bir hüsn-ü misal ve muhteşem bir tablo olarak takdim edilen bir şahsiyettir.

Ne var ki, Allah Rasûlü'ne yakınlığı, İslam'a hizmetleri, âdilâne hilafeti, zamanının iki güçlü devletini yerle bir edişi ve üstün ahlakı ile alâkalı misalleri anlatmaya, büyüklüğünü vasfetmeye sözün yetmeyeceği Hazreti Ömer, çok zaman, başını secdeye koyar, gizli-açık, sesli-sessiz münacaat ve tazarruda bulunurdu. Dua ederken hıçkırıklarla inler, kalbi hızlı hızlı çarpar ve tir tir titrerdi. Ahirete irtihalinden az evvel, bir kuraklık esnasında yine duaya durmuş, şöyle ağlıyordu: "Allahım! Ümmet-i Muhammed'i benim günahlarımdan dolayı mahvetme. İhtimal yağmursuzluk benim mâsiyetim sebebiyledir; ne olur Rabbim, Ashab-ı Rasûlullah'ı benim yüzümden cezalandırma!" Evet, Hazreti Ömer'in kendisine bakışı böyleydi. Onlarca mehdînin ya da yüzlerce müceddidin ancak altından kalkabileceği işleri yapmış olsa da, onda iddia yoktu, yüksek mertebelere dilbeste olma yoktu, kendisine makamlar tayin etme yoktu. O âlî himmetlilik ile mahviyetin birleşme noktasına taht kurmuştu.

Asr-ı Saadet'ten günümüze kadar hakiki Hak dostlarının mülahazaları hep aynı oldu; onlar iddiada bulunmaktan ve kendilerine mertebeler takdir etmekten hep uzak durdular. Mesela; İbrahim Edhem malı-mülkü, tâcı-tahtı, nâm u nişanı terkedip zühd yoluna sülûk etmişti. Dünyaya sırtını dönüp yüzünü ukbâya çevirince Cenâb-ı Allah da onu gönüller tahtına oturtmuş ve kalb saraylarının sultanı haline getirmişti. Fakat, pek yüce mertebelere ulaşmış olmasına rağmen, o hep "İlâhî! Asî kulun yine kapına geldi; dağlar cesametindeki günahlarını itiraf edip, ellerini Sana açıyor ve Senden af dileniyor. Şâyet Sen mağfiret edersen, hiç şüphesiz o Senin şânındandır; fakat, dergahından kovarsan, Senden başka kim ona merhamet eder ve günahlarının ağırlığından onu kim kurtarabilir?!." diye yalvarıyordu. Dahası, bütün hayr ü hasenâtını, topyekün ibadet ü taatini unutmuşçasına şu sözleri söylüyordu: "Allah'ım, Senin şefkatine nâil olmayı umarak kapına gelen şu bîçâreyi affet; ne olur onun günahlarını bağışla. Her ne kadar amel defteri isyanla dolu olsa da, ey Müheymin, kulun Sen'den başkasına secde etmemiştir!.." Görüyor musunuz bu kutlu Zâtın kendisini nereye koyduğunu? Cenâb-ı Hakk'ın kapısına, O'ndan başkasına secde etmeme mülahazasına sığınarak teveccüh ediyor; ulaştığı mertebelere ya da sâlih amellerine hiç dönüp bakmıyor ve kendisini bir günah küpü gibi addediyor.

Oysa, İbrahim Edhem, Şâh-ı Geylânî, Fudayl b. İyaz, Tavus b. Keysân ve Bişr-i Hafî gibi zatlar, başı Nübüvvet'in kademine değen yüce kâmetlerdendi; bir hadîse binaen diyebiliriz ki, şayet Rasûl-ü Ekrem Efendimiz'den sonra nübüvvet mukadder olsaydı, bunların herbiri İsrail peygamberleri döneminde olduğu gibi nübüvvet semâsında pervâz edeceklerdi. Eğer karanlık dönemlerde zuhur etselerdi, Mehdî-i Râsul gibi görüleceklerdi. Ne var ki, onlardan hiçbiri mehdîlik ya da müceddidlik iddiasında bulunmamış ve mahviyetten kat'iyen ayrılmamışlardı. Bunların hepsi, Gazze'de son anlarını yaşayan İmam-ı Şafiî hazretlerinin "Kalbim kasvet bağlayıp yollar da sarpa sarınca, ümidimi affına merdiven yaptım. Günahım gözümde büyüdükçe büyüdü ama, onu alıp affının yanına koyunca, affını tasavvurlar üstü büyük buldum." sözleriyle tercüman olduğu tevazu hissiyle ve mahviyet duygusuyla düz kulluğu talep ufkunda yaşamış; o mülahazayla da ötelere yürümüşlerdi.

Bu mevzuda, o altın halkanın zamanımıza yakın temsilcilerinden olan Hazreti Üstad'ın, hususiyle On Yedinci Lema'nın On İkinci Notasındaki ifadelerini de mutlaka hatırlamalısınız. Siz ona hangi paye-yi verirseniz verin ve onu nerede görürseniz görün; o Zâtı bir de, kendisine bakışı zaviyesinden değerlendirmelisiniz. Üstad Hazretlerini gerçekten tanımak istiyorsanız, onu kendisini koyduğu yer açısından yakalamaya çalışmalısınız.

Evet, Nur Müellifi, irşat maksadıyla konuştuğu zaman tabi-i olarak o andaki makamının gerektirdiği vakar ve ciddiyet içerisinde bulunuyor; fakat, yalnız kaldığı ve Rabb-i Rahim'e yakardığı anlarda kendisiyle alâkalı asıl duygu ve düşüncelerini açığa vuruyor: "Ey Hâlık-ı Kerîmim ve ey Rabb-i Rahîmim! Senin Said ismindeki mahlûkun ve masnuun ve abdin, hem âsi, hem âciz, hem gafil, hem cahil, hem alîl, hem zelîl, hem müsi', hem müsin, hem şakî, hem seyyidinden kaçmış bir köle olduğu halde, kırk sene sonra nedamet edip Senin dergâhına avdet etmek istiyor. Senin rahmetine iltica ediyor. Hadsiz günah ve hatalarını itiraf ediyor. Evham ve türlü türlü illetlerle müptelâ olmuş, Sana tazarru ve niyaz ediyor. Eğer kemâl-i rahmetinle onu kabul etsen, mağfiret edip rahmet etsen, zaten o Senin şânındır. Çünkü Erhamürrâhimînsin. Eğer kabul etmezsen, Senin kapından başka hangi kapıya gideyim? Hangi kapı var? Senden başka Rab yok ki dergâhına gidilsin. Senden başka hak mâbud yoktur ki ona iltica edilsin." diyor.

Büyük Pâyelerle Anma Değil, Sâdık Olma Esastır!

Madem ki, maneviyat âleminin sultanları olan bu Hak dostları dahi, kendilerini sıradan bir mü'min kabul ediyor, Allah tarafından tutulmazlarsa ayakta kalamayacaklarına gönülden inanıyor, iddia sayılabilecek beyanlardan olabildiğine kaçıyor ve en küçük kusurlarını bile gözlerinde büyütebildikleri kadar büyütüp sürekli hacâletle gözyaşı döküyorlar; öyleyse, bize yakışan da evleviyetle azamî tevazu, mahviyet ve hacâlettir.

Zira, hiçbirimiz öyle derince bir maneviyatımızın olduğunu söyleyemeyiz. Mesela, "Siz hiç Azrail Aleyhisselam'ın azametli heykelini gördünüz mü? Rasûl-ü Ekrem Efendimiz ile yakazaten görüştünüz mü? Hiç Hazreti Cebrail'i görme şerefine mazhar oldunuz mu? Hakikat-i Kur'an'ı hiç duydunuz mu? Kur'an bir şahs-ı manevî olarak gelip sizin kulağınıza bazı şeyler fısıldadı mı? Şayet, o büyük insanlar nezdinde size bu sorular sorulsaydı ve sizden "evet" cevabı alınamasaydı; o âli heyet önünde hakkınızda verilecek hüküm "Siz bomboş insanlarmışsınız!" şeklinde olurdu. Kaldı ki, insan bu mazhariyetlere erse bile, şayet bunların hepsini şekerleme türünden iltifatlar olarak kabul etmiyorsa ve kulluğunu onlara bağlıyorsa, yine kurbetteki sırrı anlayamamış ve sadâkat ufkuna ulaşamamış demektir.

İtiraf etmeliyiz ki, biz ulvî alemler hesabına hemen hemen hiçbir hakikate âşinâ değiliz; Selef-i Salihînle kıyaslanamayacak kadar küçük insanlarız, birer sıfırız. Ne var ki, Cenâb-ı Hak, bazılarımıza büyük hizmetler gördürüyor olabilir. Allah Teâlâ'nın bazılarımızı dinine hizmet yolunda istihdam etmesi, O'nun lütf u kereminendir; bize ait bir fâikiyetten dolayı değildir. Bu itibarla, bize düşen: Alvarlı Efe Hazretleri gibi, "Allah beni insan eyleye!" demek, irademizin hakkını vermek, karşımıza çıkan hizmetleri birer ihsan-ı ilahî kabul ederek onların gereklerini yerine getirmek; sonra da "Mevlâ-yı Müteâl böyle hiç oğlu hiçlere bile neler yaptırıyor!" diyerek tahdis-i nimette bulunmak ve her zaman O'na şükretmektir.

Aslında, bu konunun üzerinde ne kadar durulsa sezâdır. Fakat, daha önce bu mevzuyu genişçe ele almaya çalıştığım için (Bakınız: Mesih Nerede, Mehdî Kim? Ümit Burcu, 33-39) bu hatırlatmalarla iktifa edeceğim. Şu kadar var ki, sadece bir paragrafla olsa da, çok önemli bir hususa daha temas etmeden sözlerimi bitiremeyeceğim:

Ne olur, dostlarınıza fevkalâde makamlar verip onları şişireceğinize, mübalağalarla onların boyunlarını kıracağınıza ve başkalarını da kıskançlığa sevkedeceğinize, onlara karşı fevkalâde sadâkat gösterip kardeşliğin hakkını verin. Unutmayın ki; kat'î bilgisi olmadığı halde mübalağalara girip falancaya "mehdî" diyenler, filancayı "müceddid" ilan edenler, genellikle bu abartmalarının cezası olarak, gün gelip de ona "deccal" demeden, öbürünü "fâsık" görmeden, diğerinin nifak üzere olduğunu söylemeden ölmezler.

Sözün özü; mü'min nefsine değil Allah'a güvenmeli, O'nun inayetine sığınıp himmetini hep âlî tutmalı, O'nun yardımıyla en zor işlerin dahi altından kalkabileceğine inanmalı, iradesine terettüp eden vazifeleri hakkıyla yapmalı ve sonra da neticeyi Yüce Yaratıcı'nın lütf u ihsanına bağlamalıdır. Elde ettiği başarıları ve kendisine bahşedilen bütün mazhariyetleri Mevlâ'nın nimeti bilmeli ve şayet O inayetini keserse her şeyin sönüp gideceğini bir an aklından dûr etmemelidir. Zira, ancak böyle bir denge, insanı iddiadan, bencillikten, benlikten ve âidiyet mülahazasından uzaklaştırır; onu Allah'ın rızasına ulaştırır. Hâlis bir mü'min, kendisinin bir Mehdî, bir halaskâr, bir Heraklit ve bir Mesih olabileceği düşüncesini rüyasına bile misafir etmemeli; haddini bilip düz kulluğa rıza göstermelidir. "Kullardan bir kul" olarak Allah'ın hoşnutluğunu kazanmaktan başka maksatların ve hele fâikiyet (üstünlük) mülahazasının karşısında yer almalıdır. Ayrıca, yüksek payeler vermek suretiyle dostlarını tehlike zeminine sürükleyeceğine ve onları bazı hâsid kimselerin hedef tahtası haline getireceğine, dostluğunu ve muhabbetini onlara karşı fevkalâde sadâkatle ortaya koymalıdır.

Muhammedî Ruh

Soru: Nübüvvet mesleği açısından, "Muhammedî ruh" ne demektir? Bu ruhun, tebliğ ve temsil vazifesinde bulunan mü'minlerin hal ve hareketlerine yansıması nasıl olmalıdır?

Cevap: Peygamberlerin hepsi, Cenâb-ı Hakk'ın seçkin kullarıdır. Allah Teâlâ onları özel donanımlarıyla dünyaya göndermiş ve kendi elçiliğiyle vazifelendirmiştir. Lâkin, onların bazılarını diğer bir kısmına tafdil eylemiştir. Umumî manada ve mutlak olarak her peygamberin faziletini tesbit etmekle beraber, bazı peygamberlere öyle hususî fazîletler vermiş ve onları öyle üstün kılmıştır ki, diğerlerinin o mevzûda onlara yetişmeleri mümkün değildir. Rasûl-ü Ekrem Efendimiz, Hazreti İsa, Hazreti Musa, Hazreti İbrahim ve Hazreti Nuh (alâ nebiyyinâ ve aleyhimüsselâm) için "Ulü'l-Azm" unvanının kullanılması da böyle bir hususiyetten dolayıdır. Şu kadar var ki, risalet tahtının sultanları olan bu en yüce peygamberler arasında dahi bir ufuk farkı söz konusudur.

Eşya ve hadiseler, Âdem Nebi'den (aleyhisselâm) İnsanlığın İftihar Tablosu'na (sallallahu aleyhi ve sellem) kadar uzanan çizgide ruh, mana, idrak edilme ve yorumlanma açısından sürekli değişim geçirmiştir. Değişen şartlar her zaman farklı şekillerde toplumlara da aksetmiştir. Bundan dolayı, ayrı ayrı zamanlarda gelen peygamberlerin farklı hususiyetlerle donanmış olması gerekmiştir.

Hazreti Nuh'un Bedduası

Mesela; bir dönemin şartları ve o devirdeki insanların özellikleri ancak Hazreti Nuh gibi bir rasûlün gönderilişine müsait bir zemin teşkil etmişti. Bu itibarla, denebilir ki, şayet aynı dönemde risaletle görevlendirilseydi, Hazreti İsa'nın da Nuh aleyhisselamın hususiyetlerine bürünmüş olarak vazife yapması iktiza ederdi; eğer Hazreti Nuh da onun kavmine gönderilseydi, kendi tabiatının özelliklerini aşıp Mesihiyet ruhuyla hareket etmeye mecbur kalırdı. Günümüze gelinirken süratle küreselleşmeye doğru giden dünyada, bütün insanlığı kucaklayacak ve getirdiği düsturlarla kıyamete kadar beşerin ferdî, ailevî, içtimaî, idarî ve siyasî her türlü problemini çözebilecek âlemşümûl hüviyette bir peygambere ihtiyaç vardı.. ve Allah (celle celâluhu) böyle bir dönemde de o seviyede bir peygamberi, yani Nebîler Serveri Hazreti Muhammed'i (aleyhissalatü vesselâm) gönderdi.

Kur'an-ı Kerim'in peygamberleri anlatışına bakıldığında ve bu seçkin kulların güzîde hayatları incelendiğinde, onların bir kısmında cemâl bazılarında da celâl tecellilerinin öne çıktığı görülecektir. Bilhassa, Hazreti Nuh ve Hazreti Musa çizgisindeki peygamberlerde celâl cemâlin bir adım önündedir; dolayısıyla, onların kısmen sert bir mizaç sergiledikleri müşahede edilecektir.

Nuh aleyhisselâm tebliğ vazifesini eksiksiz yerine getirmiş; yılmadan, yorulmadan devamlı sûrette kavmini Allah'a imân ve kulluk etmeye çağırmış; isyan ederlerse azaba yakalanacakları hususunda ikazlarda bulunmuştu. Fakat, pek çokları onun davetine icabet etmedikleri gibi, Allah'a inananlara zulüm ve işkenceden de geri durmamışlardı. Hazreti Nuh'un çağrısına koşanlar birer ikişer çoğaldıkça, münkirler daha bir endişeye kapılmış ve düşmanlıklarını safha safha artırmışlardı. Kavminin bu husumetine rağmen tebliğ ve temsil vazifesine uzun süre devâm ettikten sonra, onların bir türlü imâna gelmeyeceklerini iyice anlayan Nuh aleyhisselâm sonunda şöyle dua etmişti: "Ya Rabbî! Yeryüzünde dolaşan bir tek kâfir bile bırakma! Zira bırakırsan onlar Senin kullarını, Senin yolundan saptırırlar ve sadece kendileri gibi kâfir, ahlâksız çocuklar dünyaya getirip yetiştirirler. Ya Rabbî beni, annemi, babamı ve evime mü'min olarak girenleri, erkek ve kadın bütün mü'minleri affet. O zalimleri ise, daha da beter, daha da perişan eyle!" (Nuh 71/26-28).

Cenâb-ı Hak bu Kutlu Nebî'nin duasını kabul buyurmuş ve o kavmin altını üstüne getirmiştir. Fakat, Kur'an-ı Hakîm'in bu hadiseyi kıssa ederken kullandığı üslupta göze çarpan, şartlara bağlı bir karakter mevzubahistir; ayetlerde o gün öyle bir peygamberin gerekliliğini vurgulayan bir eda vardır. Dolayısıyla, Hazreti Nuh'un, Allah'ın rızasına muhalif olarak hissiyatını seslendirdiğini düşünmek ve öfkesini öne çıkararak o insanların helakı için beddua ettiğine ihtimal vermek büyük bir hatadır. Ulü'l-Azm bir peygamberin, Mevla-yı Müteâl'in muradının aksine bir arzu ve istekte bulunması düşünülemez. Meseleye, "peygamber de olsa bir insanın öfkesi" şeklinde yaklaşmak kat'iyen doğru değildir; böyle bir yorum çok yanlış bir algılamanın neticesidir. Ayrıca, bir peygamber hakkında değerlendirmede bulunurken çok temkinli davranmak icap eder. Zaten, Allah'ın muradı -kapalı dahi olsa- istikamette bulunmasaydı, Cenâb-ı Hak, "Ben o şekilde yazmadım, Benim kader planım öyle değil" der ve onun talebini geri çevirirdi. Halbuki Yüce Yaratıcı, elçisinin istediğini aynıyla gerçekleştirmiştir. Demek ki, o zamanki şartlar ve o dönemin insanlarının tabiatları öyle gerektirmiştir.

Hazreti Musa Yörüngesi

Benzer hususlar Hazreti Musa için de geçerlidir. Malum olduğu üzere, özellikle sihirbazların iman etmelerinden sonra, Firavun iyice azgınlaşmış, baskı ve zulmünü arttırmıştı; Musa aleyhisselâma inananları şehit etmiş, hatta Hazreti Âsiye'nin de canına kıymıştı. Firavun ve kavmi küfürde ve imansızlıkta ısrâr edince, çeşitli belâlara mübtela olmuşlar; önce şiddetli bir kuraklık ve çetin bir kıtlığa tutulmuşlardı. Sonra da su baskını, çekirge, haşarât ve kurbağa istilâsına uğramışlardı. Başlarına belâ geldikçe Hazreti Musa'ya gidip ondan eman dilemiş; fakat belâ kalkınca azgınlıklarına devam etmişlerdi. Nihayet, Musa aleyhisselam şöyle yakarışa geçmişti: "Ey Rabbimiz! Gerçekten sen Firavun ve kavmine dünya hayatında zinet ve mallar verdin. Öyle ki, netice itibarıyla onlar da, ey Rabbimiz, (başkalarını) Senin yolundan çevirip saptırıyorlar! Ey Rabbimiz! Onların mallarını yok et, kalblerini de sıkıp daraltıver; çünkü onlar, o acıklı azabı görmedikçe iman etmeyecekler." (Yunus, 10/88)

Bu ifadeler de Seyyidina Musa'nın karakterini nazara vermektedir. Musa aleyhisselam bîzâr olduğu o kavme karşı böyle beddua etmiştir. Ne var ki, bir peygamberin Cenâb-ı Hak'tan bir işaret almadan o şekilde tazarruda bulunması nübüvvet âdâbıyla telif edilemez. Belki orada Allah'ın emri sarih değildir, fakat mutlaka bir işaret vardır; aksi halde, bir peygamber Allah'ın emrine muhalif hareket ettiği zaman dergah-ı ilahîden kovulur. Demek ki, onun bedduası da ilahî azaba istihkak kesbeden, oldukça materyalist ve çok kaba bir topluma karşı, şartların gereği olarak dile getirilmiştir, konjonktüreldir.

Kur'an-ı Kerim süzüldüğü zaman aynı şartlar altında benzer sözler söyleyen başka peygamberler görmek de mümkün olacaktır. İşte, bu türlü söz, tavır ve davranışlar, Hazreti Nuh ve Hazreti Musa ile aynı yörüngeyi paylaşan Hak elçilerinin ruh hallerini ve tabiatlarını yansıtmaktadır. Evet, Hak nezdinde onların her biri güzîde bir konumdadır; hepsi Allah'ın seçkin elçileridir; şu kadar var ki, onlarda celâl tecellileri daha çok görülmektedir; çünkü, gönderildikleri toplumların hususiyetleri ve dönemlerinin şartları öyle olmasını gerektirmektedir.

Halîliyet ve Mesîhiyet

Diğer taraftan, hususiyle Seyyidina Hazreti İbrahim ve Hazreti İsa ile temsil edilen bir çizgi daha vardır ki, bunda da cemâl tecellileri daha baskındır; cemâl celâlin önündedir. Bu yolun esasları hilm ü silm, mülâyemet ve müsamahadır.

Nitekim, Keldanîlerin türlü türlü zulümlerine, çeşit çeşit işkencelerine ve kendisini ateşe atmalarına rağmen, Hazreti İbrahim ellerini kaldırıp, "Rabbim! O putlar insanlardan çoğunu baştan çıkardı; bundan böyle kim benim izimce yürürse o bendendir. Kim de isyan ederse Sen Gafûrsun, Rahîmsin." (İbrahim, 14/36) diyerek dua etmiş; kavmine lanet okumamış ve onların helakini istememiştir.

Hazreti İsa da, kavmi, kendisine her türlü ezâ ve cefâyı revâ gördüğü halde, "Eğer onlara azap edersen, şüphesiz onlar Senin kullarındır; şayet mağfiret buyurursan hiç kuşkusuz Aziz Sensin, Hakîm Sensin." (Mâide, 5/118) diye niyazda bulunarak ciddî bir edep tavrı sergilemekle beraber şefkat ve merhametini dillendirmiştir.

İşte, Rehber-i Ekmel (aleyhi elfü elfi salâtin ve selâm) Efendimiz, hem Hazreti Nuh ve Hazreti Musa ile hem de Hazreti İbrahim ve Hazreti İsa ile temsil edilen meslekleri bütünüyle nazar-ı itibara alarak, kendisinin hilm, silm, mülâyemet ve müsamaha yolundakilere benzediğini ifade etmiştir.

Binaenaleyh, Bedir esirlerinin akıbetiyle alâkalı olarak Ashab'ın ileri gelenlerinin kanaatlerine başvurulunca, Hazreti Ebu Bekir (radıyallahu anh) esirlerin serbest bırakılmalarına, Hazreti Ömer (radıyallahu anh) ise öldürülmelerine taraftar olduğunu belirtmiştir. Bunun üzerine, Allah Rasûlü, önce Hazreti Sıddık'a teveccüh ederek, "Yâ Ebâ Bekir! Sen aynen atam Hazreti İbrahim'e ve Hazreti İsa'ya benziyorsun." buyurmuş; sonra da Hazreti Faruk'a dönerek, "Yâ Ömer! Sen de Nuh ve Musa (aleyhimessselam) gibisin." demiştir. Nihayet, kendisinin de, Halîlullah ve Ruhullah'a benzediğini ifade sadedinde esirlerin şartlı olarak salıverilmelerini hükme bağlamıştır.

Bu itibarla, Hazreti Rûh-u Seyyid'il-Enâm halîliyet ile mesîhiyeti cem'etmiştir. Hıllet ve müsamaha yolunu seçmiş; bu meslekte varıp zirveye ulaşmış, tahtını hullet ve şefkat ufkuna kurmuştur. Hazreti İbrahim'de bir çekirdek gibi icmalî bulunan halîliyet ve hıllet ile bir tohum misillü Hazreti Mesih'in özünde var olan mesihiyet ve re'fet, İnsanlığın İftihar Tablosu'nda ser çekmiş bir ağaca dönüşmüştür. Onlardaki hilm ve şefkatin tafsil ve inkişafı, hakikî insan-ı kâmil Hazreti Habibullah'la gerçekleşmiştir ki, işte bu habîbiyet ve hulletin unvanı Muhammedî Ruh'tur.

Muhammedî Ruh

Evet, Muhammedî ruh, içten samimi bir dostluk, kardeşlik, ülfet tavrı ve ünsiyet muamelesi şeklinde tezahür eden İbrahimî ve Mesîhî üslûbu özünde birleştirmiş insan tabiatıdır. Artık beşeriyetin bu karakter ve tabiattaki insanlara muhtaç olduğunu bilen Cenâb-ı Hak, evvelki iki elçisinin hususiyetlerini Allah Rasûlü'nde (aleyhi ekmelüttehâyâ) toplamış ve rehber-i ekmel olarak O'nu göndermiştir. Zira, Muhammedî ruhla hayatiyet kazanan insanlar, başkalarını şefkatle kucaklayacak ve onları kaçıracak davranışlardan fersah fersah uzak duracaklardır. Onlar, muhataplarını celbetme, yumuşatma ve düşündürme metodunu deneyecek; her meseleyi empatiyle değerlendirip karşıdakileri anlamaya çalışacak, böylece iç fetih dediğimiz gönüllere girmeyi başaracak, en azından herkesi bir insaf zeminine çekecek ve sonra söylemek istediklerini dile getireceklerdir. Bu suretle, hem diğer insanların ufuklarını açmış hem de onları kendilerine karşı insaflı davranmaya sevketmiş olacaklardır.

Muhammedî ruh, şefkat ve merhametle yoğrulmuş karakter demektir. Öyle bir karaktere sahip olan insanın, başkalarının şekavetini istemesi mevzubahis olamaz. Hatta, muhatapları nasıl davranırsa davransın, onun mukabele-i bilmisil yapması, kahriyeler okuması ve lanetler yağdırması mümkün değildir. Zira, beşere bu ruhu kazandıran Şefkat Peygamberi, şahsına reva görülen işkenceler, eziyetler ve zulümler karşısında dahi insanların hidayetlerini dilemiştir. Hele kendi ümmeti söz konusu olunca, onların ebedî kurtuluşu hesabına gece gündüz dualar etmiş ve gözyaşı dökmüştür.

Ezcümle; Müşfik Nebî, bir gece hangi işarete ve endişeye binaen, kim bilir nasıl sarsılmıştı ki, sabaha kadar, Hazreti İbrahim'in duası olan, "Ya Rabbî! Doğrusu onlar (putlar) insanların çoğunu saptırdılar. Artık bundan sonra kim bana tâbi olursa, o bendendir. Kim de bana karşı gelirse, o da Senin merhametine kalmıştır, şüphesiz Sen Gafûrsun, Rahîmsin." (İbrahim, 14/36) mealindeki ayet ile; Hazreti İsa'nın duası olan, "Ya Rabbî! Eğer onları cezalandırırsan, şüphe yok ki onlar Sen'in kullarındır. Onları affedersen, Aziz ü Hakîm (üstün kudret, tam hüküm ve hikmet sahibi) ancak Sen'sin!" (Mâide, 5/118) mealindeki ayeti tekrar tekrar okumuş, ellerini kaldırıp "Allah'ım! Ümmetimi (mağfiret et), ümmetimi (mağfiret et!)" diye yalvarmış ve ağlamıştı. Bunun üzerine Allah Teala,

"Ey Cebrail! Muhammed'e git ve O'na de ki: Biz seni ümmetin hususunda razı edeceğiz ve asla kederlendirmeyeceğiz." buyurmuştu.

İşte, bizim mesleğimizin esasını da bu duygu oluşturmaktadır; bizim gözlerimizi diktiğimiz ufuk Muhammedî ruhtur. Her Kur'an talebesi ve hizmet aşığı, karakteri itibarıyla olabildiğine ince, fevkalâde narin, bir anne gibi şefkatli; hep mütevazı, mahviyet içinde, yüzü yerde ve herkesi sevgiyle kucaklamaya hazır bir insan olmalıdır. O kendi asrında Muhammedî Ruh'un (aleyhi ekmelüttehâyâ) izdüşümü bir varlık olmaya çalışmalıdır. Evet o, en uzaktakilere bile yakın durmalı ve meclisini, Peygamber meclisi gibi herkese açık tutmalıdır ki, can alıcı hasım ruhlar dahi ellerinde olmayarak kendilerini birden onun şefkat iklimine salıversinler.. bir kere de o atmosfere girenler artık bir daha ayrılmayı düşünmesinler...

Muhammedî ruhun mümessili, ötelerle sağlam irtibat içinde bulunduğu halde, insanlara karşı muamelesinde bu farklılığını hissettirmeyecek kadar muhlis ve mütevazı olmalı; insanlar içinde insanlardan bir insan olarak yaşamalı; onlarla oturup kalkmalı, onlarla yiyip içmeli; bu arada her zaman gönüllere nüfuz etme yolları araştırmalı; "sohbet-i Cânân" deyip sürekli nazarları O'na çevirmeli ve iklimine uğrayan herkese hakiki insan olma ufkunu göstermelidir. O, Cenâb-ı Hakk'ın teveccühünü vifak ve ittifakta görmeli, iftirakı ilahî inayetten mahrum kalmanın sebebi bilmeli ve bu duyguyla hemen herkesle uzlaşmanın, vifak ve ittifakı temin etmenin ve hayatı başkalarıyla paylaşmanın vesilelerini kollamalıdır. Tabii ki, diğer peygamberlerin hususiyetleri ve yolları da saygıdeğerdir; bütün güzel hasletler enbiyâ ve rusûlün hepsinde belli ölçüde mevcuttur. Fakat, Muhammedî ruh, farklı bir ufuktur. Onda evrensel bir dinin cihanşümul prensipleri ve topyekün insanları kucaklayıcılığı vardır. Dahası, bu kuşatıcılık sadece Nebiler Serveri Efendimiz'e ve O'nun mesajına mahsustur.

İnsanlığın İftihar Tablosu'nun Ufku

Kâdı Beyzavî'nin, tefsirinin birinci cildindeki kıyaslamaları esas alınarak, İnsanlığın İftihar Tablosu (sallallahu aleyhi ve sellem) Efendimiz'in ufku ile alâkalı şöyle bir yorumda bulunulabilir:

İsrailoğulları maruz kaldıkları zulümden kaçarken, onları takip eden Firavun ve askerleri iyice yaklaşıp, iki topluluk birbirini görecek hale gelince, Hazreti Musa'nın arkadaşları, "Eyvah! Bize yetiştiler!" dediler. (Şuara, 26/61) Seyyidina Hazreti Musa, "Hayır, asla! Rabbim benimledir ve O muhakkak ki bana kurtuluş yolunu gösterecektir." (Şuara, 26/62) cevabını verdi. Hazreti Musa'nın "Rabbim benimledir" derken sadece kendi şahsından bahsetmesi ve "yol gösterecektir" buyururken de Arapça'da geleceği ifade için istimal edilen "sin" ilavesini kullanması iki hususu ima etmektedir: Birincisi, demek ki, İsrailoğulları'nın ekserisinde Allah'a güvensizlik, tevekkülsüzlük ve teslimiyetsizlik hâkimdir. İkincisi ise; Hazreti Musa, Cenâb-ı Hakk'ın maiyyetinden emindir ama "Allah mutlaka bizimle beraberdir ve şüphesiz şimdi bir yol gösterecektir." dememiş; beklediği kurtuluş vesilesinin ileriye matuf olduğunu işaret eder gibi bir üslupla konuşmuştur.

Rasûl-ü Ekrem (sallallahu aleyhi ve sellem) Efendimiz ise, müşrikler tarafından Mekke'den çıkarılıp Sevr Mağarası'na sığındığı esnada, kendisini takip edenlerin gürültülerinin duyulduğu bir anda, Hazreti Ebu Bekir'e "Sen hiç tasalanma, zira Allah bizimle beraberdir" demiştir. (Tevbe, 9/40) Bu ifadede, ileriye matuf bir kurtuluş recası değil, Allah'ın maiyyetinin hâl-i hâzırdaki mevcudiyetine olan inanç, tefviz ve sika ufku söz konusudur.

Ufuk itibarıyla, Rehber-i Ekmel'in bu sözünün Hazreti Musa'nın sözüne çok ciddi bir rüçhaniyeti vardır. Zira, Seyyidina Hazreti Musa'nın yoldakiler adına söylediği sözü, Allah Rasûlü müntehilere verilmiş bir nimet mahiyetinde seslendirmektedir.

Yine, Hazreti Musa, Firavun'un karşısına çıkacağı zaman "Ya Rabbî, genişlet göğsümü, kolaylaştır işimi, çözüver şu dilimin bağını. Ta ki anlasınlar sözümü!" (Tâhâ, 20/25-28) demiştir. Bu dilek, onun talep mevkiinde bulunduğunu ve o kapıya yoldaki bir insan edasıyla teveccüh ettiğini göstermektedir. Ne ki, Hazreti Musa'da bir istek halinde ortaya çıkan bu husus, Peygamber Efendimiz'e Allah'ın bir lütfu olarak, "Biz senin kalbine inşirah vermedik mi?" (İnşirah, 94/1) âyetiyle mevhibe ve minnet ufkunda tecelli etmiştir. Diğer bir ifadeyle, Hazreti Musa'nın (aleyhisselam) Rabbinden istediği inşirah-ı sadr, Rasûl-ü Ekrem Efendimiz'e bir nimet olarak verilmiş ve böylece O'nun şükran duyguları coşturulmuştur.

Bu misalleri çoğaltmak mümkündür. Bunlar bize hangi ufku paylaştığımızı ya da paylaşmamız gerektiğini göstermektedir. Evet, her devrin bir anlayışı ve her döneme düşen peygamberin kendine has bir ufku olmuştur. Bizim bahtımız da Hazreti Ruh-u Seyyidi'l-Enâm (aleyhi elfü elfi salâtin ve selâm) Efendimiz'le gülmüştür. Bu açıdan, durumumuzu ve konumumuzu çok iyi değerlendirerek, nerede ve kimin arkasında bulunduğumuzu tam kavramamız ve ona göre davranmamız gerekmektedir. Bu idrak sayesinde, "Bütün insanlığın gönlüne nasıl gireriz, bağrımızı herkese nasıl açarız, sesimizi-soluğumuzu cihana nasıl duyururuz, Muhammedî ruhun varidâtını ve mevhibelerini başkalarının sinelerine nasıl boşaltırız ve nasıl onları da bu yüce hakikatten haberdâr kılarız?" dememiz, bu soruların cevaplarını arayarak, bu istikamette gayret göstermemiz icap etmektedir.

Hâsılı, Muhammedî ruh, elden geldiğince affetmeyi, kine, nefrete yenik düşmemeyi ve öç alma duygusuna kapılmamayı salıklar ki, zaten sürekli Allah'a doğru yürüyor olma şuurunda bulunanların başka türlü olmaları da düşünülemez. Onlar, oturur kalkar hep başkaları için hayır yolları araştırır, hayır dileklerinde bulunur, ruhlarındaki sevgiyi hep canlı tutmaya çalışır; gayza, nefrete karşı da bitmeyen bir kavga sürdürürler. İşe gönüllerinden başlayarak, her bucakta iyilik, güzellik fidelerinin boy atıp gelişmesine ortam hazırlar ve kimi zaman zehir olsa da, herkesi ve her şeyi şeker-şerbet gibi kabul ederler. Karakterlerinin ana çizgileri haline gelen hilm, silm, merhamet ve mülayemet sayesinde, üzerlerine kinle ve nefretle gelenleri bile tebessümlerle ağırlar ve en mütecaviz orduları sevgi ve şefkatin yenilmeyen gücüyle püskürtürler. Şu kadar var ki, başkalarına saygılı oldukları kadar onurlarına da düşkündürler; müsamaha, şefkat, mülâyemet ve inceliklerinin bir zaaf şeklinde yorumlanmasına asla müsaade etmezler; zira onlar, gerekirse, bir an bile tereddüt yaşamadan, hayatı istihkâr edebilecek bir ruh yüceliğine sahiptirler.

Uğursuzluk

Soru: "Tefe'ül" ve "teşe'üm" ne demektir? Dinimizde tefe'ül de teşe'üm ölçüsünde yasaklanmış mıdır; yoksa, tefe'ül bazı esaslarla dengelenmiş midir? Bir insan, tefe'ülde bulunacaksa, kehanet gibi bir yanlışlığa düşmemek için nelere dikkat etmelidir?

Cevap: "Tefe'ül"; bir kısım hadiseleri uğurlu saymak, onları hayırların başlangıcı olarak görmek ve vakıaları iyiye yormak demektir. Bunun zıddı olan "teşe'üm" ise; bazı nesneleri ve hadiseleri uğursuz kabul etmek, olayları şerre yormak ve sürekli kötü ihtimalleri öne çıkarmak manalarına gelmektedir.

İslam'da Uğursuzluk Yoktur!..

Cahiliye'de teşe'üm çok yaygındı. O dönemin insanları hemen her şeyde bir uğursuzluk yanının bulunduğunu düşünür ve çoğu zaman hadiselerden aldıkları sinyallere göre yaptıkları/yapacakları işlere devam eder ya da onlardan vazgeçerlerdi. Mesela; evlerinin çatısına bir baykuş konar ve orada ötmeye durursa, başlarına büyük bir belanın gelmesinden korkarlardı. Kuşların isimlerinden, cinslerinden ve şu ya da bu cihete uçmalarından bir kısım manalar çıkarırlar; özellikle kasden uçurdukları bir kuş, sağa giderse hayra, sola giderse şerre yorarlardı. Ceylan gibi av hayvanlarından sağ taraftan sola doğru geçip gidenlerin uğursuzluğa sebebiyet vereceğine, sol yandan sağa doğru kaçanların ise şans getireceğine inanırlardı. Fal oklarına büyük değer verirler ve ekseriyetle, yapıp edeceklerini bunlara göre belirlerlerdi. O kadar çok uğursuzluk emaresi icad etmişlerdi ki, adeta paranoya ile yatıp kalkar hale gelmiş ve bir korku toplumuna dönüşmüşlerdi. Çoğunluk itibarıyla, ruhî bunalıma girmiş ve vücutlarının kimyası bozulmuş gibi bir hal sergiliyorlardı; sanki duydukları her ses, gördükleri her nesne ve şahit oldukları her hadise onlar için bir vehim kaynağıydı. Uğursuzluk düşüncesi genel telakkilerinin ana çizgisini teşkil etmeye başlamıştı.

Böyle karanlık bir asrı nuruyla aydınlatan İnsanlığın İftihar Tablosu (aleyhissalâtu vesselâm) eşya ve hadiseleri hayırsız saymayı, şundan bundan uğursuzluk çıkarmayı bâtıl addetmiş; hatta teşe'ümün bir noktada şirke varıp dayanacağına dikkat çekmişti. Fakat, tefe'ülü bütün bütün kesip atmamış, onun doğru değerlendirilmesi gerektiğini belirtmekle iktifa etmişti.

Rehber-i Ekmel (sallallahu aleyhi ve sellem), bir keresinde, "İslam'da teşe'üm yoktur, en hayırlı yorum tefe'üldür." buyurmuştu. Mübarek meclisindekilerden biri, "Tefe'ül nedir ya Rasûlallah!" diye sorunca, Rasûl-ü Ekrem, "(Hadiselerin değerlendirilmesiyle alâkalı) güzel sözdür." şeklinde mukabelede bulunmuştu.

Allah Rasûlü'nün Hudeybiye anlaşmasında Süheyl bin Amr'ın adını hayra yorması, tefe'ülün en güzel misallerinden biri olarak kayıtlara geçmişti. Anlaşma yapmak üzere Kureyş tarafından gönderilen heyetin başında Süheyl bin Amr'ın olduğunu duyunca, Rasûl-ü Ekrem (sallallahu aleyhi ve sellem) uysallık, kolaylık, mülayemet ve yumuşaklık ifade eden "Süheyl" ismiyle tefe'ülde bulunarak "Artık işimiz kolaylaştı!" demişti. Şu kadar var ki, ne de olsa "Süheyl" adı, "ism-i tasgîr" denilen, küçüklük ve azlık ifade eden kelime grubundandı; onun menşei olan "sehl" kelimesi kolaylık manasına gelse de "süheyl" musaggar bir isimdi ve "küçük bir kolaylık", "azıcık yumuşaklık" demekti. Rasûlullah'ın nazarında, bu nüans, orada yine bir kısım problemlerin çıkabileceğinin iması gibiydi. Zaten müzakereler esnasında tam bir sühulet olmamıştı; anlaşma metnine "Muhammedün Rasûlullah" yazılmasına dahi rıza gösterilmemiş, "Seni peygamber kabul etseydik bu anlaşmaya gerek kalmazdı ki!" manasına gelecek beyanlar serdedilmişti. Dolayısıyla, sehl değil, süheyl olmuştu; tam bir kolaylık değil, küçük bir kolaylık ortaya konulmuştu. İşte, Hikmetin Lisân-ı Fasîhi (sallallahu aleyhi ve sellem) bir isimden onca mana çıkarmış ve hasıl olacağını umduğu mülayemete "işimiz kolaylaştı" diyerek işaret etmişti.

Hazreti Rûh-u Seyyid'il-Enâm (aleyhi ekmelüttehâyâ), tefe'ülden hoşlanırdı; insanların güzel isimler taşımalarını ister, duyduğu o isimlerden güzel manalar çıkarır ve herkesin adının iyi yoruma açık olmasını arzulardı. Bundan dolayı da, Rasûlullah (aleyhissalâtu vesselâm) bazı kimselerin isimlerini değiştirmiş; onları eskisinden daha güzel ve manalı adlarla çağırmıştı. Ezcümle; Gurâb (karga), Harb (savaş), Âsi, Şeytan, Atale (şiddet, sertlik), Şihab (kıvılcım, ateş parçası) isimlerini değiştirmiş; mesela, Şihâb'ı Hişam (mutevazı, edepli), Harb'i Silm (sulh), Muzdaci'ı (yatıp duran) Münbais (kalkıp koşan) yapmıştı. Âsiye (isyankâr, itaatsiz kadın) adından hoşlanmamış, onun yerine Cemîle'yi (iyi huylu, güzel kadın) tesmiye buyurmuştu. Sadece insan adlarını güzelleştirmekle de iktifa etmemiş; Afire (çorak) adını taşıyan bir araziyi Hadire (yeşillik) ve "Şi'b-i Dalâlet" (sapıklık geçidi/alanı) denen yeri de "Şi'b-i Hüdâ" diye isimlendirmişti. Nezâhetin Hülâsâsı Peygamber Efendimiz, daha pek çok insan ve mekan ismini daha güzeliyle tebdil eylemişti.

Kâinatta Tesadüf Yoktur Ama...

Günümüzde de bazıları bir kısım rakamları, haftanın belli günlerini, kara kedi, karga ve yarasa gibi kimi hayvanları uğursuz saymaktadırlar. Mesela, bir evin çatısında ya da balkonunda karga öterse, o ev halkından birinin öleceğine veya orada ciddi bir yıkım meydana geleceğine inanmaktadırlar.

Aslında, kainatta cereyan eden hiçbir hadise manasız değildir. Her nesne ve hadise kendi diliyle bir mesaj vermektedir. Düşüp kırılan bardağın ve devrilen çaydanlığın dahi kendine göre bir manası vardır. Hayatını tevhid hakikatini ikame etmeye adamış Üstad hazretleri, eserlerinde çok defa bu meseleye de dikkat çekmiş; örnek olarak, demir sobasının zahirî bir sebep bulunmaksızın patlayıp parçalanmasını ve matarasının acîp bir tarzda kırılıp çok küçük parçacıklara ayrılmasını anlatarak, bu türlü hadiselerin ihtiyat ve temkin çağrısı sayılması gerektiğini belirtmiştir.

Evet, çok ince hesaplarla yaratılan ve ayakta tutulan şu kainatta rastlantıya asla yer yoktur. İnsanın ayağına batan bir iğne dahi tesadüfî değildir. Ehl-i dalalet bazı meseleleri tesadüf deyip geçiştirse de, her şey Mevlâ-yı Müteâl'in meşieti ve kudretiyle, bir ilahî plan dahilinde varlık sahasına çıkmaktadır; mülk sahibi O'dur, mülkün bütün tasarruflarının arkasında O'nun yed-i kudreti vardır. Bu itibarla, İslam uğursuzluk düşüncesini reddetmiştir; inancımıza göre, ne bazı rakamlar ne belli günler ne de bir kısım hayvanlar uğursuzdur. Bununla beraber, hadiselerin lisanından anlayan kimseler için hemen her vakıanın bir mesaj ihtiva edebileceği mahfuzdur.

Dolayısıyla, mevcudatta tesadüf olmadığını düşünerek, hadiseleri "te'vil-i ehâdîs" zaviyesinden değerlendirmeye çalışmak makbul sayılsa da, bazı olaylardan kötü manalar çıkararak teşe'üme girmek mahzurludur. Çünkü, bir kısım şeyleri uğursuz sayarak, onların gelecekte mutlaka belli neticeler vereceğine inanmak ve bu zanna bağlanarak hareket etmek bir çeşit kehanettir; -arz ettiğim gibi- böyle bir uğursuzluk düşüncesi dinimizde merduttur. Karga balkona konar konmaz, baykuş ötmeye başlar başlamaz, kara kedi köşede belirir belirmez ve bir bardak düşüp kırılır kırılmaz, "Acaba nasıl bir bela geliyor?" demek ve bir felaket beklemek mü'mince bir davranış değildir. Bu türlü vakıalarla teşe'ümde bulunmak ve ona bağlı bazı hükümler vermek mü'min kimliğine hiç yakışmaz. Her çeşit hayır ve şerrin Allah'ın meşiet ve yaratmasıyla olduğuna inanmak, İslâm akîdesinin temel prensiplerinden biri ve tevhidin gereği olduğu halde, bir sayının, günün, nesnenin ya da hayvanın şanssızlık getireceğine inanmak ve ona bir nevi güç izafe etmek şirke kadar uzanan bir günahtır.

Kur'an ile Tefe'ül Yapılabilir mi?

Ayrıca, hem tefe'ül hem de teşe'üm, gayba müteallik bir mesele olduğundan, bunlar sübjektif yorumlardır. Eşyanın hakikatine belli ölçüde vakıf bulunan, te'vil-i ehâdisten anlayan ve kainat kitabını iyi okuyan insanlar, hadiselerden bazı manalar çıkarabilir ve onları şahsî hayatları adına uygulayabilirler. Fakat, bu türlü değerlendirmelerini, herkese tamim edecek şekilde objektif fetvalara menat yapamaz ve tefe'üllerine bir kısım hükümler bina edemezler. Evet, herkes için geçerli hükümlerin istinbatı hususunda Din'in temel esasları ile aslî ve fer'î deliller bellidir; bunların haricinde ne rüya, ne keşif, ne keramet ve ne de te'vil-i ehâdis objektif hükümlere mesned olabilir.

Bu itibarla, nesneleri ve hâdiseleri uğursuz sayıp onları kat'î belaların habercileri gibi görmek çirkin ve din dışı olduğu gibi, onlara güzel manalar yükleyip geleceğe dair söz söylemek ve bu türlü tefe'ülleri objektif hükümlermiş gibi sunmak da bir yönüyle kehanettir ve dinin ruhuna terstir. Dolayısıyla, hem bütün mü'minlerin teşe'ümden mutlaka uzak kalmaları gerekir; hem de te'vil-i ehadisten anlamayan kimselerin, tefe'ül kasdıyla da olsa, hadiseleri bazı manalara yormaları ve bu yorumlarını umuma mal etmeleri asla doğru değildir.

Bu cümleden olarak; Hak dostları, avamın Kur'an ile tefe'ülde bulunmalarına da sıcak bakmamışlardır. Mushaf'ı rastgele açarak, ilk tevafuk eden yeri okuyup oradan bir ders çıkarma şeklindeki tefe'ülün, işin ehli olmayanları yanlış değerlendirmelere ve ümitsizliğe atabileceğinden korkmuşlardır.

Nitekim, Nur Müellifi, ehl-i hakikatın, Kur'an ile tefe'üle taraftar olmadıklarını; çünkü, Kur'ân-ı Hakîm'in, ehl-i küfre kesretle ve şiddetli bir tarzda vurduğunu, Mushaf ile tefe'ül eden insanın inkarcılara karşı söylenen sözleri kendi üzerine alıp kalb dağınıklığına ve ye'se düşebileceğini vurgulamıştır. Gerçi, Şah Veliyyullah Dihlevî hazretleri, Cenâb-ı Hakk'a tam teveccüh etmek suretiyle ve belli bir usulle yapılan tefe'ülün bazı kapılar aralayacağını anlatmış, sonra da o usule dair bir kısım kaideler sıralamıştır; fakat, bunu herkese talim etmek ve yaymak doğru değildir. Şayet, insan o işin esaslarını bilemezse, açtığı sayfada münkirler ve münafıklar hakkında nazil olan ayetleri görünce kuvve-i maneviyesi kırılabilir, reca duygusu sarsılabilir ve ruhuna bir panik havası hakim olabilir.

Uğursuzluk Düşüncesine Karşı

Diğer taraftan, hem rüyalarla hem de günlük hayattaki hadiselerle alâkalı yorumlarda çok defa te'vil hataları yapılmaktadır. Çünkü, rüyaların ve hadiselerin lisanı, içinde bulunduğumuz âlemin dilinden çok farklıdır. Zâhiren olumsuz hadiselerin manaları, bazen hakikat açısından olumlu olur ve onlar müsbet gelişmelerin işaretçileri sayılır; kimi zaman da çok olumlu görülen olaylar aslında mana itibarıyla olumsuzdur ve onlar da menfi vakıaların alâmetleridir.

Diyelim ki; evinizin içi suyla doldu. Siz bunu olumsuz görebilirsiniz. Fakat bu, bir seyahate çıkacağınızı, muvakkaten o evden ayrı kalacağınızı ve neticede üzerinize bereket yağacağını ifade ediyor olabilir. Yine; bir binanın yıkıldığını görseniz, te'vil-i ehâdis açısından, o geçici bir sarsıntı demektir. Yangın neticesinde olmayan yıkıntılarda her zaman yeniden filizlenme söz konusudur. Söz gelimi, selin sebebiyet verdiği zayiat kalıcı bir sarsıntıya yol açmaz; o muvakkat bir meşakkatin remzidir. Onun arkasından bolluk ve bereket gelecektir.

Bu itibarla, rüyaları ve hadiseleri te'vil meselesi de bir nevi uzmanlık alanıdır; herkes o işe kalkışmamalıdır. Kur'an'ın mevzuyla alâkalı ayetlerini ve hadis-i şeriflerin bu konudaki şerhlerini bilmeyen, misal âlemine dair bazı hakikatlerden haberdar olmayan kimselerin te'villerde bulunmaları ve hele onlara bazı hükümler bina etmeleri kat'iyen doğru değildir.

Hususiyle, kötü unsurlar ihtiva eden rüyaları ve teşe'üme sebebiyet verebilecek hadiseleri başkalarına anlatmak da yanlıştır. Hak dostları rüyaların ve yakazaların başkalarına anlatılmasının bir düğümü çözmek gibi olduğunu, onların ekseriyetle anlatıldıkları ve yorumlandıkları üzere çıktıklarını söylemiş; te'vil adına ağızdan çıkan kelimelerin, bir yönüyle, Hak nezdinde hadiselerin karara bağlanmalarına ve o şekilde meydana gelmelerine sebep teşkil ettiğini belirtmişlerdir. Bu açıdan, bazı rüyalar ve yakazalar sâlihler arasından ehil insanların değerlendirmelerine arz edilebilecek olsa da, onlar avama hiç anlatılmamalı; hele geçici ve neticesi itibarıyla hayırlı gibi görülse de, herhangi bir menfilik taşıyan rüya ve yakazalar asla dile getirilmemeli, diğer insanların içlerine de bir endişenin dolmasına sebebiyet verilmemelidir.

Ayrıca, şeytanın, teşe'üme yol açabilecek rüya ve hadiseleri her zaman kullanabileceği de hatırdan dûr edilmemelidir. Şeytan, bazen bir baykuşu -gerekirse içine girerek- çekip sizin balkonunuza getirir ve orada saatlerce öttürür. Böyle bir olay karşısında, "Acaba bunun manası nedir?" diyebilir ve şayet işin ehli iseniz, hadiselerin dilinden bir ima çıkarmaya çalışabilirsiniz. Fakat, onu mutlaka başınıza gelecek bir felaketin habercisi gibi görmeniz ve o afeti beklemeye durmanız mü'mince bir davranış değildir. Zaten şeytanın öyle bir hileden maksadı, tansiyonunuzu yükseltmek, ruhunuzda gerilim hasıl etmek, vücudunuzun kimyasını bozmak, sizi ciddi anguazlara sokmak ve hatta psikosomatik rahatsızlıklara sürükleyerek ibadet ü taatinizden dahi alıkoymaktır.

Öyleyse, teşe'üme açık bir rüya gördüğünüzde ya da nahoş bir hadise ile karşı karşıya kaldığınızda, bunu bir temkin ve ihtiyat çağrısı olarak algılamalı, hemen Cenâb-ı Hakk'a teveccüh etmeli ve "Rabbim, eğer bir belaya istihkak kesbetmişsem ve bu da o belanın bir sinyali ise, gazabından rahmetine sığınıyorum; Sen'in dergahından başka iltica edilecek bir yer bilmiyorum ve Sana yalvarıyorum; ne olur atânla bu kazânı defet!" demelisiniz. Asla paniğe kapılmamalı, çaresizliğe düşmemelisiniz; bilakis, ilahî inayet ve riayetin sizi de sarıp sarmaladığına, Allah'ın kuvvet ve kudretinin her şeyin hakkından geleceğine gönülden inanmalı ve ciddi bir vicdan rahatlığı içinde O'na sığınmalısınız. Rasûl-ü Ekrem (sallallahü aleyhi ve sellem) Efendimiz'in, "Hoşunuza gitmeyen bir şey gördüğünüz zaman üç defa sol tarafınıza tükürün, üç kez de 'Euzü billahi mineşşeytanirracim' deyin ve onu kimseye anlatmayın" ikazını hatırlayarak, şeytanın şerrinden usulünce istiâzede bulunmalısınız. Selef-i Salihînin yaptığı gibi, çokça istiğ-far etmeli ve aynı zamanda "Sadaka belayı defeder!" mülahazasıyla bir miktar sadaka vermelisiniz.

Sözün özü; eşya ve hadiseleri hayırsız saymak, şundan bundan uğursuzluk çıkarmak bâtıldır; hatta teşe'ümün bir derecesi şirke varıp dayanır. Fakat, dinimizde tefe'ül bütün bütün yasaklanmamış, onun doğru değerlendirilmesi ehil kimselere emanet edilmiştir. Rehber-i Ekmel (aleyhissalâtu vesselâm) Efendimiz, "Uğursuzluk düşüncesi bir mü'mini yolundan alıkoymasın. Şayet, sizden biri hoşlanmadığı bir şey görecek olursa, şu duayı okusun: Allahümme la ye'tî bi'lhase-nâtı illâ ente, ve lâ yedfe'usseyyiâti illâ ente, velâ havle ve lâ kuvvete illâ bike - Allah'ım, hayırlar ancak Sen'dendir; kötülükleri de sadece Sen defedebilirsin. Yegâne havl ve kuvvet sahibi Sensin, hakiki güç ve kuvvet Sen'dendir." buyurmuştur. Binaenaleyh, bir mü'min, hayır ve şer her şeyin Allah'tan olduğuna şüphesiz inanmalı; bütün işlerinde meşru şekilde sebepleri yerine getirmeli; dinin rehberliğinde ve aklın ışığında kendi üzerine düşen vazifelerini yapmalı ve sonra Allah'a te-vekkül ederek neticeyi O'na bırakmalıdır.

Duhân

Soru: Kıyametin alâmetleri arasında sayılan "duhân" maddî bir azap mıdır, yoksa fikir inhirafı gibi bir manevî hastalık mıdır? Onun, münkirleri öldürecek ve mü'minlere de nezle misillü bir maraz bulaştıracak olması nasıl anlaşılmalıdır?

Cevap: Rasûl-ü Ekrem (sallallahu aleyhi ve sellem) Efendimiz, "On alâmet zuhur etmedikçe kıyâmet kopmayacaktır. Bunlar: Doğuda, batıda ve bir de Arap Yarımadası'nda yer batması, Duhân, Deccâl, Dâbbetü'l-Arz, Ye'cûc ve Me'cûc, güneşin battığı yerden doğması ve Aden toprağının sonundan (Yemen'den) çıkacak olan bir ateşin insanları haşrolacakları yere sürmesidir." buyurmuştur. Bu hadis-i şerifin haricinde daha pek çok nebevî beyanda kıyâmetin bir kısım alâmetleri sayılmakta ve onlar arasında "duhân" da zikredilmektedir.

Kıtlık, Açlık ve Duman

Kimi İslam âlimleri, Abdullâh b. Mes'ûd (radıyallahu anh) tarafından nakledilen şu hadiseyi esas alarak, duman demek olan "duhân"ın gelip geçtiğini savunmuşlardır: Kureyş müşrikleri, mü'minlere işkence edip bazı inananların canlarına kıyacak kadar zulümde ileri gidince, Allah Rasûlü (aleyhi ekmelüttehâyâ) "Ya Rabbî! Bu zâlimlerin gelecek senelerini Yusuf Aleyhisselam dönemindeki kıtlık seneleri gibi kıl!" diye dua etmişti.

Bu duanın üzerinden çok geçmeden müşrikleri müthiş bir kıtlık yakalamıştı. Öyle ki, insanlar kurumuş derileri ve kemikleri dahi kemirmeye, leş parçalarını bile yemeye başlamışlardı; hatta pek çok kimse açlıktan dolayı ölmüştü. Kıtlık ve açlık öyle bir safhaya ulaşmıştı ki, artık insanlar yer ile gök arasını bir duman kaplamış gibi görüyorlardı. Nihayet, Ebû Süfyân, Rasûl-ü Ekrem'e (aleyhissalatü vesselam) gelerek, "Sen bize akrabayı gözetmemizi emrediyorsun; halbuki kavmin açlıktan ve kıtlıktan helâk oldu. Allah'a dua et de onlardan bu belâyı kaldırsın." demişti.

Bunun üzerine, Rahmet Peygamberi dua edince, bol bol yağmur yağmaya başlamış ve kıtlık sona ermişti. Heyhat ki, refâha kavuşan müşrikler o açlık günlerini çabucak unutmuş ve yine eski isyankâr hallerine dönmüşlerdi.

Nitekim, Allah Teâlâ, "O halde sen göğün, bütün insanları saracak olan aşikâr bir duman çıkaracağı günü gözle. Bu, gayet acı bir azaptır." (Duhân, 44/10-11) mealindeki beyanıyla ve müteakip ayetleriyle hem müşriklerin açlıktan her yanı sisli dumanlı gördükleri o kıtlık dönemini hatırlatmış, hem kıtlıktan kurtulduktan sonra şükretmeleri gerekirken onların tekrar inkârlarına döndüklerini nazara vermiş ve hem de bütün inkarcıların bir gün mutlaka büyük bir satvetle yakalanıp cezalandırılacaklarını bildirmişti.

İşte, bazı müfessirler mezkur ayetlerin bu hadiseden dolayı nâzil buyurulduğunu söylemiş; "duhân"ın gerçek duman değil, müşriklerin açlığa marûz kalıp etrafı duman şeklinde görmeleri olduğunu ve bunun da gelip geçtiğini belirtmişlerdir.

Fikir İnhirafı ve Kargaşa

Bazı âlimler ise, kıyâmet alâmetleriyle alâkalı diğer hadisleri de nazarı itibara alarak, söz konusu ayetlerin daha şümullü şekilde anlaşılması gerektiğini, imâ edilen "duhân"ın henüz vuku bulmadığını ve onun kıyâmete yakın bir zamanda görüleceğini söylemişlerdir. Rivâyetlere göre; bu duman inkarcıların kulaklarından girecek, başlarını yakıp kavuracak ve onları öldürecek; mü'minleri de nezleye yakalanmış gibi bir hale düşürecektir.

Allahu a'lem, duhân maddî bir azap da olabilir. Mevzuyla alâkalı hadislerde, bir özenti neticesinde yakalanılan sigara hastalığından atom bombası gibi kitle imha silahlarına ya da ozon tabakasının sebep olabileceği felaketlere kadar bazı âhir zaman belalarına işaretler de bulunabilir. Fakat, biz şimdiye kadar "duhân"ı hep düşünce kaymaları neticesinde oluşan şaşkınlıklar, itikadî marazlar ve fikir hercümerci şeklinde anladık.

Bildiğiniz gibi; her şey önce düşüncede başlar, bir fikir olarak ortaya atılır, sonra im'an-ı nazar ile o meselede derinleşilir; fikir, mefkure haline getirilir ve nihayet o uygulanabilecek bir şey ise projelendirilir, makul bir çerçevede realize edilmeye çalışılır.

Bu açıdan, kelime itibarıyla duman demek olan "duhân" bir yönüyle her şeyin sisli-dumanlı görülmesi, eşyanın mahiyet-i nefsü'l-emriyesine göre algılanamaması; akın karaya, sapın samana karışması; bir kısım güzelliklere açık düşüncelerin yanında karanlık fikirlerin de bulunması ve hemen her şeyin karman çorman olması manasına da gelebilir. Duhân, düşünce borbardımanlarının birbirini takip ettiği, kaba kuvvetin fikir işçilerini inkar bataklığına sürüklediği, hakkın bâtıl gibi gösterilip bâtılın hakmışçasına sergilendiği, iyinin kötüden, güzelin çirkinden, doğrunun eğriden tefrik edilemediği karışık bir dönemin remzi olabilir. Evet, duhândan maksadın, kaba manasıyla bir atom ya da hidrojen bombasının meydana getirdiği dumanı ve toz bulutunu hatırlatan maddî bir felaket olması da mümkündür. Fakat, hadis-i şeriflerde duhânın münkirleri öldürürken mü'minleri de zükâm (soğuk algınlığı, nezle) yapacağına dikkat çekilmesi daha başka manaları akla getirmektedir.

Âhir Zaman Nezlesi

Aslında, zükâm (zükkâm da denir), her ne kadar lügat açısından "nezle" demek olsa da, Araplara ait bir deyimdir ve bir şeyden çok etkilenmeyi, ona imrenmeyi, onun karşısında insanın ağzının sulanmasını ve ağzının suyunun akmasını ifade etmektedir.

Âhir zamanda öyle şeyler ortaya atılacaktır ki, inançsızlar hemen kendilerini salıverecek, gördükleri karşısında adeta baygınlaşacak, sonra şuursuzca onların içine atlayacak ve helâk olup gideceklerdir. İnananlar ise, neticesinin nereye varacağını bilemedikleri o sonradan doğma şeylere belki hemen kendilerini kaptırmayacaklardır ama onlar da bir baş dönmesi, bir bakış bulanıklığı ve kısa süreli de olsa bir şaşkınlık yaşayacaklardır. Arap dilinde bu husus "umumî havadan etkilenme neticesinde gözlerin yaşarmasını, burnun akmasını ve beynin karıncalanmasını" hatırlatan bir deyim olarak zükâm ile dile dökülmektedir ki; biz bunu, kendi lisan zevkimiz zaviyesinden "Bazı fanteziler öyle câzip hale gelir ki, insanların başları döner, bakışları bulanır, ağızlarının suyu akar ve kendilerini onların içine bırakıverirler." şeklinde anlayabiliriz.

İşte, şayet kıyâmetten önce düşünce sahasına büyük bir bomba atılacaksa, -hafizanallah- o bir inkâr-ı ulûhiyet duhanı meydana getirecekse ve neticede her şey simsiyah bir buluta bürünecekse, zaten şüphe ve tereddütte olan kimseler o sisli havada hayatlarını devam ettiremez ve onun içinde boğulup giderler.

Nitekim, bir nihilist filozofun, özünden tamamen uzaklaşmış bir itikada reddiye babında "Ve Tanrı öldü" deyişini, işin künhüne vakıf olamayan bir kısım kimseler "Allah öldü" şeklinde algılayarak öylece ülkemize taşımış ve binlerce insanın dalaletine sebebiyet vermişlerdi. Kezâ, "Din afyondur; fakir-fukaranın teselli kaynağıdır!" düşüncesinden dolayı tamamen devrilen, tırpanlanmış gibi yıkılıp giden bir sürü insan olmuştu. Heyhat ki, bu düşünce inhiraflarının tesirleri sadece inkarcılar üzerinde görülmedi. Kimileri, o fikir kaymaları neticesinde itikadî bir uçuruma yuvarlanırlarken, bazıları da en azından zükâma tutuldular. Onların da, -bağışlayın- burunları akmaya başladı; başları döndü, bakışları bulandı ve ağızlarının suyu aktı. Onlar da hesabı karıştırdılar, fantestik, lüks ve bâtıl mülahazalara kapıldılar.

Bir münasebetle arz ettiğim gibi; bir dönemde İslam dünyasında "İslam sosyalizmi" kitapları yazıldı. Çünkü, bazı mü'minler, ne idüğü belirsiz düşüncelerden o kadar etkilendiler ki, İslâm'daki içtimâî adaleti sosyalizm şeklinde anladılar. Oysa ki, içtimaîlik, İslâmî yapının temeli değil sadece bir yönüdür. "Allah indinde hak din İslâm'dır." (Âl-i İmran, 3/19) Bu mesele malum ve müsellem bir hakikat iken, Marks'tan tevarüs edilmiş bir nazariyenin İslâm'a yamanarak takdim edilmesi, Müslümanlık adına büyük bir gaflet ve cehalettir. Aynı zamanda bu, baş dönmesinin, göz bulanmasının ve hakikatleri mahiyet-i nefsü'l-emriye açısından değerlendirememenin ifadesidir.

Zükâma Mübtelâ Yığınlar

Yakın tarihte böyle bir duman bütün dünyayı sardığı gibi, bizim insanımıza da bir kısım hastalıklar bulaştırmıştı. Bazı inançların ve telakkilerin temsilcileri, dinî dinamikleri itibarıyla ona karşı koyamadıklarından bütün bütün tıkanıp mânen ölmüş, kimi mü'minler de kendi değer ölçülerini iyi bilemediklerinden dolayı zifiri karanlıkta kalmışlardı. Dahası, bir kısım kimseler, kendi mânâ köklerimizi ve değişik zenginliklerimizi hesaba katmadan, tamamen fantastik mülâhazaların ya da lüks tutkularının eseri olan nice nesepsiz şeyleri alıp hazır bir elbise gibi başlarına geçirerek millet yapısındaki tenasübü berbat etmişlerdi.

Evet, hak ve hakîkatı kabul etmeyen maddeci felsefe, ilhad ve küfür dünyasının insanını, manâ plânında öldürürken, Müslümanlar arasına da şüphe ve tereddüt sokmuştur. Bugün hâlâ elinde mendil, burnunu silenlerin durumu ve Batıdan gelen her şeye ağız suyu akıtarak bakanların hali bunun neticesidir. Hazreti Sâdık u Masduk (aleyhissalatü vesselam) Efendimiz'in "Âhir zamanda bir duman zuhûr edecek; kâfirleri öldürecek ve mü'minleri de zükâm yapacaktır." ihbarı ise, bu gerçeğin açıkça ve mucizevî beyanından ibarettir. Bilmem ki, Arapça'ya ve bu dilin inceliklerine vâkıf olamadıklarından dolayı, bu cehaletlerini bir urba ile örtmeye çalışan ve "Bize meâl yeter, hadîse ne lüzum var!" gibi hezeyanlar savuran bazı teologların vaziyetini bundan daha güzel resmetmek kabil midir?

Ezcümle, materyalizm ve basının Müslümanlar üzerinde de tesirini gösterip onları zükâma düçar ettiğinden dolayıdır ki; İslam âleminin gözbebeği sayılan bazı ilim yuvalarında dahi, manaya karşı kör insanlar yetişmiştir. Koca koca unvanlarının ve şöhretlerinin gücüne dayanan bir kısım ilim adamları, sırf fantezi ve lüks tutkusundan dolayı, Müslümanların itikadlarında çok büyük tahribatlar yapmışlardır. Mesela; önce mucizeleri te'vil ile işe başlamış; ardından melek, cin ve şeytan gibi madde ve fizik ötesi varlıkları bazı tabiat kanunlarıyla izaha kalkışmışlardır. Şeytanın, en büyük hilesinin kendini ve varlığını inkar ettirmek olduğunu bilemediklerinden ve dinin esaslarına ters yorumlar yapmak suretiyle İblis'in oyununa geldiklerini fark edemediklerinden dolayı, "cin"leri "mikroplar" şeklinde anlama ve şeytanı varlığı-yokluğu belirsiz bir hale sokma gibi vahim hatalara düşmüşlerdir. Bütün bu düşünce kaymaları ve fikir inhirafları da o "zükâm"ın sonuçlarındandır.

Ayrıca, bu marazın neticelerinden biri de, mü'minler arasında Selef-i Salihîne karşı hürmetsizliğin yaygınlaşmasıdır. Âhir zaman fitnelerinin anlatıldığı hadis-i şeriflerde, bu ümmetin sonradan gelen nesillerinin, çeşitli ithamlar ve bahanelerle önceden gelip geçenlere hakaret etmeleri de kıyâmetin alâmetleri arasında sayılmıştır. Evet, arkadan gelenlerin (halefin), Rasûl-ü Ekrem'in senasına mazhar olmuş Sahabe, Tabiîn ve Etbau't-tabiîn dönemlerinden olan büyükleri (selefi) sıradan kimseler olarak görmeleri ve onlara bazı kusurlar isnad edip saygısızca sözler söylemeleri de çok kötü bir fikir inhirafıdır ve nezleye kapılmak kadar da olsa, duhândan etkilenmişliğin emaresidir.

Haddizatında, müsteşriklerin iddia ve iftiralarıyla bakışı bulanan mü'minlerin, kendi kültür kaynaklarından isabetli neticeler çıkarmaları ve Selef-i Salihîni doğru kriterlerle değerlendirmeleri asla mümkün değildir. Yoksa, inanan bir insan, bazıları tarafından dinin hücceti kabul edilen bir büyük âlim hakkında "Falan İmam bizdeki düşünce hayatını öldürmüş bir kâtildir!." diyebilir mi?!. Kendi boyunu yüksek göstermek için o kâmet-i bâlâyı omuzundan çekip seviyesinin altına indirmeye yeltenebilir mi? İlme, düşünceye ve insan idrakine karşı saygısızlık demek olan böyle bir cürmü, bakış zaviyesindeki sapmadan başka bir sebebe bağlamanın imkanı var mıdır?

Neyse ki, Nezlenin Tedavisi Mümkün!...

Diğer taraftan, Beyan Sultanı (sallallahu aleyhi ve sellem) Efendimiz'in, duhânın tesirini anlatırken seçtiği kelimelerin farklı imâları da söz konusudur. Mesela; -arz ettiğim gibi- lügat itibarıyla soğuk algınlığı ve nezle demek olan zükâm, aynı zamanda insanın bir şeye imrenmesi ve ağzının suyunun akması manalarını çağrıştırmaktadır. İster gribal ve viral bir enfeksiyon gibi maddî hastalık, isterse de bir şeye arzu duyma ve özenme misillü kalbî bir rahatsızlık olarak anlaşılsın, zükâm her zaman tedavi edilebilir.

Bu itibarla da, İslam dünyasının, müştekî bulunduğu salgın nezleden ve viral enfeksiyondan kurtulması kuvvetle muhtemeldir. Gözlerinden sürekli yaş aktığından ve hep burnunu silmekle meşgul olduğundan ya da hayran hayran baktığı surî güzellikler karşısında ağzı sulandığından herhangi bir mevzuya tam konsantre olamayan, dolayısıyla da, Necip Fazıl'ın ifadesiyle, "zıp orada zıp burada" dolaşıp durmasıyla tam bir yüzer gezer hali sergileyen bazı Müslümanların iyi bir tedavi sonucunda tekrar düşünce sıhhatine kavuşmaları ihtimal dahilindedir.

Sözün özü, âlem-i gayba ait bir konu olan "duhân"ın keyfiyetini yalnızca Allah bilir; o, kıtlık döneminde dayanılmaz bir açlıkla karşı karşıya kalan müşriklerin yeri göğü kaplamış vaziyette gördükleri duman da olabilir, kıyâmetten önce inkarcıları kasıp kavuran, mü'minleri de nezle eden maddî bir azap da. Ne var ki, küllî bir nazarla hadis-i şeriflere bakıldığında, duhânı, maddî bir bela şeklinde anlamaktan ziyade, iyinin kötüden, güzelin çirkinden, doğrunun eğriden ayırt edilemediği bir dönemin sembolü olarak kabul etmek daha isabetli görülmektedir. O, ak ile karanın, sap ile samanın, sıdk ile yalanın birbirine karıştığı, dinî kriterlerin arka plana atıldığı, dünya çapındaki düşünce kaymaları yüzünden mü'minlerin de öldürücü yaralar aldığı ve her yanda akl-ı selim adına zifiri karanlığın yaşandığı karmakarışık bir devrin remzi olsa gerektir.

Doğrusu, âlem-i İslam dediğimiz bahtsız coğrafyanın şu anda yaşadığı talihsizlik de işte bundan ibarettir. Fakat, şayet inananlar, kıyâmetin diğer alâmetlerinden Cenâb-ı Hakk'a sığındıkları gibi, duhânın şerlerinden de istiâzede bulunur ve dinin yanıltmaz ölçülerini esas alarak kendi hayat çizgilerini sürekli gözden geçirirlerse, inşâallah, bu hastalıktan en az zararla kurtularak bir kere daha düşünce istikametine, kalb sıhhatine ve his selametine kavuşacaklardır.

Hâlâ Vakit Varken...

Soru: İmanın ve tevbenin kabul edilmediği "hâlet-i ye's" hangi zaman dilimini kapsar. Sebepler açısından iki-üç ay ömrünün kaldığını öğrenen bir hastanın o andan sonraki hali de hâlet-i ye's sayılır mı? Böyle bir hastanın, tam suda boğulacağı an inandığını söyleyen ama imanı makbul sayılmayan Firavun'unki gibi bir akıbete düçar olmaktan endişe duyması doğru mudur?

Cevap: Ye's (yeis); gerçekleşmesi arzulanan bir şeyin artık olamayacağını kabul etmek, onun olmasını ummaktan vazgeçmek, istenen o şeye duyulan beklentiyi bitirmek, ondan bütün bütün ümit kesmek, ümitsizliğe düşmek ve karamsarlığa kapılmak manalarına gelmektedir. "Hâlet-i ye's" ise; bir kimsenin kendi ihtiyarıyla karar veremeyecek kadar korkması, iradesinin felç olması, beklentilerinin son bulması; hususiyle de, can çekişen insanın yaşama ümidinin tamamen tükendiği, ötelere ait emarelerin iyice belirdiği ve artık iman ikrarının fayda vermeyeceği, hayatın o en son anındaki çaresizlik hali demektir.

Bu an, insanın dünya hayatına geri dönmesinin ve küçük bir sâlih amel yapacak kadar şuurluca yaşamasının mümkün olmadığı, -bir tevcihe göre- bunun hem ölmek üzere olan şahıs hem de yanındakiler tarafından bilindiği andır.

Ölüm Gelip Çatınca...

Henüz fırsat varken kendi hür iradesi ile iman etmeyen bir inançsızın, ölüm gelip çattığı ve gözünden perdenin yavaş yavaş kaldırıldığı zaman, ilahî azaba uğrayacağından artık emin olduğu halet-i ye'ste, kendi ihtiyarı ile değil de, korku ve ümitsizlik sâikiyle iman ettiğini söylemesine "iman-ı ye's" denilir. Daha önceden iman ettiği halde, günah ve isyandan yakasını kurtaramayan bir fâsıkın tam öleceği sırada günahlarından tevbe etmesine de "tevbe-i ye's" adı verilir.

Kelam ve Akaid kitaplarında, hâlet-i ye's üzerinde tafsilatlı bir şekilde durulmuş; bu halin başlangıç anı, hangi vakitleri içine aldığı ve o esnada yapılan imanın ve tevbenin makbul olup olmadığı hususundaki görüşler detaylıca ele alınmıştır. Bu mütalaalara esas teşkil eden ayet-i kerimelerden birinin meali şöyledir: "Kötülükleri işleyip dururken, ölüm kendisine gelip çattığında "Şimdi gerçekten tevbe ettim!" diyenlerin ve bir de kafir olarak ölenlerin yaptığı tevbe makbul değildir. İşte öyleleri, kendileri için çok acı veren bir azap hazırladığımız kimselerdir." (Nisa, 4/18)

Evet, büyük bir korku ve telaşın yaşandığı hâlet-i ye'ste, o esnadaki çaresizlik sebebiyle küfürden dönerek îman etmek makbûl sayılmamıştır. Ne var ki, bu halin başlangıç anının çok iyi tesbit edilmesi gerekmektedir. Genel kabule göre; bu vakit, hâlet-i nezi'de (can boğaza gelince) artık tamamen dünyadan ümidin kesilmesi ve sayılı nefeslerin tükenmekte olduğunun hissedilmesi zamanıdır. Vefat etmekte olan insan anlar onu; hisseder elinin ayağının çekilmekte olduğunu. Bazıları için öbür alemin perdeleri indirilir, ahiret kapıları açılır; insan bütün dehşetiyle ölüm ötesini görür. İstisnalar olsa da, çehrede ekşimeler başgösterir. Bir anda gözünün önünde beliren ötelere ait tablolar karşısında insanın yüz hatları gerilir; el, ayak, yüz ve göz hareketleri yolculuk telaşını dışa aksettirir. Gayri insan yaşama ümidini tamamen yitirir. Orada hazır bulunanlar da hastanın gidici olduğunu bilirler. Doktorlar durumu anlar ve tesbitlerini seslendirirler; "kalb ölümü" derler, çok geçmeden "beyin ölümü"nün de gerçekleşeceğini muhakkakmış gibi haber verirler.

İşte, bir kimse, ölüm emareleri bu derece belirmeden ve can boğazına gelmeden önce, hâlâ bir hayır kesbine imkân bulabileceği bir zaman diliminde aklı başında olarak iman ederse, henüz ye's hali tahakkuk etmemiş sayılır ve o andaki imanı makbûl olur. Can çekişme hali başlamadan önce bir ân-ı seyyale bile olsa, kendi hür iradesiyle inanabildiği takdirde onun imanı geçerlidir. Nitekim, Rasûl-ü Ekrem (sallallahu aleyhi ve sellem) Efendimiz'in Ebu Talib'e iman teklif ettiği an da bu andır. Ebu Talib, bu tekliften sonra, -ekser rivayetlere göre- müşrik dost ve arkadaşlarının zorlamalarıyla "Abdulmuttalip'in dini üzere..." demiştir. Rehber-i Ekmel, ona ölüm döşeğinde olduğu bir anda iman davetinde bulunduğu nazar-ı itibara alınırsa, demek ki, insanın şuuru bütün bütün bulanıp muhtel olmadığı sürece, imanın kabul edilmesi için hâlâ bir fırsat vardır.

Fakat, o son fırsatı da değerlendiremeyen bir kimse, üzerinde ölümün emareleri iyice belirip ruhun bedenden ayrılışının şiddetli hali kendisini sardığı ve öbür aleme tam adım atmak üzere olduğu zaman iman ettiğini söylerse, bu, iman-ı ye's kabul edilir. İmanın sahih olması için, en azından şuurluca "Allahım, hayatımı berbat ettim, ömrümü boş yere geçirdim; fakat, ahirete yürüdüğümü derinden hissettiğim şu dakikada da olsa, artık iman ediyorum!" demek ve sonra da, imanı ifade sadedinde bir sâlih amel ortaya koyacak, bir vakit namaz kılacak kadar yaşamış olmak iktiza eder. İmanını beyan ettikten sonra küçük bir hayır işleyecek kadar dahi vakti kalmamış bir insanın nefsi elinden çıkmış ve iradesi iflas etmiş demektir ki, böyle birinin imanı makbul değildir.

Bazı alimler ye's kelimesi yerine be's sözünü de kullanmışlardır. Be's; azap, zarar, şiddet, ceza, sıkıntı, güç ve kuvvet demektir. Tarih boyunca nice kavimler yaşamıştır ki, onlar kendilerini her şeyden müstağni saymışlar ve gururlarına kapılarak hakka çağıran her sese kulak tıkamışlardır. Kendi dönemlerindeki peygamber apaçık deliller getirdiği ve Allah'a davet ettiği zaman bile kibirden vazgeçmemiş, şımarıp böbürlenmiş ve Allah elçisine sırt çevirmişlerdir. Dahası, Allah'ın dinine girmeleri ve hidayete ermeleri için çırpınıp duran peygamberi alaya almış ve ona olmadık işkenceler yapmışlardır. Nihayet, yaptıklarının cezası olarak, Allah'ın azabı gelip kendilerini her taraftan kuşatıvermiştir. O âna kadar imana kapalı yaşayan bu şımarık kimseler, o dehşetli azabı görür görmez o güne dek yapıp ettiklerini bir anda unutmuşçasına inandıklarını iddia etmiş ve Cenâb-ı Hakk'a teslim olduklarını söylemişlerdir.

Kur'an-ı Kerim, azab-ı ilahiyi karşısında görüp korku ve telaşla iman ettiğini söyleyen kimselerin acıklı halini anlatırken mealen şöyle der: "Onlar Bizim azabımızın şiddetini görür görmez "Allah'ın birliğine iman ettik, O'na şerik saydığımız putları da red ve inkâr ettik" dediler. Fakat azabımızı gördüklerinde iman etmeleri kendilerine fayda sağlamadı. Allah'ın, kulları hakkındaki carî âdeti hep böyle olmuştur ve kâfirler işte bu noktada yanılarak hüsrana uğramışlardır." (Mü'min, 40/84-85) Evet, ayet-i kerimede de açıkça ifade edildiği gibi, ancak kendilerine vaad edilen korkunç akıbet gelip çatınca iman iddiasında bulunanların imanları makbul değildir ve onların sözde imanları kendilerine hiçbir fayda vermeyecektir. Çünkü, o andaki ikrarları kendi ihtiyarları ile değil, korku ve ümitsizlikten dolayıdır. Hür iradesi ile Hakk'a teslim olmayan kimselerin, geleceği söylenen azabın apaçık görüldüğü böyle bir yeis zamanında iman etmeleri çaresizlikleri sebebiyledir ki, bu türlü faydasız bir imana -iman-ı ye's yerine- iman-ı be's de denegelmiştir.

İmanın Kerâmeti

Allah'ın azabı gelip kapıya dayanmak üzere iken iman edip kurtulan tek kavim Hazreti Yunus'un (aleyhisselam) ümmeti olmuştur. Onlar, Hazreti Yunus'un haber verdiği azabın emareleri belirir belirmez çok ciddi bir pişmanlıkla, hep beraber iman edip Cenâb-ı Hakk'a teslimiyetlerini ifade etmişler ve böylece helâka uğramaktan kurtulmuşlardır. Kur'an-ı Mu'ciz-ül Beyân onları -mealen- şöyle anlatmaktadır: "Azap gelip çattığı zaman imana gelip de bu imanı kendilerine fayda vermiş olan bir tek memleket halkı olsun, bulunsaydı ya! Asla böyle bir şey vaki olmamıştır. Ancak Yunus'un halkı müstesnadır ki; onlar iman edince, kendilerinden dünya hayatındaki rüsvaylık azabını uzaklaştırıp giderdik ve onları bir süre daha yaşattık." (Yunus, 10/98) Evet, Yunus Aleyhisselam'ın kavmi kurtulmuştur; çünkü, onlar felaketin işaretleri daha uzaktan görünür görünmez "küllî bir tevbe" ve "küllî bir iltica" ile bağışlanma dilemişlerdir; henüz azab-ı ilahi gelmeden önce böyle gönülden iman ettikleri için imanları sahih olup fayda vermiştir.

Bu arada, kıyâmetin büyük alâmetleri zuhur ettiği veya kıyamet kopmaya başladığı zaman iman etmek de iman-ı ye'se dahildir ve sahibine fayda vermeyecektir. Allame Hamdi Yazır, kıyametin büyük alâmetlerinden önce iman etmiş olan kimsenin kurtulacağını, fakat bu âyetlerin zuhurundan itibaren ikrar edilen imanın kabulü için, bu şuurlu iman ile beraber bir hayır işlemenin de şart olduğunu belirtmektedir.

Diğer taraftan, hâlet-i ye's açısından, bir inançsızın iman etmesi ile bir mü'minin tevbesini birbirinden ayırmak ve farklı şekilde değerlendirmek gerekmektedir. İslâm âlimleri ye's ve be's halinde iman etmenin geçersiz olduğu hususunda ittifak etmişlerdir; fakat, o durumdaki bir fâsık mü'minin tevbesinin makbul olup olmadığı konusunda değişik görüşler ileri sürmüşlerdir. Genel kanaat, günahkar bir mü'minin tevbesinin ye's halinde bile makbul olduğu yönündedir.

Evet, ümit ve recâm odur ki, bir mü'min, o dakikaya kadar günah işlemiş olsa da, ölüm döşeğinde ve ahirete ait tabloları görmenin ürpertisini yaşadığı bir anda bile tevbe etse Rahman ü Rahim onun tevbesini kabul buyurur. Çünkü, o tevbenin bir arka planı ve bir noktayı istinadı vardır. O insan, daha önceden iman etmiştir, belli ölçüde sâlih amel de yapmıştır; nihayet günahları kalmıştır sırtında, hatta bunlar altından kalkılması çok zor ağırlıkta da olabilir. "Allah'ın meşietine kalmış; dilerse affeder, dilerse de azap eder" hakikatı mahfuz, iman sermayesine sahip böyle birisi o esnada Cenâb-ı Hakk'a tevbe ederse, o iman iksiri hürmetine Mevlâ-yı Müteâl onu bağışlayabilir. İmana o kadar teveccüh-ü ilahi olması ve iman çekirdeğinin o denli semere vermesi de gayet normaldir. İman etmiş ama sâlih amel yapamamış, hatta günahlara girip çıkmış ve belli ölçüde kirlenmiş bir mü'minin tevbesinin son anda da olsa kabul edilmesine ve onun da mağfiretten mahrum bırakılmamasına "imanın kerameti" diyebilirsiniz. Bunu, Allah ile azıcık bir münasebetin ilahî ikrama vesile kılınması; küçücük bir aralıktan da olsa kulun teveccüh ve nazarına, Cenâb-ı Hakk'ın en kritik bir anda hususî teveccüh ve nazarla mukabelede bulunması sayabilirsiniz.

Hâsılı, can çekişme halinden önce, henüz hayattan ümit kesmeden ve ondan bütün bütün kopmadan küfürden dönmek ve imana yönelmek makbuldür. Ne var ki, bir manada gözler dünyaya kapanıp ukbaya aralanmışsa ve şuurlu imandan sonra bir vakit namazla dahi olsa amel etme imkanı kalmamışsa artık fırsat fevt edilmiş demektir. Bununla beraber, iman etmiş olmasına rağmen fısk u fücurdan bir türlü kurtulamamış kimseler için her zaman bir ümit kapısı açıktır. Nitekim, Mevlâ-yı Müteâl -mealen- şöyle buyurmaktadır: "Ey çok günah işleyerek kendi öz canlarına kötülük etmede ileri giden kullarım! Allah'ın rahmetinden ümidinizi kesmeyiniz. Allah dilerse bütün günahları mağfiret eder. Çünkü O, gafûr ve rahîmdir (çok affedicidir, merhamet ve ihsanı fazladır)." (Zümer, 39/53) Öyleyse, vaktinde iman etmiş kullar için, tevbe mevzuunda özel bir muamele ve bir himayenin olabileceği Allah'ın rahmetinden ümit edilir.

Firavun'un Akıbeti

Buraya kadar arz etmeye çalıştığım hususlar zaviyesinden bakılırsa, sebepler açısından iki-üç aylık ömrünün kaldığını öğrenen bir hastanın durumunun hâlet-i ye's çerçevesine dahil olmayacağı anlaşılacaktır. O insan için hâlâ bağışlanma fırsatları ve kurtuluş vesileleri mevcuttur. Böyle bir mü'minin, ölümü ensesinde hissetmesinin kazandıracağı ruh haletiyle kısa sürede pek çok mertebe katedebileceği halde, "Nasıl olsa kurtulurum!" diyerek boş kuruntuların, ümniyelerin peşine takılması ve hususi muamele beklentisiyle geri kalan ömrünü boşa harcaması yanlış olduğu gibi; kendisini, tam suda boğulacağı an inandığını söyleyen ama imanı makbul sayılmayan Firavun'a benzetip ümitsizliğe düşmesi de yanlıştır.

Kur'an'da ve hadis-i şeriflerde adı zikredilmediği için ismini tam bilemediğimiz Firavun, tarih kitaplarında Amenophis, Râ (İbnü'şşems), Ramses ve Mineftah gibi adlarla anılmaktadır. Bunlardan hangisinin ya da hangilerinin Hazreti Musa'ya muasır olduğu mevzuunda da ihtilaflar vardır. Fakat, önemli olan isim değil, Kur'an-ı Kerim'de ortaya konan Firavun tipi ve karakteridir; çünkü, Firavun'un anlatıldığı ayetlerle Firavunî şahıs ya da toplumların temel özellikleri nazara verilmektedir.

Firavun, ilâhlık ve rablık iddiasında bulunan ve yeryüzünde kendisinden başka itaat edilecek bir güç tanımayan bir tirandır. Diğer bir yönüyle de o, hadiseleri hep sebeplere bağlayan bir esbabperesttir. Bu açıdan da, onun dalgalar arasında debelenirken fevkalâdeden bir kurtuluş beklemesi mümkün değildir. Dolayısıyla, onun o andaki hali, kendisinden başka güçlü tanımayan ve sebepleri alt üst edebilecek ilahî kudreti kabul etmeyen bir mütekebbirin muhakkak gördüğü ölüm karşısında müthiş bir korku ve helecanla çırpınması şeklindeki tam bir hâlet-i ye'stir. Firavun, boğulmak üzere olduğu işte o anda çaresizlik içinde "İman ettim; İsrailoğullarının inandığı İlahtan başka tanrı yokmuş. Ben de Müslümanlardanım!" demiştir. (Yunus, 10/90)

Daha önce Allah'a hep karşı gelmiş, isyan etmiş ve bozgunculuk yapmış olan Firavun, hiçbir kaçış ve kurtuluş ihtimalinin kalmadığı o vaziyette "iman ettim" deyince ona "Şimdi mi? Halbuki bundan önce isyan etmiştin, bozgunculardan olmuştun!" denilmiştir. (Yunus, 10/91) Evet, Firavun'un imanı kabul edilmemiştir; zira o, iman iddiasında bulunduğu esnada halet-i ye's içinde kıvranmaktadır.

Ayrıca, Firavun'un kullandığı ifade de onun samimi olmadığını ima etmektedir. O, "Allah'a iman ettim" ya da "Hazret-i Musa'nın Rabbine inandım" sözü yerine "İman ettim; İsrailoğullarının inandığı ilahtan başka tanrı yokmuş!" demeyi seçmiştir. Oysa, sihirbazların iman edişi anlatılırken onların "Rabbülâlemin'e, Mûsâ ile Harun'un

Rabbine biz de iman ettik!" (Şuara, 26/47-48) dediklerine vurguda bulunulmaktadır. Çünkü, sihirbazlar inandıklarını söylerken samimiydiler; Hazreti Musa ve Hazreti Harun kime Rab diyorlarsa ona; yani, esmasıyla malum, sıfatlarıyla muhat ve zatıyla mevcud-u mechul bir ilaha, Kelîmullah'ın haber verdiği ma'bud-u mutlak Allah'a inanıyorlardı. God'a değil, Tanrı'ya değil, Diyo'ya değil, Huda'ya değil, İsrailoğulları'nın bazılarının kendilerince beşerî sıfatlar yakıştırdıkları Yehova'ya da değil, Peygamberlerinin tanıttığı Hazret-i Allah'a inandıklarını ikrar ediyorlardı. Dolayısıyla, onlar o kapıyı doğru çalmışlardı ve imanları da makbul olmuştu.

Fakat, Firavun "İsrailoğulları'nın inandığı ilaha inandım" demek suretiyle iki büyük hatasını ele veriyordu. Birincisi; bir kısım İsrailoğulları'nın, içinde elli türlü çarpıklık bulunan Zat-ı uluhiyet telakkilerini esas alıyor; onların nezdinde -Eski Ahid'e de aksettiği üzere- haşâ ve kellâ kızan, öfkelenen, etrafını yakıp yıkan ve bu haliyle insana benzeyen bir ilaha inandığını söyleyerek orada bile kapıyı yanlış çalıyor; Cenâb-ı Hakk'a Seyyidina Hazreti Musa'nın çizgisinde teveccüh etmemiş oluyordu. Dahası, eksik ve yanlış ikrarını dahi tam bir taklit havası içinde seslendiriyor; adeta "Madem onlar kabul ediyor ve suda boğulmaktan kurtuluyorlar; öyleyse ben de kabul ediyorum!" diyordu. İkincisi; bir insanın imanının sağlam olması için, Allah'ın elçisine de iman etmesi şarttır. Firavun'un iman ettiğini söylerken kullandığı ifadede, kibrinden ve inadından dolayı hâlâ Hazreti Musa'nın peygamberliğini tasdîke yanaşmadığı sezilmektedir.

Bu itibarla, Firavun'un gönülden iman etmediği ve içine düştüğü felâketten kurtulmak için bu yola başvurduğu âşikârdır. Maksadı, Zât-ı Uluhiyetin varlığını ve birliğini ikrar etmek, O'nun kudretini ve azametini kabullenmek değil, bir şekilde ölümden kurtulmaktır. Dolayısıyla da, onun bu hâlet-i ye's içinde yaptığı iman ikrarı makbul olmamıştır. Binaenaleyh, günahkâr da olsa herhangi bir mü'minin âhir ömründeki tevbesinin mütekebbir Firavun'un "inandım" demesine benzetilmesi söz konusu değildir.

Görülmemiş Hesaplarla Öteye Gitmeyin!...

Evet, bir mü'min için tevbe kapısı her an açıktır; ne var ki, insan, altından kalkılmaz hesaplarla ötelere gitmemek için hep temkinli davranmalı, sürekli temiz yaşamalı, ezkaza kirlenmişse hemen temizlenmeye çalışmalı; elinde fırsat varken günah ve kul hakkı gibi ağırlıklardan kurtulmanın yollarını araştırmalı ve ölüme her an hazırlıklı olmalıdır. Şayet, zamanında bunları yapamamışsa, hiç olmazsa, ötelere yolculuk hesabına net sinyaller almaya başladığı vakit, hayatını bir kere daha gözden geçirmeli, bari ömrünün geriye kalan kısmını imar etmeli ve ölüp giderken kendi harabesinin altında kalmamaya bakmalıdır.

İnanan bir insan, sebepler açısından çok az bir ömrünün kaldığını düşünüyorsa, -ki bu bir ay da olabilir bir hafta da, bir gün de olabilir bir saat de- Allah'ın lutfettiği iman blokajını çok iyi değerlendirmeli; mümkün olduğu kadarıyla farz ibadetlerinden eksik kalanları kaza etmeli ve hususiyle üzerindeki kul haklarını ödeyerek onlardan kurtulmaya gayret göstermelidir. Gıybetini yaptığı, hakkını yediği, bir kötülük ettiği... kim varsa, onlara ulaşmanın ve helallik almanın bir yolunu mutlaka bulmalıdır. Hatta gerekirse, bir gazeteye, bir televizyona ya da bir radyoya ilan vermeli ama ne yapıp edip ahirete görülmemiş hesaplarla gitmeme cehdi sergilemelidir. Bir an önce vasiyetini yapmalı; "Falana şunu verin, filana bunu deyin; şuna hakkını ödeyin!.." demeli ve kul hakları açısından bütün

bütün temizlenme arzusunu ortaya koymalıdır. O, gücünün yettiği kadarını yapmaya çalışırsa, inşaallah eksiklerini de Cenâb-ı Hak tamamlayacaktır. Rabb-i Rahîm'in engin bir rahmeti vardır; Allah Teâlâ ötede hak sahiplerine "Benim bu kulumdaki hukukunuzdan vazgeçin, ellerinizi onun yakasından çekin, Ben de size şu Cennet köşklerini vereyim!" diyebilir.

Ne var ki, böyle bir akıbet Mevlâ-yı Müteâl'in sürpriz iltifatlarına vâbestedir; hâlis mü'min ise, hayatını harikulâdeliklere ve sürprizlere bina edemez/etmemelidir. Bu itibarla da, o doğrudan doğruya haram ve helal mülahazasına bağlı yaşamalı; hakkı hak bilmeli, hem Allah'ın hakkına hem de hukuk-u ibâda riayet etmeli ve şayet bir haksızlık yapmışsa, ilk fırsatta ondan arınma yollarını araştırmalıdır.

Mevzuyla alâkalı son bir husus da, ölüme iyice yaklaştığını düşünen bir insanın havf-recâ dengesidir. Bir kimse vardır ki, ta baştan itibaren bir havf (korku) insanıdır, daha ziyade terhîblerden (kalbe endişe ve korku hissi salan sözlerden) mütessir olur. Cenâb-ı Hakk'ın mehafet ve mehabetini hatırladığı zaman yüreği ağzına gelir. Böyle birinin bütün bütün ümitsizliğe düşmemesi, tamamen ye'se kapılmaması ve Allah'ın rahmetine karşı saygılı kalarak O'nun hakkındaki hüsnü zannını koruması açısından ondaki reca duygusunu biraz tetiklemek fayda sağlar. Bir başkası da vardır ki, onda vurdumduymazlık daha baskındır; o umursamaz ve deryaya atsan ıslanmaz bir yapıdadır; Zât-ı Uluhiyeti hatırlayıp da ürperdiği ve gözlerinin yaşardığı hiç vâki değildir. İşte, bu türlü bir insanı da gafilâne ölüp gitmemesi için daha çok havf iklimlerine çekmek lazımdır.

Fakat, çocuklar için meseleyi hep recâ öncelikli götürmek gerekir. Gerçi, onlar da havftan tamamen azâde tutulmamalıdırlar, çocuklar da kötülerin cezalandırılacağının farkına vardırılmalıdırlar. Fakat, bu onların ruh dünyalarında derin yaraların açılmasına sebebiyet vermemelidir. Belki Samanyolu'ndaki "Büyük Buluşma" dizisini seyreden çocukların, şerli kimselerin Cehennem'i temsil eden kapıya doğru yürüdüklerini görünce, adaletin yerini bulduğunu düşünüp, "O buna müstehaktı!" demelerindeki espriye bağlı kalınarak, genel manada ceza mülahazası yumuşak bir üslupla işlenmelidir. İyi kimselerin mutlaka huzura ereceklerine inanan çocuklara kötülerin de cezasız kalmayacağı anlatılmalıdır. Ancak bu esnada, mevzuyu hem kendileri hem de yakınları açısından inşirah verici bir şekilde algılamalarına ve içlerinde bir burukluk yaşamamalarına da dikkat edilmelidir. Evet, onlara, Zât-ı Uluhiyetin rahmetinin enginliğinden bahsedilmeli; çocukların ötede ilahî iltifata mazhar olacaklarından, yeni açmış güller gibi annelerinin kucağında öpülüp koklanacaklarından, Cennet ağaçlarının başında kumrular misali şakıyıp duracaklarından dem vurulmalı ve böylece onların Allah'a karşı sevgi hisleri sürekli harekete geçirilmelidir.

İmam Gazâlî hazretlerinin yaklaşımıyla, Allah korkusunun insanı günahlardan uzaklaştırıp, sevap atmosferine yaklaştırdığı yerlerde sürekli havf soluklamak; yeis çukurlarına düşmenin muhtemel olduğu veya ölüm emârelerinin iyice belirdiği zamanlarda da recâya sarılmak bir esas olmalıdır. Evet, insanı lâubâliliğe iten "nasıl olsa kurtulurum" mülahazasına karşı korku unsurlarını öne çıkarmak, ümitsizlik hazanlarının esip-durduğu anlarda da recâ seralarına sığınmak lazımdır. Şu kadar var ki, recânın boş ve amelsiz bir temennî değil, rahmeti ihtizâza getirme yolunda kavlî ve fiilî bütün vesileleri değerlendirerek, ilahî dergaha ilticâ kapılarını zorlamanın unvanı olduğu da hiç unutulmamalıdır.

Kur'an Talebesi ve İki Tehlike

Soru: Bir hadis-i şerifte, yaşlılara, âdil idarecilere ve Kur'an ehline ikramda bulunmanın Allah'a duyulan saygı ve tazimden ileri geldiği ifade edilirken, son gruptakiler için "gulüv" ve "cefâ"dan uzak kalmaları kaydı konuluyor. Nebevî beyanda dikkat çekilen gulüv ve cefâdan maksat nedir?

Cevap: Ebû Mûsâ (radıyallahu anh) hazretlerinden rivayet edildiğine göre; Rasûl-ü Ekrem (sallallahu aleyhi ve sellem) Efendimiz şöyle buyurmuştur: "Saçı–sakalı ağarmış Müslümana, Kur'an-ı Kerim'i usûlüne uygun olarak okuyan, içindekiyle amel hususunda ölçüyü aşmayan ve ondan uzaklaşmayan insana, bir de herkesin hakkını gözetmeye çalışan âdil idareciye ikram etmek, Allah Teâlâ'ya duyulan saygı ve ta'zimden ileri gelir."

Hadis-i şerifin metninde yer alan "ikram" tabiri, ana dilimizde sunmak, ihsan etmek, ağırlamak ve misafirperverlik göstermek manalarına gelen ikram kelimesinden daha şümullüdür. İkram sözcüğü, Türkçe'de oldukça dar ve biraz da maddî manada kullanılmaktadır. Arapça'da ise, bu kelime, birine değer vermeyi ifade eden her türlü tavır ve davranışın adıdır: Hürmet etmek, tazim göstermek, selam vermek, ayağa kalkmak, tebessümle karşılamak, hep güleryüzlü davranmak, sonradan gelene yer açmak, tatlı sözlerle konuşmak, bağış, ihsan ve keremde bulunmak gibi iyiliklerin hepsi birer ikramdır.

Hamele-i Kur'an

Hazreti Sâdık u Masdûk (sallallahu aleyhi ve sellem) Efendimiz, Müslüman yaşlıya ve herkesin hakkını gözeten idareciye -en geniş manasıyla- ikramda bulunmaya teşvik etmenin yanı sıra, "hâmil-i Kur'an" olan insanları da aynı çizgide zikretmiş ve onların da hürmete layık kimseler olduklarını belirtmiştir.

"Hâmil-i Kur'an", lügat itibarıyla, Kur'an-ı Kerim'in metnini zihnine yerleştiren, onun ahlakı ile ahlaklanan ve ilâhî hükümlere uygun olarak yaşayan insan demektir. Aslında, "hâmil-i Kur'an" ya da çoğul ifadesiyle "hamele-i Kur'an"; hâfız âlim ve âbidler başta olmak üzere, Allah'ın kelamını şuurluca okumaya ve Cenâb-ı Hakk'ın marziyatını anlamaya çalışan, idrak ettiği ulvî hakikatleri diğer insanlara da duyurma uğrunda her türlü fedakarlığa razı olan, Kur'an hizmeti yolunda taşınması hayli güç yükleri omuzlayan, gönül verdiği davanın gerektirdiği vazifeleri eda ederken karşılaştığı zorluklara katlanan ve daima ilahî emirlere muvafık hareket etme duyarlılığı içinde bulunan insanların umumî unvanıdır.

Selef-i Salihîne göre; hakiki Kur'an ehli olanlar, sadece onu yüzünden veya ezbere okumayı bilenler değil, aynı zamanda onunla amel edenlerdir. Bu itibarla Mushaf'ın tamamını ezbere bildiği halde onun emirlerine uygun hareket etmeyenler "hamele-i Kur'an" sayılmazlar. Evet, "hâmil-i Kur'an", Kitab-ı Hakîm'in hepsini ya da bir kısmını ezberleyenden ziyâde, ona talebe ve hâdim olma mes'ûliyetini idrâk eden ve hayatını onun emirleri ışığında sürdürme gayreti gösteren insandır. Nitekim, soruya esas teşkil eden hadis-i şerifte, "Ve hâmili'l-Kur'ani gayri'l-gâlî fîhi ve'l-câfî anhu" denilmiş; Kur'an ile meşgul olan bir insanın hakiki "hâmil-i Kur'an" sayılması ve ikrama layık görülmesi için gulüv ve cefâdan uzak bulunması gerektiği ifade edilmiştir.

Bazı âlimler, "gulüv" ifadesini, kıraatin usulünde olmayan taşkınlıklara girmek, tecvidde ve harflerin mahreclerinde mübâlağa yapmak, kelimelerin hakkını hiç veremeyecek ve ayetlerin manalarını düşünemeyecek kadar hızlı okumak şeklinde anlamışlardır. "Cefâ"yı ise, Kur'an-ı Kerim'i öğrendikten ya da ezberledikten sonra unutmak, Kelam-ı İlahî'yi adeta terketmek ve onunla yeterince meşgul olmamak diye yorumlamışlardır. Bu zaviyeden, saygıdeğer bir hâmil-i Kur'an, bir yandan, ayetleri usûlüne göre okuyan, tecvid kaidelerine riayet eden, harflerin mahreclerini gözeten ve bu hususların hiçbirinde haddi aşmayan, aşırılıklara kaçmayan; diğer taraftan da, Kur'an'dan asla uzaklaşmayan, ezberlediği sureleri sürekli tekrar etmek suretiyle hiç unutmayan ve Kitabullah'ı okuyup anlamaya çalışmaktan kat'iyen dûr olmayan kimsedir.

Hâricî Taşkınlığı

Ne var ki, Söz Sultanı'nın (aleyhissalatü vesselam) betahsis gulüvde bulunan "gâlî" ve cefa eden "câfî"yi nazara vermesinde daha derin manalar aramak lazımdır. Zira, "gulüv" mübalağanın şiddetli derecesinin ismi olduğu gibi, herhangi bir mevzuda galeyâna gelmek, ayaklanmak, taşkınlık yapmak ve haddi aşmak demektir. Bu itibarla da, Kur'an-ı Kerim'e çok bağlı görünen ve onu baştan sona çok iyi ezberleyen bazı kimselerin dinin diğer delillerini yok saymalarından ve dolayısıyla bir kısım yorum hatalarından kaynaklanan aşırılık ve taşkınlıkları da gulüvdür. Bir yönüyle, her şeyi Kur'an'a bağlama ama onu yorumlarken haddi aşma; Rasûl-ü Ekrem Efendimiz'in şerh, izah ve tefsirlerini nazar-ı itibara almama, Selef-i Salihînin görüşlerine kıymet vermeme ve kuru nasçılık gibi bir yolda yürüme de gulüvdür. Evet, ilk dönem itibarıyla Hâricîler, daha sonra Zâhirîler ve nihayet o cereyanların tâ günümüze kadar uzanan farklı kolları incelenecek olursa, Kur'an'ın gölgesinde ve ona bağlılık adı altında ortaya konan aşırılıkların pek çok misali görülecektir.

Hâricîler, Sıffîn muharebesinde, hakem tayinine razı olup anlaşmayı kabul ettiği için Hazreti Ali'den uzaklaşan, Haydâr-ı Kerrâr'ı büyük günah işlemiş olmakla suçlayan ve kendileri gibi düşünmeyen -sahabîler de dahil- diğer Müslümanları –hâşâ– kâfir sayan sapık kimselerdi. Gerçi onlar, Kur'an'ı çok okuyorlardı; fakat, onun zâhirî manasına sarılıyor ve kendi anladıklarının dışında başka hiçbir ihtimal kabul etmiyorlardı. Kendileri gibi düşünmeyen bütün insanların dalâlette olduklarına inanıyor ve onlara karşı son derece acımasız, gaddar ve zalimce davranıyorlardı. Hâricîler, dar ufuklu ve düşünce fakiri insanlardı; bu sebeple bağnazlığa, huşunete ve hoşgörüsüzlüğe saplanmış; sertliğe, şiddete ve kabalığa sürüklenmişlerdi. Ruhlarındaki taşkınlık ve atılganlıklarının da tesiriyle bir din hâline getirdikleri slogan ve heyecanlarının peşinde yürüyorlardı. Evet, onları bilgi ve marifet değil, slogan, heyecan ve muhâlif olma düşüncesi yönlendiriyordu.

Hâricîlere göre; Cenâb-ı Hak'tan başka kimsenin herhangi bir konuda hüküm verme yetkisi yoktu ve böyle bir yetkiyi kabul edenler onların nazarında kâfir olurlardı. Bundan dolayı, hususiyle, "Kim Allah'ın indirdiği ahkâm ile hükmetmezse işte onlar tam fâsıklardır." (Mâide, 5/47) mealindeki âyetin zâhirî manasına takılan ve onu "Lâ hukme illâ lillâh – Hüküm ancak Allah'ındır." şeklinde bir propaganda sözüne dönüştüren Hâricîler, dillerine doladıkları bu cümleye dayanarak Sıffîn'de hakemlik yapan Amr bin Âs ve Ebû Musa el-Eş'arî'yi, Hazreti Ali de dahil hakemleri kabul eden bütün mü'minleri ve hatta Cemel vak'asına katılan Hazreti Âişe,

Hazreti Talha ve Hazreti Zübeyr (radıyallahu anhüm ecmaîn) gibi güzîde sahabileri –hâşâ, yüz bin kere hâşâ– kâfir ilan etmişlerdi. İşte, bu tam bir gulüv idi. Hâricîler, meseleleri nasların zâhirî manalarına bağlayarak yorumda aşırılığa girmiş, hadlerini aşmış ve Kur'an yolunda Kur'an'dan cüdâ düşmüşlerdi. Her meselede, "Acaba, bu konuda Allah Rasûlü hangi esasları vaz'etmiş; Ashab'ın ileri gelenleri neler söylemiş; Selef-i Salihîn nasıl davranmış?" demeleri ve böylece kendi anlayışlarını test etmeleri gerekirken, onlar, hevâ ve heveslerine sağlam fikir sureti verme ve kendi kanaatlerini güçlendireceğine inandıkları ayetleri bu uğurda kullanma yolunu seçmişlerdi. Bu itibarla da, onlarınki Kur'an'a bağlılık değil, Kur'an'ı kendilerinin anladığı şekilde anlatmada inat ve onu işlerine geldiği gibi değerlendirmede ısrardı.. aklın hakkını vermek ve dengeli hareket etmek değil, düpe düz bir ifrattı.

Gulât'ın İfratları

Diğer taraftan, Hâricîlerin bu müfrit halleri, farklı bir ifratın doğmasına sebebiyet verdi. Onlar Hazreti Ali'ye kâfir deyince, bu defa da bazı Hazreti Ali taraftarları bir tecessüd, bir ittihad ve bir hulûl yanlışına düştüler; -hâşâ- "Allah onda hulûl etmiştir." deme dalâletine saplandılar.

Haddizâtında, Hazreti Üstad'ın da ifade ettiği gibi; Rasûl-ü Ekrem (sallallahu aleyhi ve sellem) Efendimiz, bazı kimselerin bu dalâletini çok önceden Hazreti Ali'ye (kerremallahu vechehu) haber vermişti. Hazreti İsâ (aleyhisselam) sebebiyle, birisi ifrat-ı muhabbetten ve sevgiyi su-i istimal ettiğinden, diğeri ise ifrat-ı adâvetten ve düşmanlıkta haddi aştığından dolayı iki grup insanın helâkete gittiğini hatırlatmış ve Haydâr-ı Kerrâr'a "Senin hakkında da, bazıları muhabbetin meşru sınırını aştıklarından, diğer bir kesim de düşmanlıkta taşkınlık yaptıklarından dolayı felâkete sürüklenecekler." buyurmuştu.

Nitekim, Hâricîler ve Nâsıbîler Hazreti Ali'ye düşmanlıkları yüzünden kaybederken, bazıları da ona karşı sevgilerini meşru dairede tutamadıklarından dolayı yoldan çıkmış; o Şah-ı Merdân hakkında küstahça iddialarda bulunmuş ve ona -hâşâ- Cenâb-ı Hakk'ın yanında, Arş-ı A'zamda oturma gibi bir paye vererek ayrı bir ifrata kapaklanmışlardı. İşte bu da farklı bir dengesizlik ve gulüv idi. Zaten, birbirinden farklı kolları hep beraber zikredilirken bu gruptakiler, azgınlar takımı ve aşırı uçlar manasına "gulât" adıyla anılagelmiştir.

Değişik şubeleri arasında bazı farklılıklar bulunsa da, gulâtın en önemli hususiyetleri; Rasûlullah'ın (sallallahu aleyhi ve sellem) ve Hazreti Ali'nin (hatta Ehl-i beyt imamlarının) bir nevî ilahlığına, onların gaybı bildiklerine, hâdis değil kadîm olduklarına, onları tanımanın yükümlülükleri kaldırdığına, Ehl-i beyt imamlarının peygamberliğine ve bazılarının ruhunun diğerlerine tenasüh ettiğine inanmalarıdır ki, bütün bu düşünce inhirafları da birer gulüvdür.

Binaenaleyh, başta Hazreti Ali olmak üzere, Ehl-i beyt hakkında ilahlık ve peygamberlik gibi, onların kendilerinin asla kabul etmedikleri, hatta duyduklarında çok rencide oldukları unvanlar yakıştıran kimse de gâlî (gulüv yapan) kategorisine dahildir.

Kur'an-ı Kerim'e Karşı Cefâ

Cefâya gelince, daha önce de imâda bulunulduğu üzere, o eziyet, işkence ve zulüm demektir; ayrıca, alâkasız kalmak, terk etmek ve unutmak manalarına gelmektedir. Bu itibarla, Kur'an'ı okumayan, okuyup da üzerinde düşünmeyen ya da okuyup düşündüğü halde onunla amel etmeyen kimse İlahî Beyan'a cefâ ediyor demektir.

Bazıları, bir ömür boyu Allah'ın kelamına karşı bîgâne yaşarlar; yaşar ve böylece Kur'an'a cefâ etmiş olurlar. Aslında, bir insan, iş-güç sahibi de olsa ve pek çok meşguliyeti de bulunsa, biraz gayret etmek ve az bir vakit ayırmak suretiyle Kur'an'ı bir ayda öğrenebilir. Heyhat ki, altmış-yetmiş yaşına ulaştığı halde, onlarca senenin sadece birkaç gününü Kelamullah'a ayırmayan ve ona yabancı olarak dünyadan çekip giden bir sürü inanan vardır. Halbuki, bir mü'minin belli bir yaşa gelmiş olmasına rağmen, hâlâ Kur'an okumasını bilmemesi ve hele öğrenme cehdi göstermemesi Müslümanlık adına ciddi bir ayıptır.

Bazıları da Kur'an'ı öğrenirler, hatta ezberlerler; fakat, sonra Mushaf'ı kaldırıp evlerinin duvarına asar ve onu yalnızlığa, kimsesizliğe, gariplîğe terk ederler. Belki sadece Ramazanlarda mukabele kasdıyla onu bir aylığına kılıfından çıkarırlar ama akabinde Kitabullah'ı yeniden bir dekor malzemesi gibi kullanmaya dururlar. Hatta, bu uzun fasılalardan dolayı kimileri yüzünden okumayı, kimileri de hafızalarındaki sureleri dahi unuturlar. Onlar da bu şekilde Kur'an'a cefâ etmiş sayılırlar.

Bazıları ise, Allah'ın kelamını dillerinden hiç düşürmezler, sürekli gırtlak ağalığı yapar ve çoğu zaman bağıra bağıra Kur'an okurlar. Dahası kimileri, seslerinin güzelliğini ortaya koymak için ayât-ü beyyinâtı bir vasıta gibi görür ve her zaman harika kıraatlerini (!) sergileme fırsatları kollarlar. Kendilerine beyan hakkı verilince, sözlerini ayetle başlatıp yine bir ayetle bitirirler. Fakat, maalesef onlar da Kelâmullah'ı sadece okurlar; onun muhtevasını anlamaya ve onunla amel etmeye çalışmazlar. İlahî emirlere karşı lâkayt davranır ve böylece

Kur'an-ı Kerim'e cefâda bulunmuş olurlar.

İnsanlığın İftihar Tablosu'nun (aleyhi ekmelüttehâyâ) Kur'an'dan bu denli uzak yaşayanlar hakkındaki şu tehditkâr beyanı ne kadar da ibretâmizdir: "Her kim Kur'an-ı Kerim'i öğrenir ama mushafı bir köşeye atar, onunla ilgilenmez ve ona bakmazsa, Kur'an Kıyamet günü o insanın yakasına yapışır ve 'Ya Rab! Bu kulun beni terk etti; benimle amel etmedi. Aramızda hükmü Sen ver.' der."

Evet, Kur'an-ı Mu'cizül Beyân, insanın kalbî, ruhî ve fikrî hayatını tanzim eden; lütufla, merhametle, şefkatle, adaletle muameleyi emredip beşer ile kötülükler arasına âdetâ aşılmaz engeller koyan bir kitaptır. O, Allah'ın insanoğluna bahşettiği sıhhat ve âfiyeti, istîdât ve kabiliyeti, imkân ve kuvveti en iyi şekilde değerlendirme ve bu mevhibelerden hakkıyla istifâde etme yollarını öğreten ilâhî beyandır. Kur'an-ı Mecîd, gönül verip arkasına düşenlerin ruhlarında hürriyet düşüncesi, adalet anlayışı, kardeşlik ruhu ve başkaları için yaşama arzusu gibi ulvî hisleri tutuşturarak, etten-kemikten varlıklara melekleşme âdâbını ta'lim eden ve böylece onlara iki cihan mutluluğuna giden yolları gösteren bir ışık kaynağıdır.

Bu itibarla da, Kelâmullah'ın bir köşeye atılması, yalnızlığa terkedilmesi, sadece duvarların süsü yapılması ve yalnızca ölülere okunması revâ değildir. O, ölülerden önce diriler için kurtuluş vesilesidir. Onda ferdî ve içtimâî bütün hastalıklarımızın çaresi vardır. Onu böyle görüp böyle kabul etmemek başlı başına bir cefâdır. Mehmet Akif bu hakikati ne güzel ifade eder:

"İbret olmaz bize, her gün okuruz ezber de!
Yoksa, bir maksad aranmaz mı bu âyetlerde?
Lâfzı muhkem yalnız, anlaşılan, Kur'ân'ın:
Çünkü kaydında değil, hiçbirimiz ma'nânın:

Ya açar Nazm-ı Celîl'in, bakarız yaprağına;
Yâhud üfler geçeriz bir ölünün toprağına.
İnmemiştir hele Kur'ân, bunu hakkıyle bilin,
Ne mezarlıkta okunmak ne de fal bakmak için!"

Hâsılı; Kelam-ı İlâhî'den kat'iyen uzaklaşmayan, onu usûlüne göre okuyan, emirlerine uygun olarak yaşayan ve ayetleri yorumlama hususunda haddi aşmayan insan ikrama layık bir Kur'an talebesi sayılır. Ne var ki, Kur'an hakkında gulüv ve cefâdan uzak kalabilmek için, usûle riayette titizlik göstermenin yanı sıra, ciddi bir teemmül, tedebbür ve tefekkürle murad-ı ilahiye ulaşmaya çalışmak gerekmektedir. Bunu yaparken de, Kur'an-ı Kerim'in Sahabe tarafından nasıl anlaşıldığını ve nasıl yorumlandığını fevkalâde bir titizlikle kelimesi kelimesine tesbite çalışan, muhkematı esas alarak mülahazalarını yine Kur'an ve Sünnet-i Sahiha disiplinleriyle test eden, böylece Kur'an düşmanları tarafından yorum ve te'vil adına ortaya atılan muzahref bilgi kırıntılarını ayıklayan ve murad-ı ilahiyi doğru anlayabilmemiz için harikulâde bir sa'y ü gayret gösteren Selef-i Salihîn efendilerimizin müstakim çizgisinden asla ayrılmamak icap etmektedir.

Başörtüsü ve Provokasyonlar

Soru: Bir yandan, İlahiyatçı olsa da olmasa da, hemen herkes tesettürle alâkalı ahkâm kesiyor; diğer taraftan da, çarşaf yakma ve dinin esaslarına hakaret etme gibi provokasyonlarla ciddi gerginlikler çıkartılıyor. Mevcut tartışmaları nasıl değerlendiriyorsunuz? Bu dönemi arızasız ve kayıpsız atlatabilmek için kimlerin ne gibi görevleri olduğunu düşünüyorsunuz?

Cevap: Tesettür meselesinin bazıları tarafından politize edilerek ayağa düşürülmek istendiğine esefle şahit oluyoruz. Ne yazık ki, bazı kesimlerde çok ciddî bir din düşmanlığı var ve bunlar dine, dindara saldırmak için adeta fırsat kolluyorlar. Şu anda da başörtüsünü bahane ederek, ülkemizin yakaladığı nisbî istikrarı bozmaya ve kavgaya zemin hazırlamaya çalışıyorlar. Tesettür üzerinden politika yapmanın ve din aleyhtarlığının yanı sıra, bir de ihtisas alanlarına karşı saygısız davranarak işi daha da içinden çıkılmaz bir hale sürüklüyorlar.

Başörtüsü Dinin Açık Emridir

Tesettür, gerçi dinin esasını teşkil eden imanî meselelerden değildir; İslâm'ın beş şartı arasında da yer almaz. Fakat, Kur'an'ın açık emridir. Farziyeti, hem Kur'an'la, hem Sünnet-i Sahiha ile, hem de on dört asırlık İslâm tarihindeki uygulamalarla sabittir. Nur Suresi'nin 31. âyetinde mü'min kadınların başlarını, boyunlarından ve göğüslerinden açık bir yer bırakmayacak şekilde örtmeleri emredilmektedir. Dinin bu konudaki emirleri mezkur ayetle de sınırlı kalmamıştır. Düşünün ki, Peygamber Efendimiz'in pak zevceleri, hükmen mü'minlerin anneleridir. Peygamberimizden sonra onlarla evlenmek mü'min erkeklere haram kılınmıştır. Böyle iken, Ahzab Suresi'nin 59. âyetinde, sadece mü'min kadınlara değil, Peygamber Efendimiz'in mualla zevcelerine de "Dış örtülerini, cilbablarını üzerlerine salsınlar" emri bildirilmiş; Sünnet-i Sahihanın ve İslâm tarihindeki bütün uygulamaların ortaya koyduğu üzere, el, ayak ve -Hanefi Mezhebi'nde yüz dışında- bütün vücudun bol bir elbise ile örtülmesi emredilmiştir.

Arz edildiği gibi, başın tamamını içine alacak şekilde tesettür emri, yalnız Kur'an-ı Kerim'le değil, -aksine hiçbir ihtimal vermeyecek şekilde- Sünnet-i Sahiha ve İslâm tarihindeki uygulamalarla da sabittir. Haddizatında, dinin her emri Rasûl-ü Ekrem (sallallahu aleyhi ve sellem) tarafından bizzat gösterilmiş, başta Ashab-ı Kiram ve Tabiîn olmak üzere, asırlar boyu mü'minlerce tatbik edilerek iyice yerleşmiştir. Mesela, Kur'an-ı Kerim'de "namaz" emredilmiştir; fakat, şartları, rükunları ve sünnetleriyle bir bütün olarak tarif edilmemiştir. Hazreti Üstad'ın yaklaşımıyla, Allah Rasûlü, kendisine vahiy gelene kadar Hazreti İbrahim'in çok perdeler arkasında kalmış bakiyye-yi diniyle amel ettiği gibi, önceleri kendi firaseti ile bilebildiği şekliyle namaz kılmış; daha sonra hiçbir rüknünde, şartında, hatta hudû, huşû ve huzurunda herhangi bir kusura meydan vermemek için, Cibril-i Emin'in imamlığına tabi olmuş ve namazın Allah nezdindeki mahiyet-i nefsü'l-emriyesi ne ise, işte o şekilde bu önemli ibadeti tesbit etmiştir. Cibril Aleyhisselam kendi mahiyetinin vüs'atiyle, Peygamber Efendimiz'in ruhunun enginliğine duyuracak şekilde namazı kıldırmış; bir keresinde vaktin evvelinde, diğerinde de sonunda kıldırmak suretiyle vakitleri de dahil namazın her hususunu açıkça göstermiştir.

Evet, Rasûl-ü Ekrem Efendimiz, hayatı boyunca, Cenâb-ı Hakk'ın emrettiği ve Cebrail Aleyhisselam'ın gösterdiği şekilde namaz kılmıştır. Namazın farz kılınmasından sonra, Ashab-ı Kiram efendilerimiz de on sene kadar O'nun arkasında namaza durmuş; O'na tabi olmuş, namazla alâkalı her meseleyi bizzat O'nda görüp O'ndan öğrenmiş ve sonraki nesillere de aynıyla öğretmişlerdir.

Ezcümle, Rifâa İbnu Râfi' (radıyallâhu anh) diyor ki: Biz mescidde iken bedevî kılıklı bir adam çıkageldi. Namaza durup, hafif bir şekilde (aceleyle) namaz kıldı. Akabinde Rasûlullah (aleyhissalâtu vesselâm)'a selam verdi. Efendimiz onun selamını aldıktan sonra, "Git namaz kıl, sen namaz kılmadın!" buyurdu. Adam döndü (tekrar) namaz kılıp geldi, Rasûlullah'a selam verdi. Aleyhissalâtu vesselâm Efendimiz onun selamına mukabele etti ve "Dön namaz kıl, zîra sen namaz kılmadın!" dedi. Adam bu şekilde iki veya üç sefer aynı şeyi yaptı, her seferinde Rasûl-ü Ekrem, "Dön namaz kıl, zîra sen namaz kılmadın!" dedi. Halk korktu ve namazı hafif kılan kimsenin namaz kılmamış sayılması herkese pek ağır geldi. Adam sonuncu sefer, "Ben bir insanım isabet de ederim, hata da yaparım. Bana (hatamı) göster, doğruyu öğret!" dedi. Allah Rasûlü şöyle cevap verdi: "Namaz için kalkınca, önce Allah'ın sana emrettiği şekilde abdest al. Sonra tekbir getirerek namaza dur. Kur'ân'dan bir miktar okuyarak kıraatini tamamla ve rükuya git. Rükû halinde itmi'nâna er (âzâların rükûda mûtedil halde bir müddet dursun). Sonra kalk ve kıyam halinde itidâle er; akabinde secdeye git ve secdede itminana er; sonra otur ve bir müddet oturuş vaziyetinde dur, ikinci secdeni tamamladıktan sonra kalk... İşte bu söylenenleri yaparsan namazını mükemmel (kılmış olursun). (Bundan bir şey) eksik bırakırsan namazını eksilttin demektir."

Görüleceği üzere, Allah Rasûlü, "Bir ferdin namazı ne ki!.." demiyor; tek kişi de söz konusu olsa, ona namazını talim ediyor. O günden bu yana da, namaz Rasûl-ü Ekrem'in tatbik buyurduğu keyfiyette ikame ediliyor. Bu konuda hiç inkıta olmamış. Belli dönemlerde bazı ülkelerde namazı terk edenler çıkmış, bir devirde ezan yasaklanmış; kimi zaman mescitler kapatılmış, onların yerine depo, hapishane, hatta ahır yapılmış. Fakat, o türlü devirlerde bile namaz bütün bütün terkedilmemiş, onun hiçbir rüknü unutulmamış. O, Asr-ı Saadetten günümüze kadar aslî suretiyle hep uygulana gelmiş.

Evet, o günden bugüne mü'minler Peygamber Efendimiz'in talim buyurduğu üzere namazı ikame etmeye çalışıyorlar. Hal böyleyken, bir kimse kalkıp yoga ve meditasyon türü hareketler yapmak suretiyle namaz kıldığını söylese herkes gülüp geçer ona. Çünkü, artık namaz bellidir; uygulana uygulana günümüze kadar gelmiştir.

Nitekim, bütün dini emirler için aynı husus söz konusudur. Kur'an bir meseleyi emir buyurmuş; Allah Rasûlü de onu hem tebliğ hem de temsil etmiştir. Yapılması gerekenleri bizzat kendisi göstererek öğretmiştir. Oruç, zekat ve hacca ait meseleler de o dönemde emredilmiş, uygulanmış ve sonraki devirlerde de aynıyla tatbik edilegelmiştir.

İşte, tesettür mevzuu da, daha Asr-ı saadette vuzuha kavuşturulmuş, Rasul-ü Ekrem'in rehberliğinde Ezvâc-ı Tahirât ve hanım sahabilerce tatbik edilmiştir. O dönemdeki dinin özüne bağlı uygulama nesilden nesile geçerek asırlarca devam etmiştir/etmektedir. Bundan bin küsur sene evvel yazılan bir tefsire bakılsa, "Devr-i risalet penahide meselenin şekli şöyleydi!" denildiği görülecektir.

Yüz yıllar boyunca ortaya konan eserler, bu meselenin esasları üzerinde de durmak suretiyle ilk günden bu yana devam edegelen uygulamanın hiç inkıtaya uğramadığına delil teşkil etmektedir. Bazı dönemlerde, bir kısım bölgelerde meselenin nüansları göze çarpmaktadır; başörtüsünün nasıl olması gerektiği, omuzların nasıl örtüleceği, yüzün açık olup olmayacağı... gibi mevzularda farklılıklar görülmüştür. Köy ya da kent hayatı açısından başörtüsünün şekliyle uğraşanlar olmuştur: Tarlada daha rahat çalışma, sıkılmama, güneşten korunma... gibi hususlar göz önünde bulundurularak bazen farklı örtüler kullanılmıştır. Fakat, başın kapanmasının gerekliliği mevzuunda dünden bugüne hiçbir farklı mütâlaa ortaya konulmamıştır; müfessirler, muhaddisler ve fakihler arasında tesettürün esasıyla alâkalı farklı ve aykırı görüş belirten olmamıştır.

Fantastik ve Garezkâr Muhalefetin Bir Değeri Yoktur

Günümüzde -belki de bir kısım kimselere şirin görünmek ve fantastik düşüncelerle kendilerini ifade etmek için- başörtüsünün Kur'an'ın emri olmadığını iddia eden ilâhiyatçılar da vardır. Fakat, bu mevzuda Kur'an'ın beyanı o kadar açıktır ki, tarih boyunca hiçbir müfessir farklı mülâhazada bulunmamıştır. Binaenaleyh, Peygamber Efendimiz ve Sahabe-i Kiram başta olmak üzere, Din'i bugünlere kadar taşıyan ve meselenin mütehassısı olan on binlerce müfessir, muhaddis ve fakihin ittifakıyla, on dört asırlık İslâm tarihinde bütün Müslüman nesillerce uygulana gelmiş bir hükme, günümüz ilâhiyatçılarından birkaçının, bazı garezlere bağlı muhalefeti hiçbir değer ifade etmez.

Meselenin dinî buudu böyle iken kalkıp başörtüsünü farklı adlar altında da olsa başka kaynaklara bağlamak, bu mevzuda tuhaf ve bir-

248 • *Vuslat Muştusu*

biriyle tutarsız iddialar ortaya atmak çok gülünç kaçmaktadır. Tesettüre, bazı mülâhazalarla karşı olan çıkabilir, ama bunun İslâm'da olmadığı iddiası ileri sürülemez. Hele hele, en basit meselelerde bile, aklın ve bilimin icabı olarak işin uzmanına müracaat edilirken, Allah'ın marziyatının, bizden neler isteyip neler istemediğinin ifadesi olan din konusunda rastgele konuşulamaz. Bu, en hafif ifadesiyle gayr-ı aklîliktir, gayr-ı ilmîliktir, had bilmemektir. Dahası, ülkemizde din işlerini tanzimle vazifelendirilmiş Diyanet Teşkilatımız ve ona bağlı çalışan Din İşleri Yüksek Kurulu vardır; onlar hem bu konuların mütehassısıdır, hem de salahiyet sahibi kılınmışlardır. En azından, onlara müracaat edilmeli ve onların sözleri dinlenilmeli değil midir?!.

Heyhat ki, pek çokları işin aslını faslını bilmeden rahatlıkla konuşabiliyorlar. Hatta bazıları, cehaletlerine rağmen sükût etmemelerinden dolayı çok komik duruma düşüyorlar. Mesela; bazı kimseler "Başörtülüler, saçları yemeklerin içine düşmesin diye örtünüyorlar!" diyebiliyorlar. Milletin imkanlarıyla bir kısım payeler kazanmış, bazı yüksek mevkilere gelmiş ve belli seviyeleri ihraz etmiş kimseler, bu kadar gülünç sözleri telaffuz edebiliyor ve herkesi kendilerine güldürüyorlar.

Yazık değil mi o makama, o payeye!.. Bu mesele, öyle ulu orta konuşulacak bir mevzu değil ki!.. Bu meseleyle alâkalı, Kur'anın muhtevasını baştan sona kadar bilmiyorsan.. Rasûl-ü Ekrem'in konuyla ilgili irşadını okuyup öğrenmemişsen.. Sahabe ve Tabiîn dönemlerinde ortaya konulmuş peygamber telakkisinden haberdar değilsen.. nasıl oluyor da, hüküm beyan ediyorsun?!. İhtisas sahana girmeyen bir konuda hüküm vermekle de kalmıyor, akla zarar yakıştırmalarla cinni de insi de kendine güldürüyorsun; şeytana da ifrite de melabe oluyorsun. Allah aşkına, sen müdhike olmak için o mertebelere gelmedin ki!.. Çok ayıp ediyorsun!..

Başka birisi diyor ki, "İran'daki devrim olacağı ana kadar "türban" diye bir şey yoktu; devrimden sonra buraya geldi." Hayret!.. İnsan, insaf eder biraz!.. Sen hiç neneni görmedin mi, nenenin anasını görmedin mi? Bu milletin kadınları dünden bugüne hep örtü kullanıyorlardı. Siz onun adını değiştiriyorsunuz; bazen tahkir kasdıyla "sıkmabaş" diyorsunuz, bazen de korkunç bir imaj vermek için "türban" kelimesini suiistimal ediyorsunuz. Örtüye "türban" diyerek, - şayet bilgisizliğinizden değilse- meseleyi çarpıtıyor ve örtünün bir tehlike gibi algılanmasına çabalıyorsunuz. Başörtüsüne "türban" demek suretiyle terminolojiye ait bir hata daha işliyor, nüansları görmeme şeklindeki ayrı bir körlüğe düşüyorsunuz. Başörtüsü İran'dan gelmiş bir âdetmiş!.. Hayır, İran'dan, Turan'dan gelmedi; senin annen, nenen, nenenin annesi... Onlar tâ kadimden bu yana başlarını böyle örtüyorlardı.

Sonra örtü bize münhasır da değil. Yahudi ve Hristiyan hanımlar da örtünüyorlardı. Şu kadar var ki, bu, bazılarının iddia ettiği gibi, başörtüsünün bize Yahudilerden ve Hristiyanlardan geçtiği manasına gelmez. Tam tersine, her İlâhî Din'de, her peygamberin tebliğinde başörtüsünün yer aldığını gösterir. Fakat, bugün öyle bir cehl-i mük'ap (iç içe, üç boyutlu cehalet) yaşanıyor ki, dünyaca kocaman kocaman adamlar "Falan yerden gelmiş, filan yerden alınmış!.." diyebiliyorlar. Bari yiğitçe "Başörtüsü, Kur'an'ın emrine ve Peygamberin uygulamasına dayansa da, ben inançsız olduğumdan dolayı onu kabul etmiyorum!.." deseler. Böyle bir itiraf, hiç olmazsa mertçe bir davranış olur. Ötede böylelerine nasıl muamele edilir; o da, Allah'ın bileceği bir hususustur. Ne ki, hiç olmazsa, inandıkları gibi konuşmuş ve mertçe davranmış olurlar; tabii karşılığında da, Cenâb-ı Hakk'ın ahiretteki muamelesine katlanırlar.

Cehaletin Böylesi...

Bir diğeri de diyor ki; "Türban şehadet kelimesinin yerine konuldu!" Bu çok ağır bir ithamdır. İnsan, bu türlü meselelerde konuşurken, muhataplarıyla bir gün yine yüz yüze gelebileceğini hesaba katarak üslubuna çok dikkat etmelidir; köprüleri bütün bütün yıkmamalı, dikkatsiz ve temkinsiz konuşmamalıdır. Bir kere, hiçbir Müslüman hiçbir ibadeti kelime-i şehadetin yerine koymaz. Çok basit bir Müslüman bile hiçbir zaman başörtüsünü kelime-i şehadete denk saymaz. Kelime-i şehadet, -eski ifadesiyle- imanın rükn-ü aslîsidir; olmazsa olmaz şartıdır. Allah'a kurbet kazanma, Cennet'e girme ve ebedî saadete mazhar olma meselesi "Lâ ilâhe illallah, Muhammedün Rasûlullah" ikrarına bağlanmıştır. Kelime-i şehadet, öyle büyük bir beyandır ki, peygamberlere, kitaplara, meleklere, kadere ve öldükten sonra dirilmeye inanmadan ibaret olan imanın diğer beş rüknünden hiçbiri bu rükn-ü aslînin yerini tutamaz. Bu rükünler de çok önemli iman esaslarıdır, bunları mutlak inkar eden dinden çıkar. Fakat, bunların bütünü bir araya gelse, yine de kelime-i şehadetin yerini dolduramazlar. Kaldı ki, başörtüsü meselesi İslam'ın o beş esası içinde de yoktur; o muamelât kısmına ait ayrı bir farzdır; Allah'ın başka bir emridir.

Söz gelmişken, bir hususu belirtmek lazım: Bir insan başı açık gezdiğinden dolayı küfre girmez. Zaten, şimdiye kadar hiç kimse "Başı açık gezen küfre girer!" demedi. Böyle söyleyen birini hiç duydunuz mu? Çarşıda, pazarda, sokakta, mecmuada ya da gazetede, "Başı açık dışarı çıkan kâfir olur!" dendiğine şahit oldunuz mu? Kur'an'ın bir emrini yerine getirmeme başkadır; Kur'anı ve Kur'an'a ait bir hükmü inkar etme daha başka bir meseledir. "Kur'anın şu ayetini kabul etmiyorum!" diyen küfre girer, dinden çıkar; girerse girer, çıkarsa da çıkar;

kimseyi alâkadar etmez.. bu, o şahsın tercihidir. Çünkü, dünyevî hükümler açısından, bugün laiklik var, demokrasi var, hürriyet var, düşünce hürriyeti var, inanç hürriyeti var... İnsan, ne olmak isterse onu olur; buna kimse bir şey diyemez. Ne var ki, "Başı açık gezen kâfir olur" diyen de duymadık; çünkü, dinde öyle bir hüküm yok.

Ebu Hanife hazretleri, Fıkh-ı Ekber'inde, tâ o dönem itibarıyla, bu türlü mesâili cem' ederken, günah-ı kebâir işleyen, oruç tutmayan, namaz kılmayan kimseler hakkında diyor ki "İn şâe afâ ve in şâe azzebe - Allah dilerse affeder, dilerse de azap eder!" İmandan sonra en önemli bir rükündür namaz; "Namaz kılmayanın hükmü merduttur." demişler. Fakat, namaz kılmayan ve oruç tutmayan da dahil, günah-ı kebâir işleyen insanlar için "Allah dilerse bağışlar, dilerse cezalandırır." diyor. İmam Azam Ebu Hanife hazretleri, bu sözü kendine ait bir cüret ve cesaretle söylemiyor; onu Rasûl-ü Ekrem Efendimiz'in hadis-i şerifine dayanarak ifade ediyor. Evet, bir emrin gereğini yerine getirmeyenleri Allah ister bağışlar isterse de azaba düçar kılar; o Allah'ın bilebileceği bir husustur.

İşte, ilahî bir emri uygulamayan kimseler hakkında mü'minin akîdesi budur; dolayısıyla da, bu esasa göre, başı açık gezen kâfir olmaz. Fakat, Kur'ana ait bir hükmü inkar eden ve "Ben bunu kabul etmiyorum; dâl bil'ibare, dâl bil'işare, dâl bid'delale veya dâl bil'iktiza, delaleti ne olursa olsun, ben bunu kabul etmiyorum" diyen kimse iman dairesinde sayılmaz. Ona da kimse bir şey demez; herkes istediği gibi düşünebilir, dilediği gibi yaşayabilir. Ne var ki, Usulüddin açısından, dinin emrini inkar eden kimse artık mü'minler arasında mütalaa edilemez.

Zannediyorum, az önce de değindiğim gibi, bütün bu tartışmalar alan ihlalinden kaynaklanıyor. Diğer sahalarda uzmanlık, ihtisas ve araştırma bir esas kabul ediliyor; fakat, ne gariptir ki, dini mevzulara aynı hassasiyetle yaklaşılmıyor. Mesela; bir kimse, tıbba dair ahkam kesse; "Midemde şöyle bir ağrı var!" diyen adama hemen "Psikoso-matik bir rahatsızlık, efendim; sizde çok kuvvetli bir sinir var, ondan dolayı mideniz durmadan asit ifraz ediyor." cevabını yapıştırsa, ona ne denilir?!. Oysa, bu çok basit bir meseledir; gayrı halka da mal ol-muş bir ihtimaldir ve bugün -doğru bir davranış olmasa da- herkes bunu kullanmaktadır. Fakat, böyle bir meselede bile, bir gastroentro-log, "Be adam, haddini bil; bırak da ona ben karar vereyim!" dese se-zâ değil midir?

Bir başkası, "Şu Kuzey Irak'taki bombalamalar yanlış yapılıyor, orada şöyle değil de böyle bir strateji uygulamak lazım; mesela, ma-ğaralara arkadan değil de önden yaklaşılmalı!.." dese, acaba ona nasıl mukabele edilir? Kaldı ki, bu da büyük ölçüde hemen herkesin aklı-nın erebileceği türden bir iştir. Uçağınız var, onların göstergeleri var, haritalarınız var, hedeflerin fotoğrafları ve koordinatları var; sonra is-tihbarî bilgiler de veriliyor... Bunca yardımcı argümanla bir vazife ya-pılıyor. O işten azıcık anlayan insanlar bile o mevzuda bazı şeyler söy-leyebilirler. Fakat, yine de, o konuda uzman olmayanların konuşma-ları kıymetsiz ve yakışıksız sayılır.

İşte, din de bir uzmanlık mevzuudur ve onun sahasına giren bir meselede de ancak işin uzmanları hüküm serdetmelidirler. Sen Kur'anı bilmiyorsan, Sünnet-i Seniyyeden habersizsen, "Edille-i şer'iye kaçtır?" diye sorulduğunda cevap veremeyecek haldeysen, hat-ta temelde bunları inkar ediyorsan... fakat, yine de kalkıp ahkam ke-siyorsan, sana da "Haddini bil, a be küstah" dense çok mu söylenmiş olur? Hani bir lahikada geçtiği gibi; adam hem "Kur'anın 140 küsur suresi..." diyor hem de İslam'a dair hükümler veriyor. İşte bu mantı-ğa "pes" doğrusu!.. Allah'ın Kitabının içinde kaç tane sure olduğunu bilmiyor ama ahkam kesiyor. Madem, başka sahaları ihlal edenlere

"Ayıptır, haddini bil!" denilmesinde bir mahzur görülmüyor, bu meselede de haddini bilmezlere "ayıp" denmesi gerekmez mi? "Ulu orta konuşmakla çok ayıp ediyorsunuz?" sözü yerinde olmaz mı?

Aslında, bu konuda öyle ayıplar yapılıyor ki, "ayıp" sözü de yapılanları ifade etmeye yetmiyor. Hemen herkes ulu orta konuşuyor. Sen profesör olabilirsin. Fakat, Kur'an hakkında, din mevzuunda ihtisasın yoksa, o alanda senin adın câhildir. Senin sahanda, fiziğinde, kimyanda, matematiğinde, astrofiziğinde, jeolojinde, antropolojinde ben kalkıp bir şey iddia etsem, "Sen sus bre câhil!" der misin, demez misin? Öyleyse, sen de bana bir hak veriyorsun; "Allah aşkına, peygamber hatırına, inandığın bilim insanlığı hürmetine, sen de bilmediğin mevzuda söz söyleme a be câhil!.." dememden dolayı gücenmemeli ve haddini bilmelisin!..

Din ile İlim Kavgalı mı?

Bu, meselenin bir diğer yanı da şudur: Ülkemizde ilmî ve teknik kalkınmaya hizmet etmesi gerekenler, üniversitelerin din ve inanç değil, bilim yeri olduğunu söyleyerek başörtüsüne karşı çıkıyorlar. Ne yazık ki bunu, bilimi en öne alan insanlar yapıyorlar. Galiba, nasıl bir tenakuz ve çarpıklık ortaya koyduklarının farkına varamıyorlar.

Batı'da uzun süren çatışmalar sonunda din ile bilimin arası ayrılmış; Descartes çıkmış, "Buraya kadar bilimin, şuraya kadar da dinin sahasıdır" demiş. Bugün üniversitelerimizde benimsenen de bu. Gerçi böyle bir ayrılık, Müslümanlar olarak bizim inanç sistemimizde de, ilme bakışımızda da, tarihimizde de yoktur. İlim ve din, bizde aynı mananın iki farklı ifadesinden ibarettir. Biri zihnin, diğeri kalbin ışığı olarak kabul edilmiştir. Nitekim bizim, Batı'da Rönesans'ın ve ilimlerin gelişmesine zemin teşkil eden, bu gelişmeye dinamikler sağlayan muhteşem bir ilim tarihimiz vardır. Dahası, İbn-i Sina, Zehravî, Birunî, Harizmî, İbn Heysem gibi bu tarihi dolduran on binlerce ilim adamının pek çoğunun iyi dindar, hatta sufi oldukları görülmektedir. Çünkü, din ve ilim, bizim tarihimizde birbiriyle iç içe yer almıştır, hiçbir zaman çatışmamıştır.

Dolayısıyla, "Bir insan, dine bağlı ise ve başını örtüyorsa, bu insan ilim yapamaz, ilim insanı olamaz" demek; üniversite öğrencilerinin başörtüsü takmalarını üniversitelerin ilim yuvaları olmasına aykırı görmek, bir ilim adamına asla yakışmayan bir tavırdır. Kaldı ki, hepimiz biliyoruz, Galileo da, Newton da, Laplace da ve daha pek çokları da dine karşı değillerdi; hattâ içlerinden bazıları ciddi derecede dindardı. Ezcümle, Eddington'u nereye koyarsınız? Şayet, dindar yaşamakla ilim yapmayı birbirine zıt olarak mütâlaa ederseniz, ilim âleminin başının taçlarından olan Einstein'e da muhalefette bulunmuş; din ile ilimden birini kör, diğerini topal yapmış olursunuz.

Bu itibarla, bizim ilim ile din kavgası ya da ilim adamları ile din erbabı çatışması diye bir meselemiz yoktur, hiç olmamıştır. Hususiyle, bizde "âbâ-i kenâise" benzeri bir sınıf bulunmamaktadır. Toplumumuzun şu andaki durumu itibarıyla, bir müessesenin birleştiriciliğine ve yönlendiriciliğine ihtiyaç görüldüğünden, bir maslahata binaen ve konjonktürel olarak Diyanet İşleri Başkanlığı mevcuttur. Fakat, bu kurumun başkanından başkan vekillerine, müftülerinden imamlarına kadar hiçbir insanın kutsal sayıldığı vakî değildir. Bizde "Falan adam, şunca sene Diyanet İşleri Başkanlığı yaptı; gelin bir din heyeti olarak, âbâ-i kenâisenin yaptığı gibi, biz de onu aziz ilan edelim; kutsal yerlerden bir yere gömelim ve sonra da gidip ruhundan istimdatta bulunalım!" şeklinde bir düşünce bile varlık sahasına hiç çıkmamıştır. Bizim inancımıza göre; bir din adamıyla halktan birisi arasında hiçbir fark yoktur. Belki, halkın dinî ilimlere saygısının icabı olarak ilim adamlarına hürmet meselesi vardır; o da milli terbiyemizin gereğidir. Dolayısıyla, bizde hiçbir zaman var olmayan din ile ilim ayrımı ya da din erbabı ile ilim adamı çatışması meselesini varmış gibi görmek ve göstermek cehaletin daniskasıdır. Din ile devletin ayrılığı prensibine bağlı olan laikliğin, din ve ilim ayrımına karıştırılması ise ayrı bir cehalettir. Hele bunun koca koca adamlar tarafından ifade edilmesi, şu anda ülkemizde ilmin nerede olduğunu gösteren bariz ve beyyin bir delildir.

Diğer taraftan, tesettür karşıtı tavır ve sözler laikliğe de aykırıdır. Zira laikliğin temelini, dinin devlete devletin de dine müdahale etmemesi, hattâ devletin din hürriyetini sağlaması prensibi teşkil eder. Bu sebeple, başörtülü bir kızımızın üniversitede ilim tahsili yapması lâikliği yıkmaz; cumhuriyete de demokrasiye de hiçbir zarar vermez. Tam tersine, bunları güçlendirir. Zaten tesettüre riayet edenler de, dinî inançları gereği başlarını örtmeyi, haklı olarak, hem laikliğin, hem cumhuriyetin, hem de demokrasinin korumaya aldığı din ve vicdan, hattâ düşünce ve düşünceyi ifade hürriyeti içinde mütâlaa ediyorlar. Problemi çözmek isteyenler de meseleye bu açıdan yaklaşıyorlar. Yoksa ne kızlarımız, laikliğe, cumhuriyete, demokrasiye karşı çıkmak için başlarını örtüyor, ne de çözüm arayanlar bunlara karşı olsun diye başörtüsünü serbest bırakmaya çalışıyorlar.

Bu bakımdan, şayet bazı kimseler başörtüsüne -hangi ad altında olursa olsun- karşı iseler, bunu açıkça söyleyebilmeli; onun neden takılmaması gerektiğini aklî, mantıkî ve ilmî olarak ortaya koymalı ve insanları bu suretle ikna etmelidirler. Bunu yapmaya çalışırken de, kendileriyle tenakuza düşmemeye, ülkeyi kavga ortamına çekmemeye, yakışık almayan protestolara kalkışmamaya ve tepkilerini medenî bir şekilde seslendirmeye dikkat etmelidirler. Yoksa protestolar, ülkeyi kavga ortamına sürüklemeler, darbe hatırlatmalarında bulunmalar, tehditler, yakışıksız üslûplar ve ihtilâl günlerine özlem duymalar, fikrî yetersizliğin, ilmî kifayetsizliğin ve marjinalleştikçe hırçınlaşmanın değişik şekillerdeki ifadelerinden başka bir mana taşımayacaktır.

"Baskı Olur" Sözleri Provokasyon Hazırlığı mı?

Mevzu ile alâkalı olarak çok önemli bir ikazda bulunmak istiyorum: İslâm'da namaz, başörtüsünden çok daha mühim olduğu halde, şimdiye kadar Türkiye'de hiçbir namaz kılan kılmayana baskıda bulunmadı. Ramazan'da doğruluğu şüpheli birkaç haber çıktıysa da, kimseye oruç baskısı yapılmadı. Hacca gidenler gitmeyenleri "Siz neden gitmiyorsunuz?" diye sorgulamadı. Her Kurban bayramı öncesi onca menfî yayınla Kurban aleyhinde olunmasına rağmen, hiçbir Müslüman, kurban kesmeyenlere "Neden siz de kesmiyorsunuz?" diye saldırmadı. Bırakın bunları, hiçbir samimi dindar, içki içen, kumar oynayan ve her türlü günahı irtikap edenlere de, nasihatta bulunmak dışında bir şey demedi. Kızlarımızın başını örterek okuyabildiği yıllarda, şimdilerde dile dolanan "başörtüsü baskısı" türünden hiçbir hadise olmadı. Bundan sonra olacağına da, başlarını örtmeyen kızlarımız dahi ihtimal vermiyorlar.

Gerçek bu iken, dahası asıl mağduriyete daha çok dindarlar maruz kalıyorken, inancının gereğini yapmak isteyenlere uygulanan bir baskı senelerdir devam etmekteyken ve hal-i hazırda da varken, "Başörtüsü serbest bırakıldığında başını örtmeyenlere baskı olur!" demek, aslında bir kısım garezleri ve yapılabilecek bazı provokasyonları akla getirmektedir. Binaenaleyh, eğer başörtüsü kanunu Meclis'ten geçerse –ki, bu kanunu kabul edip etmemek Meclis'in, onu tasdik edip etmemek de Cumhurbaşkanı'nın selâhiyeti içindedir– ve kızlarımız üniversitelerde başörtülü okuma imkânına kavuşursa, önceki dönemlerde şahit olduğumuz üzere, ciddî provokasyonlar sahnelenebilir. Belli yerlerde kendilerine çarşaf giydirilmiş bazı vazifeli erkekler ve tesettüre sokulmuş bazı vazifeli bayanlar, başlarını örtmeyen kızlarımıza rahatsızlık verebilirler; sözlü, hattâ fiilî tacizlerde bulunabilirler. Bu konuda fevkalâde endişeliyim ve hususiyle rical-i devlet arasında bu husustan mesul bununanların çok dikkatli olması gerektiğine inanıyorum.

Evet, bazı kesimler, başlarını örtüp üniversiteye giren kızlarımızın, başları açık öğrencilerle yaka paça olacakları ihtimalinden bahsediyorlar. Böyle bir ihtimali dillendirenlere sadece "insaf" demek geliyor içimden. Zira, bizim insanımızın aklı başındadır. Bu meseleyi sağda solda büyüten sadece bir şirzime-i kalîldir, oligarşik bir azınlıktır. Öteden beri sürekli ifsada çalışan, hemen her hayırlı işi bozan, belli şeylerin rengine, desenine dokunan ve hep fitneye kilitli bulunan şerirlerin dışında insanımızın açığı kapalısı el ele dolaşıyor. Başı örtülü olanlarla olmayanlar çarşıda, sokakta her zaman beraberler, arabanın koltuğunda yan yana oturuyorlar; birbirlerine tebessüm edip güzel güzel konuşuyorlar. Rastgele bir tarafa baksanız; toplumun içinde açık da göreceksiniz kapalı da; hem tam açığı da var, çarşaflısı da; dekolte kıyafetlisi de var, başına iki tane örtü koymuş olanı da. Dahası, bunların ne yüzlerinde ne de sözlerinde problem ifade edebilecek bir eda mevcut. Şimdiye kadar kimse kimseyle yaka paça olmadı, kimse kimsenin saçını yolmadı ve kimse kimsenin entarisine arkadan asılmadı.

Öyleyse, -afedersiniz- felaket tellallarına sormak lazım: Siz neye binaen bu türlü kavgaların olabileceği konusunda fikir yürütüyorsunuz?!. Millette o duyguyu oluşturmaya mı çalışıyorsunuz?!. "Ne duruyorsunuz, kavga edin!" der gibi bir kısım argümanlar ortaya atarken ne umuyorsunuz?!.

Aslında, toplumumuz bu mevzuda gerçekten çok olgun. Ne çarşafsızı çarşaflıya ilişti, ne de kapalısı açığa. Medyaya aksedenler ise, tamamen bir provokasyonun ayak sesleridir. Bu güne değin hiç örneği görülmediği halde, tam da başörtüsü tartışmalarının alevlendiği şu günlerde, şehrin ortasında ve dindarların gözlerinin içine baka baka çarşaf yakmanın başka bir açıklaması olabilir mi? Çarşaf, bizim toplumumuzda bir dönemde kadınların çokça kullandığı, en azından köyde kentte giydiği, geleneksel ve milli kıyafet gibi gördüğü bir örtüdür. Çarşaf, çoğu bölgelerimizde dinî hayatın bir unsuru olmaktan ziyade geleneksel bir kıyafet olarak kabul edilmekte ve hâlâ çokça giyilmektedir. Millete bu kadar mal olmuş bir örtüye karşı böyle bir saldırı yapıldığından dolayı, yerinde rahat duran insanlarda bile -çarşaf giymese de- tepki duygusu uyanır; onlar da "Yahu, bu bize aitti" derler, çarşafa ilk uzanan işgal güçlerinin kirli ellerini hatırlarlar. Bir devirde senin nenen de, nenenin nenesi de çarşaf giyiyordu. Manto yoktu; bir dönemden sonra manto yaygınlaştı, ona da kimse itiraz etmedi. Bu itibarla, aklı başında insanlar bu türlü tahriklere ön ayak olmazlar. Demek ki, çarşaf yakma gibi protestolar, aslında toplumun değişik kesimlerini karşı karşıya getirmek için düzenlenen provokasyonlardır. Huzur bozucular milleti birbirine düşürmek için yarın bir yerde başörtüsü de yakabilirler; hatta belki başı örtülü olanı yakmayı düşünenler de çıkabilir.

Ne ki, bazıları eski hasımlar gibi aynı kötülükleri yapmaya kalkışsalar da, samimi mü'minler, o Hazret'in işgal güçlerine karşı kahramanca tavrını kıstas kabul ederek, kat'iyen kendi vatandaşlarına karşı Sütçü İmam'lığa yeltenmemelidirler. Hatta, onların ortaya koydukları çirkin tavır, davranış ve hezeyana varan saldırganlığa aynıyla mukabele etmemeli; mukabele-i bilmisil kaide-i zalimane-sine girmemelidirler.

Hani birisi demişti ki; "İdarecilerin akılları başlarına geleceği âna kadar biz başı kapalıyı üniversiteye sokmayız!.." Ben de şöyle diye-yim: Her şeyi birbirine karıştıran bu insanların akılları başlarına ge-linceye kadar, Hazreti Mevlana gibi kollarımızı açıp bunları bağrımı-za basacağımız vaadinde bulunmalıyız. Evet, kat'iyen kendi insanımı-za karşı Sütçü İmam'lığa kalkışmamalıyız. Sokakta, çarşıda, pazarda ve okulda meseleyi mülayemetle halletmeye çalışmalıyız.

Çatışma Yangın Gibidir

Çünkü, ülkemizin kavgaya tahammülü yoktur. Hususiyle Allah'a gö-nül veren ve kendilerini milletimizin hayrına adayanların kavga ile işi olamaz; olmamalıdır. Onlar, kendilerini en çetin bir çatışmanın için-de buldukları zaman bile, hemen silm ü selâma dönmenin yollarını aramalıdırlar. Zira, Kur'an-ı Kerim, mü'minlere savaş içinde iken bile, "Karşı taraf, silm ü selâma, sulh ve barışa yönelirse, siz de yönelin ve Allah'a tevekkül edin!" (Enfâl, 8/61) buyurmaktadır. Kur'an'ın söz konusu hükmüyle beraber, akıl ve mantığın yanında, ülkemizin için-de bulunduğu şartlar ve umumî menfaatlerimiz de kat'iyen böyle dav-ranmayı gerektirmektedir. Zira, kavga, insanda akl-ı selim ve mantık bırakmaz; dolayısıyla, küçük sebeplerle başlayan bir çatışmayı büyü-meden sona erdirmek her zaman mümkün olmaz.

Nitekim, Cahiliye şairlerinden İmrü'ül-Kays, "İki şeyi siz başlatsa-nız da, çoğu zaman durmasını istediğiniz yerde onları durduramazsı-nız: Yangın ve kavga!.." der. Bu bakımdan da, soğukkanlılığımızı ko-rumamız lâzımdır. Bu türlü meselelerde ipleri germek hiç kimseye hiçbir yarar getirmez; sertlik, sertlikten başka bir netice vermez. Hele bir de mesele kitle ruh haletine sirayet ederse, işte o zaman kavganın önünü alma imkanı hiç kalmaz.

Anlatıldığına göre; Köroğlu derdest edilip götürülürken, çevredeki insanlar ona hakaretler yağdırır, sövüp sayarlar; onunla da yetinmez, bir de taşa tutarlar, başından taş yağdırırlar. Köroğlu kan ter içinde yaşlı bir kadının önünden geçerken, o da yerden bir taş alıp savurur. "Ana" derler, "Bu zalim sana ne yaptı?" Kadıncağız der ki, "Ne bileyim evladım; herkes taşlıyordu, bir taş da ben attım!" Bu menkıbe, kitle psikolojisini ifade etme açısından çok enfes bir yaklaşım sunmaktadır. Şaşkınca ve şuursuzca, topluluğa ayak uyduran kimselerin halet-i ruhiyelerini çok güzel yansıtmaktadır.. ve insanların pek çoğunda hükmünü icra eden bu zaaf her zaman bazı kimselerce kullanılmaktadır.

Bazı şer şebekelerinin liseli, üniversiteli gençleri nasıl kışkırttıklarını ve kendi emellerine alet ettiklerini haberlerde seyretmiştim. Gençler diyorlardı ki: "Okula geldiler, bize çok önemli bir mesele olduğunu söylediler; sonra toplayıp buraya getirdiler, elimize şu sloganları tutuşturdular ve bizi şöyle bağırttılar." Bu türlü tahrikler her zaman olabilir ve şimdilerde de başörtüsü bahane edilerek aynı oyunlar sahnelenmektedir. Buna şirretlik denir.. buna toplumu birbirine düşürme denir.. buna milletin gelişmesini engelleme denir.. buna istikrarı baltalama denir.. buna Türkiye'nin dünyadaki itibarını darbeleme denir.. buna Avrupa Birliği'ne girme sürecinin önünü tıkama denir.. buna koca bir coğrafyadaki şuuraltı müktesebatımızı insanların korteklerinden kazıma denir.. buna düpedüz tahribat denir.. buna cinnet denir!..

Bazı kimseler duygu ve düşüncelerini usulüne göre ifade ediyorlar; onları takdirle karşılıyorum. Fakat bazıları da bu cinneti istermişçesine, cidale sebebiyet verebilecek ve toplum fertlerini karşılıklı harbe sevk edecek şekilde, nifaka açık bir tarzda konuşuyorlar. Adeta insanları karşı karşıya getirmeye ve çatıştırmaya çalışıyorlar. Şahsen, hususiyle sivil toplum kuruluşlarında ve siyasi teşkilatlarda yer alan insanlardan hiçbirinin bilerek Türkiye'ye kötülük yapma niyetinde olduklarına ihtimal vermiyorum. Aralarına sızmış birkaç istisnanın çıkması mümkün olsa da, siyasi gayr-i siyasi o toplulukların içinde, "Biz şöyle davranalım da, şu Türkiye yerin dibine batsın!" mülahazasıyla bu kötülükleri yapacak karakterde insanların bulunacağını düşünmüyorum. Ne ki, çok küçük zannedilen, ehemmiyet verilmeyen ve önemsiz görülüp yapılan öyle şeyler vardır ki, bunlar, sonunda tamir edemeyeceğimiz büyük tahribata sebebiyet verebilirler.

Ayrıca, görüyoruz ki, yıllarca uğraşıp, on binlerce şehid verdiğimiz, onu bitirme yolunda pek çok millî serveti tükettiğimiz, sonunda dünya kamuoyunu da nispeten yanımıza çekerek belli muvaffakiyetler kazandığımız terör belasının asıl merkezleri de başörtüsünün serbest bırakılacak olmasından endişe duymaktadırlar. Çünkü, bu serbestliğin, Güneydoğumuzu teröre zemin teşkil etmekten uzaklaştıracağından, bölge halkını terör örgütünden tamamen koparacağından ve böylece terör örgütünün gücünü bütün bütün kaybetmesine vesile olacağından korkmaktadırlar. Öyle ise, sorumlu mevkiinde bulunan insanlar başta olmak üzere hepimiz, ülkemizin selameti adına bugünlerde her zamankinden daha çok duyarlı davranmak; sağduyu dediğimiz akl-ı selim, hiss-i selim ve mantık dahilinde hareket etmek mecburiyetindeyiz.

Hâsılı, ülkemizin bir istikrar ve kalkınma ortamını yakaladığı, hattâ Asya, Afrika ve Balkanlar gibi çok geniş bir coğrafyadaki milletlerin şuuraltında var olan tarihî müktesebatı değerlendirebilecek bir konumu ihraz etmeye başladığı, pek çok sahada önünün açıldığı bir zamanda her meselemizi konuşarak, seviyeli bir üslûp içinde ve ülkemizin umumi menfaatlerini dikkate alarak değerlendirmemiz ve çözmemiz elzemdir. Hangi siyasî görüşten ve hangi müesseseden olursa olsun herkese güven kredisi kazandıracak husus da budur. Yoksa, bu ülkeye bir defa daha çok büyük kötülük yapılmış olur.

Rahmetin Müjdecisi

Soru: Kur'an-ı Kerim'de peygamberlerin hem beşîr hem de nezîr oldukları belirtilmektedir. Beşîr ve nezîr tabirlerinden maksat nedir? Günümüzde, irşat ve tebliğ yolunda nezîr olmanın gereği yerine getirilirken nasıl bir üslup takip edilmelidir?

Cevap: Beşîr; güzel haberler veren, doğru yola teşvik eden, imrendirerek iyiliklere yönlendiren ve mükâfat vaad ederek yüksek hedefler gösteren güleç yüzlü müjdeci demektir.

Nezîr ise; muhtemel tehlikelere işaret eden, hata ve günahların kötü neticelerini bildiren, sonuç itibarıyla haybet ve hüsrana varıp dayanan bir yoldaki tuzaklara dikkat çeken ve böylece insanları felakete düşmekten sakındıran şefkatli uyarıcı manasına gelmektedir.

Beşîr ve Nezîr

Beşîr ve nezîr tabirleri birbirinin zıddı değil mukabilidir ve irşad mesleğinde her ikisi de çok lüzumludur. Beşîr, bir yönüyle tergîb (teşvik etme, isteklendirme, imrendirme) ifade etmektedir; nezîr ise terhîb (uyarma, tedbir aldırma, uzaklaştırma) vazifesi gömektedir; bunlardan ilki recâya, ikincisi havfe bakmaktadır; birinde ümitlendirme, diğerinde ise, sakındırma vardır. Bu arada; bazı mealcilerin nezîr kelimesini korkutucu, tehdit edici ve gözdağı verici şeklinde tercüme etmeleri kat'iyen yanlıştır; evet, nezîr tehdit eden ve korkutan değil, tehlikeyi nazara veren ve uyarandır.

Kur'an-ı Kerîm'de, (bazen aynı kökten türetilmiş benzer sözcükler halinde olmak üzere) pek çok yerde beraberce kullanılan bu iki kelime peygamberlerin sıfatları sadedinde zikredilmektedir. Çünkü, peygamberler hem Allah'ın rahmetini müjdelemişler, hem de azab-ı ilahîyi haber vermişlerdir.

Allah'ın elçileri, evvelâ, Cenâb-ı Hakk'a gönülden inanıp O'nun emirlerine itaat edenlerin nâil olacağı dünyevî ve uhrevî mükâfatları bildirmişlerdir. İmanın bu dünyada saadete vesile olduğunu belirttikleri gibi, mü'minlerin ötede de Cennet nimetlerine kavuşacaklarını müjdelemişlerdir. İnsanları Allah yoluna çağırırken meseleleri zor göstermemeye, muhataplarını ürkütmemeye ve onların içlerinde nefret duygularının uyanmasına sebebiyet vermemeye azamî dikkat göstermiş; herkesi hikmetle, güzel ve makul öğütlerle Allah'ın dinine davet etmişlerdir.

Sâniyen; hikmet ile tebliğin bir gereği olarak, zaman zaman eğri yolun encamından bahisler açmış ve insanları kötülüklerden sakındırmışlardır. Bir çobanın, gerektiğinde koyunlarına taş atıp onları tehlike mahallinden uzaklaştırdığı gibi; peygamberler de, değişik ikaz vesileleriyle ümmetlerini gafletten kurtarmaya ve tehlikelerden korumaya çalışmışlardır. Bu itibarla da, onlar zorlayıcı, gözdağı verici ve korkutucu değil, sadece azabı ihbar edici ve sakındırıcıdırlar.

Hak ile Nezîr

Mevlâ-yı Müteâl, her kavme bir peygamber gönderdiğini ve bütün peygamberlerin aynı zamanda birer nezîr olduklarını beyan etmiştir. Bir ayet-i kerimede mealen, "Muhakkak ki, Biz seni hak ile, hem bir beşîr hem de bir nezîr olarak gönderdik. Zaten, (nezîr) uyaran bir peygamber gelmiş olmayan hiçbir ümmet yoktur." (Fâtır, 35/24) buyurmuştur.

Bu ilahî beyandaki "bilhakkı" kaydı çok önemlidir; kısaca, "hak ile, gerçeğin ta kendisine malik olarak" manasına gelen bu ifadeye bağlı kalındığında ayetten şunlar anlaşılacaktır: Habîbim! Şüphesiz Sen hem beşîr hem de nezîrsin; fakat, Sen insanları faydasız kuruntularla ümitlendirmediğin gibi, onları boş yere de korkutmazsın. Kimi anne-babaların bir kısım öcülerden bahsederek "Aman şunu yaparsan şöyle olur; bunu tutarsan böyle olur!" dedikleri ve böylece çocuklarını korkutup onları bazı şeylerden sakındırdıkları misillü değildir Senin nezîrliğin. Sen, kendince güzel gördüğün şeylere yönlendirmek ve yine kendince çirkin kabul edip akıbet itibarıyla tehlikeli gördüğün şeylerden sakındırmak için masalları, üstureleri ve mübalağalı ifadeleri kullanmaktan berîsin. Evet, Sen bir beşîr ve nezîrsin ama gerçeklerin en gür sesi Kur'an-ı Hakîm'in mükâfat ve mücâzat muhtevalı hakikatlerini bildiren, Cenâb-ı Hakk'ın vaadlerini müjdeleyen, O'nun hak vaîdlerini haber veren, Hakk'ın mesajlarını sabit birer gerçek olarak tebliğ eden ve böylece Hak namına hakka tercümanlık yapan bir beşîr ü nezîrsin. Senin muştulu haberlerin de, tehlikelere dikkat çeken sözlerin de hep Cenâb-ı Hakk'ın vahyine dayanmaktadır. Bu itibarla, Sen insanları hakikate yönlendirirken hakkı söyleyen bir beşîr olduğun gibi, kötülüklerden ve su-i akibetten sakındırırken de yine hakkı gözeten bir uyarıcısın.

Tabii ki, diğer peygamberler de tebliğlerinde hep hakka bağlı kalmışlardır; onların beşîr ve nezîr olmaları, müjdelemeleri ve sakındırmaları da hak yörüngesinde cereyan etmiştir. Fakat, mutlak zikir kemâline masruftur; dolayısıyla, gerçeğin ta kendisine malik olmanın ve hakka tercümanlığın zirvesine tahtını kuran İnsanlığın İftihar Tablosu'dur. Müjdeleyerek ve ikaz ederek hakikatleri anlatma mevzuu olgunlaşa olgunlaşa mükemmelliğe ulaşmış ve adeta Rehber-i Ekmel (sallallahu aleyhi ve sellem) Efendimiz'in hakka bağlı bişaret ve nezaretiyle taçlanmıştır. Zira, Rasûl-ü Ekrem (aleyhi ekmelüttehâyâ) sadece bir kavme değil bütün insanlığa, hatta topyekün kâinata bir rahmet vesilesi olarak gönderilmiştir. O, insanların tamamı için hem ilahî rahmetin müjdecisi, saadet-i ebediyenin muhbiri, sonsuz merhametin habercisi ve Esmâ-yı İlâhiye hazinelerinin keşşafı olan bir beşîrdir; hem de inanıp itaat etmeyenlere ahiretin dehşetini, Cehennem ateşini, ilahî azabı ve ebedî hüsranı ihbar eden, "Burası çıkmaz sokak!" diyerek eğri yolun encamından sakındıran bir nezîrdir. Nitekim, Cenâb-ı Hak, "Ey Rasûlüm, Biz seni bütün insanlığa rahmetimizin müjdecisi, azabımızın uyarıcısı olarak gönderdik, lâkin insanların ekserisi bunu bilmezler." (Sebe, 34/28) buyurmuştur.

Uyarma ve Sakındırmada Üslup

Aslında, Kur'an-ı Kerim'in üslubuna bakılacak olursa, tergîb ile terhîbin her zaman birbirini takip ettiği görülecektir. Uzun surelerde makta'ların (belli bir meseleyi ele alan daha kısa bölümlerin) birisinde imrendirme ve teşvik ihtiva eden bir mevzudan bahsediliyorsa, genellikle öbüründe uyarma, tedbir aldırma ve kötü akıbetten alıkoyma manalarını da barındıran bir konu anlatılmaktadır. Hatta peşi peşine gelen kısa sureler arasında da aynı münasebet söz konusudur; önceki surede özendirme varsa, sonrakinde sakındırma bulunmaktadır.

Bu açıdan, müjdelemenin yanı sıra sakındırma yolunu da kullanmak irşad ve tebliğ mesleğinin gereğidir. İnsanları hep iyiliklerin peşinde bulunacakları bir koridorda yol almaya, ömür boyu imanın lezzetini duyacakları bir atmosferde yaşamaya ve ufukta da her zaman Cennet'in tüllendiğine şahid olmaya imrendirmek; kezâ, sonu felakete çıkan bir dehlizde yürümekten onları alıkoymak, o dehlizin giriş kapıları sayılan günahlara karşı içlerinde tiksinti hasıl etmek ve şayet o boğucu havadan uzak kalmazlarsa ebedî hüsrana uğrayabileceklerini onlara hatırlatmak lazımdır.

Ne var ki, insanlar fıtrat itibarıyla farklı farklıdırlar; bazıları imrendiricilikle harekete geçmeye daha meyyal olurlar; kimileri de içlerindeki akıbet endişesinden dolayı sakındırma metoduyla hayırlı işlere daha bir sarılırlar. Dolayısıyla, mürşid ve mübelliğ, muhatabının karakterini ve mizacını gözetmeli; kime, nerede, ne ölçüde müjdeleyici ve ne nisbette uyarıcı olması gerektiğini çok iyi belirlemelidir. Şüphesiz niyetin sağlamlığı, ihlas, samimiyet ve adanmışlık ruhu gibi dinamikler pek önemli birer meseledir; fakat, tebliğ ve irşadda üslubun da bambaşka bir yeri ve ehemmiyeti vardır. Şayet dava-yı nübüvvetin vârisleri bu espriyi kavrayamazlarsa, irşad mesleğinde olmadık falsolar yapmaktan kurtulamayacaklardır. Rehber-i Ekmel (sallallahu aleyhi ve sellem) Efendimiz'in sözleri ekseriyetle objektiftir; umum halk nazara alınarak dile getirilmiş ifadelerdir. Fakat, muhataplarının özel hallerine göre, Söz Sultanı'nın farklı farklı beyanlarıyla ve üsluplarıyla da karşılaşmak mümkündür. Rasûl-ü Ekrem (aleyhissalatü vesselam) bazı kimselere hitap ederken hem farklı argümanlar kullanmış; hem de karşısındaki insanın ruh haletine göre, bazen tergîbi bazen de terhîbi öne çıkarmıştır. Kimi zaman beşîr olmanın gereğini ortaya koymuş; kimi zaman da tam bir nezîr üslubuyla ikazlarını ard arda sıralamıştır. Üslub ayn-ı insandır; İnsan-ı Kâmil olan Allah Rasûlü bir beşîr ü nezîr için hayatî ehemmiyeti bulunan üslup meselesinde en mükemmel misali temsil ve talim buyurmuştur.

"Ashabımı Bana Bırakın!.."

Hadis kitaplarında nakledilen şu hadise üslup meselesine ışık tutucu mahiyettedir: Bir gün, yeni Müslüman olmuş birisi, Hazreti Ruh-u Seyyidi'l-Enâm (aleyhi elfü elfi salâtin ve selâm) Efendimiz'in huzuruna girerek O'ndan yardım talep etmişti. Hiç kimseyi eli boş döndürmeyen Allah Rasûlü, o adama da bazı şeyler vermişti; fakat, adam hoşnutsuzluk izhar edip edep sınırlarını da zorlayarak daha fazlasını istemişti. Bunun üzerine, Ashab-ı Kiram'dan bazıları, saygısızlığını cezalandırmak maksadıyla o şahsın üzerine yürümüşlerdi. Fakat, Peygamber Efendimiz onlara mani olmuş ve başka şeyler de verip o adamı memnun etmişti. Sonra da sahabîlere dönüp şöyle buyurmuştu: Benimle bu köylünün hali kaçan bir deve ile sahibinin durumu gibidir. İnsanlar devenin peşinde koşar, hep beraber onu yakalamaya çalışırlar ama deve kalabalıktan daha çok ürker ve var gücüyle kaçar. Sonunda hayvanın sahibi, "Devemi benimle başbaşa bırakın." diye seslenir; eline bir tomar ot alarak ona ön tarafından yavaş yavaş yaklaşır ve sonuçta devesini sakinleştirerek boynuna zimamı vuruverir. Eğer siz de o adamı bana bırakmasaydınız onu iyice uzaklaştırmış ve ateşe atmış olurdunuz. Benimle ümmetimin arasına girmeyin, ashabımı bana bırakın!"

Demek ki, üslup hatası yaparak insanları Allah'ın dininden ve Rasûl-ü Ekrem'in şefkat ikliminden uzaklaştırmak Allah Rasûlü ile ümmetinin arasına girmektir. Bu itibarla, insan, yanlış bir üsluptan (daha doğrusu üslupsuzluktan) dolayı kulları ile Yüce Yaratıcı'nın, ümmeti ile Allah Rasûlü'nün arasına girmiş olmaktan çok korkmalıdır. Bir deveyi yakalamanın bile bir üslubu varsa, çok farklı tabiatlardaki insanlara hak ve hakikatleri anlatmanın da mutlaka bir üslubu olmalıdır. Şahısların fıtratları da nazar-ı itibara alınarak herkes için en uygun üslup tesbit edilmeli ve farklı argümanlar kullanılmalıdır. Aksi halde, dine çağırma ile dinden kaçırma öyle birbirine karışır ve Sonsuz Nur'a koşması beklenenler O'ndan o denli uzaklaşırlar ki, onları bir daha döndürmek hiç mümkün olmaz.

Evet, bir kere kaçırılanı geri getirmek çok zordur. Öyle insanlara şahit olmuşumdur ki, "Bir bayram namazı bana namazı da, Allah'ı da terkettirdi!.." diyenini bile duymuşumdur. Bu sözü işitince çok şaşırmışımdır; kendi kendime "Namaz, namazı nasıl terkettirir?" demiş ve hayretimi seslendirmişimdir. Meselenin aslını öğrenince de üzüntü ve kederden iki büklüm olmuşumdur. Adamcağız, "Hiç olmazsa bir bayram namazında camiye gideyim!.." demiş ve saflar arasında yerini almış. Fakat, köhne düşünceli bir gırtlak ağasının abuk sabuk konuşmasına şahit olmuş; akıbeti hakkında Cehennem'den başka bir ihtimalin kalmadığına dair sözler duymuş, anlatılanlardan dolayı iyice ümitsizliğe düşmüş ve "Din bu ise, bunu kabul etmem mümkün değil!.." deyip bir kere camiden kaçmış.. sonra "Acaba bu meselenin doğrusu nedir?" diye de düşünmemiş; işin aslını sorup öğrenme ve yanılgıdan kurtulma yoluna gitmemiş. Dahası, bir arayışa koyulmuş; bir bâtılı hak zannedip içine girmiş ve boğulmuş. Hazreti Üstad'ın ifadesiyle, "İnsan fıtraten mükerrem olduğundan hakkı arar. Bazen bâtıl eline gelir, hak zannederek koynunda saklar. Hakikati kazarken ihtiyarsız dalâlet başına düşer; hakikat zannederek başına geçirir." İşte, o da öyle yapmış; hakkı haktan kaçarak aramış ve bir bâtıla saplanıp kalmış. Şüphesiz, yanlış yapmış, hatalı davranmış; iradesinin ve aklının hakkını vermemiş ve neticede imanın vaad ettiği güzelliklerden nasipsiz yaşamış.

Fakat, acaba onun bu kaçkınlığında -sebepler açısından- üslupsuz adamın hiç mi payı yok? Acaba, irşad usulünü bilemeyen o şahıs Rasûl-ü Ekrem ile ümmetinin arasına girmiş sayılmaz mı? Ve acaba halka hitap eden o insan, bir bayram sabahında nezîr olmaktan ziyade tam bir beşîr gibi davransaydı ve müjdeleyici, imrendirici, teşvik edici konuşsaydı, ilk kez camiye gelenlere ikinci bir adımı attırma fırsatını daha güzel değerlendirmiş olmaz mıydı?

Çocuklara Karşı Hep Müjdeleyici Olunmalı!..

Ayrıca; ayet-i kerimelerde beşîr kelimesinin nezîrden önce zikredilmesinde de latif bir nükte vardır: Tabiat itibarıyla ve ekseriyetle insanlar teşvikle iş yapmaya daha açıktır. Sâlih amellere yönlendirme, güzelliklere imrendirme, yüksek hedefler gösterme, müjdeleme ve sevdirme yoluyla toplumun büyük çoğunluğunun gönüllerine girilebilir. Dolayısıyla, özellikle hümanizm düşüncelerinin çok öne çıktığı bir dönemde insanlara hep bişaretle yaklaşılmalıdır. Evet, Cennet'te herkese bir yer tahsis etme lâubâlîliğine girilmemelidir ama tebliğ ve irşadda tebşîr (müjde verme, şevklendirme) öncelikli olmaya özen gösterilmelidir.

Hususiyle, çocuklara daha ziyade müjdeleyici ve imrendirici olmak lazımdır. Evet, hakikatler her zaman kendi kıymetlerine uygun şekilde korunmalıdır; fakat, meseleleri bir çocuğa anlatırken onun yaşına, zihin yapısına ve ruh haletine uygun bir dil kullanmak şarttır. Bir çocuğu karşısına alır almaz, Cehennem'in ateş derelerinden, karanlık çukurlarından, dipsiz gayyalarından bahis açan bir insan, baltayı taşa vurmuş, daha doğrusu baltayı taşa değil o çocuğun kafasına vurmuş olur.

Çocuklara her fırsatta Allah'ın rahmetinin kuşatıcılığı ve Cennet'in güzelliklerinin göz alıcılığı uygun bir üslupla anlatılmalıdır. Onların tertemiz gönüllerinde, Cenâb-ı Hakk'a karşı güven, itimat ve sevgi hisleri coşturulmalıdır. İnsanların, hayvanların, en küçük yavruların ve hatta haşerâtın, Allah'ın şefkat ve merhametiyle beslendiği vurgulanmalı ve çocukların vicdanlarının şükür duygusuyla dolup taşması sağlanmalıdır. Onlar, ahireti, dünyadaki nimetlerin asıllarını bulacakları bir mükâfat âlemi ve ölümü de o âlemin giriş kapısı olarak görecekleri bir ufka ulaştırılmalıdırlar. Nur Müellifi'nin ifade ettiği gibi, onlara, "Benim küçük kardeşim veya arkadaşım öldü, Cennet'in bir kuşu oldu. Cennet'te gezer, bizden daha güzel yaşar." dedirtecek şekilde -en büyük teselli ve ümit kaynağı olan- Cennet fikri kazandırılmalıdır. Çocuklar, şayet bir şeyden korkacaklarsa, sopadan, tehditten, Cehennem azabından değil, Allah'ın sevgisini, ilahî şefkati ve Cennet mükâfatlarını kaybedeceklerinden korkmalıdırlar.

Hâsılı; müjdelemenin yanı sıra sakındırma yolunu da kullanmak irşad ve tebliğ mesleğinin bir gereğidir. Bu itibarla da, dava-yı nübüvvetin vârisleri beşîr oldukları aynı zamanda nezîrlik vazifesini de eda etmelidirler. Şu kadar var ki, insan fıtratına en uygun din olan İslâm'da, tebşîr öncelik hakkına sahiptir. Din-i mübîn "yüsr" (kolaylık) üzere vaz' edilmiştir; fıtratları ve karakterleri gözetmeden, onu şiddetlendiren ve ağırlaştıran, dinin ruhuna aykırı bir iş yapmış olur. Zira, kolaylık üzere bina edilmiş ve müsamahaya dayalı gelmiş bu dini insanlara öğretirken zorlaştırmamak ve nefret ettirmemek, bilakis yaşanabilir olduğunu göstermek ve sevdirmek Rasûl-ü Ekrem (sallallahu aleyhi ve sellem) Efendimiz'in emridir. Bu itibarla da, her irşad eri muhatabının hususiyetlerini göz önünde bulundurmalı; kime, nerede, ne ölçüde müjdeleyici ya da ikaz edici olması gerektiğini çok iyi belirlemelidir.

Biz, Hüsn-ü Zanna Memuruz!..

Soru: Bir mü'minin düşünce dünyasında hüsn-ü zannın yeri ne olmalıdır? Cenâb-ı Hakk'a ve insanlara karşı hüsn-ü zannın çerçevesi nasıl belirlenmelidir?

Cevap: İnsan düşünce dünyasına göre şekillenen bir varlıktır. O, nasıl düşünüyorsa, istidâdı ölçüsünde, öyle olmaya namzettir. İnsan, belli mülahazalar zaviyesinden eşya ve hâdiselere bakmaya devam ettiği sürece, karakter ve ruh yapısı itibarıyla, yavaş yavaş o düşünce çizgisinde bir hüviyet kazanır. "Güzel gören güzel düşünür;" güzel düşünen, ruhunda iyi şeylerin tohumlarını inkişaf ettirir ve sînesinde kurduğu cennetlerde yaşar gider. Etrafına kendi karanlık dünyasından bakan, her şeye içinin çirkinliğinden bir is bulaştıran ve dolayısıyla herkesten şikayet eden bir kimse ise, hiçbir zaman iyiyi göremez, güzel düşünemez ve hayatın hakiki lezzetini alamaz.

Denebilir ki; sebepler dairesinde, toprağın bağrında gelişen tohumlar için toprak, hava, su ve bunları meydana getiren elementlerin tesiri neyse, insanın güzel ahlâk ve karakterinin gelişmesinde de, düşünce ve niyetin tesiri aynıdır. Çiçekler tohumlardan ve kuşlar yumurtalardan çıktıkları gibi, yüksek ruh ve kusursuz karakterler de, güzel düşünce ve temiz niyetlerden meydana gelirler. Dahası, nezih düşünce ve hâlis niyetleri sayesinde her an cennetin havasını teneffüs ediyormuş gibi yaşayanlar, zamanla çevrelerine de aynı iklimin kokusunu neşrederler; her tarafı ve her gönlü irem bağlarına çevirirler. Çirkin düşünce ve fenâ niyetlerin esaretindeki kimseler ise, cennetâsâ atmosferlerde dahi insanlara, yudum yudum kan ve irin içirirler.

Hüsn-ü Zan İbadettir

Her zaman vicdana hoş gelen mülahazalarla dolu olmanın ve bir kimse hakkında müsbet kanaat beslemenin ıstılahtaki unvanı "hüsn-ü zan"dır. İyi niyet, olumlu düşünce ve güzel görüş manalarına gelen hüsn-ü zan, insanın iç saffetinin ve hayırhahlığının bir göstergesidir. Şahıslar ve olaylar hakkında değerlendirmelerde bulunurken, olabildiğince iyi niyetli davranmak ve her hâdiseyi hayra yormak sâlih bir mü'minin şe'nidir.

Biri hakkında kötü düşüncelere sahip olmaya ise "sû-i zan" denir. Cenâb-ı Hak, bir ayet-i kerimede, sû-i zannın çirkinliğini ifade sadedinde, "Ey iman edenler! Zandan çok sakının. Çünkü zanların bir kısmı günahtır. Birbirinizin gizli hallerini araştırmayın." (Hucurât, 49/12) buyurmuştur. Allah Rasûlü (aleyhi ekmelüttehâyâ) da, "Zandan kaçının. Çünkü zan, sözlerin en yalanıdır. Tecessüste bulunmayın, birbirinizin gizliliklerini araştırmayın, birbirinizin sözlerine kulak kabartmayın, birbirinizle rekabete girişmeyin, birbirinizi çekememezlik etmeyin, birbirinize karşı kin gütmeyin ve sırtınızı dönmeyin; ey Allah'ın kulları kardeşler olun!" demiş; tecessüsten, sû-i zandan ve kardeşliği zedeleyecek her türlü davranıştan uzak durmak gerektiğini ikaz etmiştir. Ayrıca, Hazreti Sâdık u Masdûk Efendimiz, "Hüsn-ü zan sahibi olması, kişinin kulluğunun güzelliğindendir."

buyurmuş; hâlis niyetli, müsbet düşünceli ve güzel görüşlü olmayı İslam'ı hazmetmenin, onda derinleşmenin ve Allah tarafından görülüyor olma mülahazasına bağlı yaşama enginliğinin bir alâmeti saymıştır. Rehber-i Ekmel (aleyhissalatü vesselam), Ashab-ı Kiram'ın biatlarını kabul ederken, bütün mü'minlere karşı iyi niyetli olmak hususunda da onlardan söz almıştır.

Nur Müellifi, dört büyük hastalığı sayarken, yeis, ucb ve gurur ile beraber sû-i zannı da zikretmiş ve insanın hüsn-ü zanna memur olduğunu belirtmiştir. Evet, insan, herkesi kendisinden üstün görmeli; nefsindeki bir zaafı ya da çirkinliği sû-i zan sâikasıyla başkalarına teşmil etme veya işin aslını ve hikmetini bilmediğinden başkalarının bazı hal ve hareketlerini kötüleme gibi yanlışlıklara düşmemelidir. Binâenaleyh, Selef-i Salihînin hikmetini bilmediğimiz bir kısım hallerini beğenmemek de sû-i zandır.. ve sû-i zan, toplumun maddî-mânevî hayatını zedeleyen bir şeytânî tuzaktır.

Gözlerim Yalan Söylüyor!..

Evet, biz hüsn-ü zanna memuruz ve hususiyle inananlar hakkında her zaman güzel düşünmeye mecburuz. Bir başka münasebetle de anlattığım gibi, Tarikat-ı Muhammediye üzerine yazılan şerhlerden biri olan Berika'nın müellifi İmam Hâdimî, "Bir mü'mini fuhuş işlerken bile görsen, hemen onun hakkında hükmünü verme. Gözlerini sil, 'Allah Allah, o insan böyle çirkin bir işi yapmaz; yoksa ben yanlış mı gördüm!' de; dön bir kere daha 'O mu?' diye kontrol et. O ise, 'İhtimal yine yanlış gördüm' de; bir kere daha, bir kere daha gözlerini yalanla ve onları silip tekrar bak. Şayet o kötü iş üzerinde gördüğün kimsenin düşündüğün şahıs olduğu hakkındaki kanaatin kesinleşirse, 'Lâ havle ve lâ kuvvete illâ billâhi'l-aliyyi'l-azim' de; 'Ya Rabbi! Onu bu çirkin halden kurtar, beni de böyle bir günaha düşürme!' diye dua et ve çek git." diyor.

Hazreti İmam'ı çok severim, ona karşı derin hürmetim vardır ama bu sözlerini fazla bulurum. Zira, on defa gözlerini silip yeniden bakmaya ve o işi tahkik etmeye hiç gerek yoktur. Çünkü ilk bakışta insanın içinde hâlâ bir şüphe vardır ve bu şüphe, söz konusu insan hakkında verilecek kararın daha müsbet olması için bir menattır. Eğer mesele tahkik edilirse, kesin hükme varmaktan başka bir yol kalmayacaktır. Dolayısıyla, insan, gözüne bir çirkinlik iliştiği zaman, tecessüs, teşhis ve tesbit peşine düşmeden, o sevimsiz fotoğraflar gönlüne akarak fuad kazanında eriyip bir hüküm kalıbına girmeden, hemen sırtını dönüp oradan uzaklaşmalı; "Allahım günahkâr kullarını hidayete erdir, beni de affet!.." demeli ve gördüğünü de unutmalıdır.

Aksi halde, o günahı işleyen kimse bir kere düşmüş olsa bile anında doğrulup tevbe kurnasına koşmuş, günahlarını gözyaşlarıyla yıkamış ve affedilmiş olabilir; fakat, ona şahitlik eden ve tecessüsle meseleyi derinleştiren şahıs, hadiseyi her hatırlayışında o çirkin fiili düşündüğünden dolayı zihin kirliliğinden bir türlü kurtulamaz ve sû-i zannın tahribatından azâde olamaz.

Dahası, toplum düzeni ve asayişin temini açısından hukukî şahitliğin belli bir önemi ve yeri varsa bile, İslam'da insanların ayıplarını fâş etme diye bir vazife yoktur. Mehâsin-i ahlak kuralları içinde başkalarının kusurlarını araştırma, onları deşifre etme ve mahcup düşürme şeklinde bir madde yer almamaktadır. Aksine, hata ve kusur avcılığı yapmak, günahları açığa vurmak ve insanları tahkir etmek dinimizde ahlaksızlık sayılmıştır.

Bu itibarla da, bir insanın üzerinde on tane nifak belirtisi, bir tane de iman emaresi olsa, biz yine o insan hakkında elimizden geldiğince hüsn-ü zan etmek mecburiyetindeyiz. Evet, o şahıs, söz konusu mezmum sıfatlarından dolayı kendi hesabına çok korkmalı ve akıbetinden endişe etmelidir; ancak, biz, kat'iyen onun hakkında münafık hükmüne varmamalıyız; sû-i zanda isabet etmektense hüsn-ü zanda yanılmayı seçmeliyiz. Tabii ki, iman hizmetinin ve umumun hukukunu gözeterek, üzerinde nifak alâmeti bulunan insanlara bir kısım vazife ve sorumluluklar verip vermeme hususunda daha temkinli olabiliriz. Bu hususta, Üstad hazretlerinin ortaya koyduğu "hüsn-ü zan, adem-i itimat" prensibine göre hareket edip, Kur'an hizmetinden onların da nasipdar olmaları için, o türlü insanlara da bazı vazifeler verme ama onları mahremiyet gerektiren yerlerden uzak bulundurma yoluna gidebiliriz. Böylece, hem amme hukukunu korumuş hem de o insanların da çirkin sıfatlardan kurtulup samimi birer mü'min olabileceklerine dair hüsn-ü zannımızın gereğini yapmış oluruz. Şu kadar var ki, aynı mefkureye gönül vermiş insanlar arasında hüsn-ü zannın ve güvenin ana unsurlar olduğu; kesin bilgilere dayanmayan haberlerden, sudan bahanelerden, bir kısım şüphe ve vesveselerden dolayı kardeşlerin birbirlerine karşı asla itimatsızlık etmemelerinin gerektiği unutulmamalıdır. "Adem-i itimat" mülahazası tahdit altına alınmalıdır.

Töhmet Mahallinde Bulunmaktan Sakının!..

Ayrıca, her zaman hüsn-ü zanda bulunmak bir esas olduğu gibi, başkalarını sû-i zanna sevk edebilecek davranışlardan uzak durmak da çok önemli bir düsturdur. Bazı insanlar, haklarında çirkin düşüncelere sebebiyet verebilecek hal ve hareketlerden gerektiği ölçüde kaçınmıyorlar; yeme-içmeleri, yatıp kalkmaları, iş hayatları, kazançları ve beşerî münasebetleri açısından tenkit edilebilecek tavır ve davranışlar sergiliyorlar. Dolayısıyla, sû-i zanna açık fıtratlarda kötü duyguları ve çirkin mülahazaları tetikliyorlar. Oysa, hep hüsn-ü zanna bağlı yaşamanın yanı sıra, herkesin kendi durumunu gözden geçirmesi ve sû-i zan uyaracak hallerden sakınması da icap etmektedir.

Evet, töhmete yol açabilecek hususları, hususiyle de günümüzde tasvip etmek kat'iyen mümkün değildir. Çünkü, bugün ferdîlikten ziyade şahs-ı manevî söz konusudur. Her Müslümanın tavır ve davranışının şahs-ı maneviye ve bütün mü'minlere mal edilmesi mevzubahistir. Bundan dolayı, çok önemli gördüğüm dualardan biri de, "Allahım bizim tavır ve davranışlarımızdan dolayı kardeşlerimizi yere baktırma, şahsî hatalarımızla onları utandırma!.." yakarışıdır. Zira, şimdilerde tek ferdin yakışıksız bir hareketi bütün inananlara kredi kaybettirebilmektedir; tutarsız davranışlar sergileyen bir insan, bütün Müslümanları zan altında bırakmaktadır.

Bu açıdan, günümüzde "İttekû mevâdia't-tühem – Sizi zan altında bırakacak yerlerden uzak durun, töhmet noktalarında bulunmaktan sakının!.." mealindeki hadis-i şerife bağlı hareket etmek eskiye nisbeten daha da hayatî bir ehemmiyeti haizdir. Evet, töhmet fiillerinin cereyan edebileceği yerlerden, onlara götüren duyguları tetikleyebilecek hallerden ve bir lokma, bir kelime, bir dinleme ve bir tecessüsle insanı özünden koparabilecek kaygan zeminlerden uzak durmaya çalışmak gerektiği gibi, sû-i zanna sebep olacak pespaye davranışlardan kaçınmak ve kötü düşüncelerin oluşmasına meydan vermemek de lazımdır. Şu misal bu mevzuda bize yön tayin edici ve yol gösterici olmalıdır:

Rasûl-ü Ekrem (sallallahu aleyhi ve sellem) Efendimiz'in itikafta olduğu bir gün, Safiyye validemiz (radıyallahu anha) kendisini ziyaret etmiş ve bir müddet İnsanlığın İftihar Tablosu'nun yanında kaldıktan sonra hanesine dönmek üzere müsaade istemişti. Nezaket âbidesi Allah Rasûlü, muhtereme zevcesini uğurlamak için onunla beraber dışarıya çıkmıştı ki, o esnada bir-iki sahabî yanlarından geçmiş, kendilerini görmüş ama hiç duraklamadan oradan uzaklaşmaya meyletmişlerdi. İki Cihan Serveri, derhal onları durdurmuş ve Safiyye validemizin yüzünü açarak, "Bakın, bu benim hanımım Safiyye'dir" demişti. Bunun üzerine, o sahabîler büyük bir mahcubiyet içinde, "Maazallah, yâ Rasûlallah! Sizin hakkınızda nasıl kötü düşünülebilir ki?" mukabelesinde bulunmuşlardı. Rehber-i Ekmel Efendimiz'in cevabı şöyle olmuştu: "Şeytan, insanın kan damarlarında sürekli dolaşır durur!"

Evet, şeytan, insanla bu kadar içli dışlı olduğuna göre zihne pek çok şüphe ve vesvese atabilir; en nezih kimseleri hiç olmayacak şekillerde sû-i zanna sürükleyebilir. Öyleyse, insan hem her zaman hüsn-ü zanna bağlı kalmaya çalışmalı hem de sû-i zanna sebebiyet verebilecek hallerden fersah fersah uzak durmalı ve hep temkinli yaşamalıdır.

Mevlâ-yı Müteâl Hakkında Hüsn-ü Zan

Diğer taraftan, insanlar hakkında her zaman hüsn-ü zanna memur olan mü'minlerin, Yüce Yaratıcı'nın muamelelerine karşı sû-i zan ifade eden hoşnutsuzlukları da asla düşünülemez. Bir mü'min her şeyden ve herkesten evvel Mevlâ-yı Müteâl hakkında hüsn-ü zan sahibi olmalıdır. "Benim kulumla maiyyet ve muamelem, onun Benim hakkımdaki zannına bağlıdır." meâlindeki kudsî hadis de Allah Teâlâ'ya hüsn-ü zan beslemenin ehemmiyetini ve bunun ne büyük bir vesile-i necât olduğunu nazara vermektedir.

Rabb-i Rahim hakkındaki güzel mülahazaların ötede nasıl afv fermanına dönüştüğü bir hadis-i şerifte şöyle anlatılmaktadır: Amel sandığında hayr u hasenâtının yanı sıra pek çok günahı da bulunan bir kulun hesabı görülür; mizanda sevap kefesi daha hafif gelince, azap ehlinden olduğuna dair hüküm verilir. Cezaya müstehak o kul derdest edilip perişan bir vaziyette, adeta sürüklene sürüklene mücâzat mahalline doğru götürülürken, ikide bir geriye döner ve bir sürpriz bekliyormuş gibi etrafına bakınır. Cenâb-ı Hak, meleklerine "Kuluma sorun bakalım; niçin geriye bakıp duruyor?" buyurur. (Geriye bakma meselesi bizim anlayacağımız şekilde konuşmanın gereği olarak, fizik âlemiyle alâkalıdır; yoksa, Zât-ı Ulûhiyet için mekan ve yön mevzubahis değildir.) Adamcağız der ki, "Rabbim!.. Hakkındaki hüsn-ü zannım böyle değildi; evet, âlem sevaplarla gelirken -maalesef- ben günah getirdim; fakat, Senin rahmetine olan inanç ve itimadımı hiçbir zaman kaybetmedim!.. Recâm oydu ki, bana da merhametinle muamele edesin ve beni de bağışlayasın!.." İşte, bu mülahazalar ve Allah Teâlâ hakkındaki hüsn-ü zan, o insanın kurtuluşuna kapı aralar; neticede adamcağız "Kulumu Cennet'e götürün!" müjdesini duyar.

Kezâ, dâr-ı bekâya irtihalinden sonra, Ebû Sehl hazretlerini, rüyada tarifler üstü nimetler içinde yüzüyor görüp sorarlar: "Üstad, bu yüksek pâyeyi nasıl elde ettiniz?" Ebû Sehl cevap verir: "Rabbim hakkında beslediğim hüsn-ü zan sayesinde."

Aslında, bir mü'min hayatının her diliminde Allah Teâlâ hakkında hüsn-ü zanna sarılmalı ve hep bu recayla yaşamalıdır. "Ben günahkâr olabilirim; hatta hâlâ O'na ancak pamuk ipliği ile bağlı olduğum için her an bir kopukluğa da düşebilirim. Fakat, o Gafûr ve

Rahîm'dir; gufrân deryasına beni de alacağına dair inancım kavî-
dir!.." demeli ve bağışlanacağı ümidini beslemelidir. Şu kadar var
ki, hüsn-ü zan ve reca duygusu insanı yeni yeni günahlar işlemeye
sevk etmemelidir. Hâlis bir mü'min, günahtan yılandan çıyandan
kaçar gibi kaçmalı; ezkaza bir cürüm işlemişse, o zaman da hemen
tevbeye koşmalı ve yarlığanacağını umarak mağfiret dilenmelidir.
Bu meselede çok hassas bir denge söz konusudur; günahlardan
uzak durmak ile kazarâ bir cürüm işledikten sonra ye'se düşmemek
arasında ince bir husus mevcuttur. Zira, yeis günahtan daha büyük
bir tehlikedir; "Artık benim işim bitti!" demek, özünü gaflete sal-
mak, masiyet bataklığında yuvarlanmak ve nihayet kendi canına kı-
yacak kadar karamsarlığa kapılmak, bu hale yol açan günahlardan
daha büyük bir cürümdür.

Halbuki insan, hangi hal üzere olursa olsun, "Kur'an-ı Kerim'de
kendisini Rahman u Rahîm isimleriyle vasfeden ve hayatını boşa har-
cayan kimselere hitap ederken bile "kullarım" diyen bir Rabbim var-
ken niçin ümitsizliğe düşeyim ki!.. İşin doğrusu, böyle bir Rabb-i Ra-
him'e karşı günah işlemek de çok yakışıksız oluyor. Öyleyse, bundan
sonra masiyete nasıl girebilirim ki?!." diyebilmelidir. Evet, insan ne
kendisini salmalı ne de ümitsizliğe düşmelidir. Bilhassa yaşlılıkta ve
ölüm anında reca hissini daha da coşturmalı ve Allah'a yürürken
O'nun hakkında hep güzel mülahazalarla dolu bulunmalıdır. Nite-
kim, Rasûl-ü Ekrem (sallallahu aleyhi ve sellem) Efendimiz, "Sakın,
sizden biriniz Allah Teâlâ hakkında hüsn-ü zan etmediği bir hal üze-
re ölmesin." buyurmuştur.

Ayrıca, "Kulum Beni nasıl zannederse, ona öyle muamelede bulu-
nurum!" mealindeki hadis-i şerifi dar bir çerçeveye hapsetmemek ve
onu daha şümullü olarak değerlendirmek gerekir. Evet, "Beni çeşit
çeşit nimetleriyle sevindiren, sırat-ı müstakîme yönlendiren, sürçme-

lerimi bağışlayan ve günahlarımı yarlığayan bir Rabb'im var." demek, hüsn-ü zannın ifadesidir. Fakat, bir de, hayatımız adına takdir buyurulan her meselede bizim saadetimizin esas alındığına ve her şeyin bir profil gibi bizim üzerimize işlenmiş olduğuna inanmak vardır ki, Rabbimiz hakkındaki hüsn-ü zannımızın tamamiyeti bu inanca bağlıdır. Cenâb-ı Hak dilerse, bizi sürgün eder, sizi başka bir imtihana tâbi kılar, bir başkasını zindana atar; ama ne yaparsa yapsın, Rabbimizin her icraatı neticede bizim faydamızadır; hep bizi bir yere celbetmeye, cezbetmeye ve ebedî mutluluğa ulaştırmaya matuftur. Namaz, oruç, hac ve zekat gibi mükellef bulunduğumuz ibadetlerden zahirî bela ve musibetlere kadar mazhar olduğumuz ya da maruz kaldığımız her şey bizim lehimize planlanmıştır. İşte, bu hakikate gönülden iman etmek Mevlâ-yı Müteâl hakkındaki hüsn-ü zannın doruk noktasını tutmaktadır.

Sözün özü; iyi niyet, müsbet düşünce ve güzel görüş, insanın gönül saffetinin ve vicdan enginliğinin emaresidir. İnsan, bir kere başkalarını sorgulamaya başlayınca sanık sandalyesine oturtmadık hiç kimse bırakmaz; daha baştan hüsn-ü zanna yapışmazsa, herkesi ve her şeyi yargılamaktan uzak kalamaz. Dolayısıyla, her fert nefsiyle hesaplaşırken –ye'se düşmemek şartıyla– kendini yerden yere vurmalı; fakat, diğer insanlar söz konusu olduğunda hüsn-ü zanna sarılmalıdır. Unutulmamalıdır ki, sû-i zanda isabet etmektense hüsn-ü zanda yanılmak daha hayırlıdır.

Süt ve Fıtrat

Soru: Rasûl-ü Ekrem (sallallahu aleyhi ve sellem) Efendimiz'in, Mirac'da kendisine ikram edilen içecekler arasından sütü tercih etmesine mukabil Hazreti Cebrâil'in (aleyhisselam) "Fıtratı seçtin!" demesi ne manaya gelmektedir? Fıtrat ile süt arasında nasıl bir münasebet vardır?

Cevap: Hadis-i şeriflerde anlatıldığına göre; Mirac'da İnsanlığın İftihar Tablosu'na bir kapta şarap, bir kapta süt ve bir kapta da bal getirilmişti. Allah Rasûlü sütü tercih edince, Cebrâil Aleyhisselam, "Bu aldığın, fıtrata uygun olandır; sen ve ümmetin fıtrat üzeresiniz!" demişti.

Selim Fıtrat

Fıtrat kelimesi lügat itibarıyla hilkat, insanın yaratılışında var olan hususlar, karakter, maya, tabiat, mizaç, Peygamberlerin yolu, Din-i mübîn, kâlb-i selim ve âdetullah manalarına gelmektedir. Bazı âlimler, fıtratı "ilk yaratılış" şeklinde ele almış; bu anlayışlarını teyid etmek için Kur'an-ı Kerim'de Cenâb-ı Hakk'ın ismi olarak anılan "Fâtıru's-Semâvâti ve'l-arz – Göklerin ve yerin yaratıcısı" tabirini nazara vermişlerdir.

İstılah açısından ise, fıtrat; her insanın Allah'a inanmaya ve O'na kulluk etmeye meyilli bir hal üzere yaratılması demek olup ulvî hakikatleri kabul ve anlama kâbiliyetidir. İnsanın bütün organlarının, cevherlerinin, latifelerinin ve zahirî-bâtınî hâsselerinin (duyularının) bir yaratılış hikmeti ve her birinin kendilerine has vazifeleri vardır. Tabiat itibarıyla, insan dünyaya gönderiliş hikmetini anlama, ubûdiyete ait sorumluluklarını kavrama ve hep hayır peşinde olma temayülüyle yaratılmıştır ki buna "fıtrat" denir. Bozulmamış fıtrat, sürekli hakka müteveccih bir istikamet takip eder. Bu itibarla, selim fıtrata sahip insan, kendini bildiği andan itibaren Hakk'ı tanımaya ihtiyaç duyar, devamlı O'nu arar ve O'na kulluk sayesinde rahatlar.

Kur'an-ı Kerim'in pek çok ayetinde fıtrata dikkat çekilmiş ve Rasûl-ü Ekrem'in rehberliğinde insanlık Hak dine, yani fıtrat üzere yaşamaya davet edilmiştir. Cenâb-ı Hak, mealen şöyle buyurmuştur: "Sen, bâtıl dinlerden uzaklaşarak yüzünü ve özünü, hak din olan İslâm'a yönelt; Allah'ın insanları yaratmasında esas kıldığı o fıtrata uygun hareket et. Allah'ın bu hilkatini kimse değiştiremez. İşte dosdoğru din budur. Fakat insanların ekserisi bunu bilmezler, anlamazlar." (Rûm, 30/30)

Habîb-i Kibriyâ (aleyhi ekmelüttehâyâ) Efendimiz, "Her çocuk, İslâm'a yatkın olarak, selim fıtrat üzere dünyaya gelir." buyurarak, her insanın, yaratılış açısından lekesiz, tertemiz, iman ve İslâm'a en müsait bir hüviyette doğduğunu belirtmiştir. Demek ki, eğer bir insan doğduğu anda yalnızlığa terkedilecek ve kendisine hiçbir hâricî telkinde bulunulmayacak olsa, aklı ve vicdanı onu Hak Din'e yani "tevhîd"e götürecektir. Allah Teâlâ insana, iyilik ve kötülüklerle dolu dünya hayatında iyilikten yana tercih yapabilecek bir kabiliyet, bir vicdan ve bir irade vermiştir. Fıtratını korumuş ve bozulmamış her insan iyiden yana tavır almaya ve Allah'ın ayetlerini akıl ve kalb yoluyla kavramaya müheyyâdır.

Evet, insanın fıtratında iman aslî, küfür ise ârizî bir husustur. Ne var ki, özünde temiz olan fıtrat, sonraki su-i istimaller neticesinde kirletilmiş olabilir. Dolayısıyla, şayet, fıtrat korunamaz ve onun selametini muhafaza yolunda gerekli tedbirler alınamazsa, insanın küfür cereyanlarından herhangi birisine kapılıp gitmesi de mümkün ve muhtemeldir.

İşkembe ile Kan Arasındaki Mucize Gıda

Rehber-i Ekmel Efendimiz'in sütü tercih etmesi üzerine kendisine "Fıtratı seçtin" denmesi, öncelikle beşerin ilk gıdasının süt olduğunu akla getirmektedir. Süt en temel ve tabiî gıda maddesidir ki, insan dünyaya gelir gelmez onunla beslenmeye başlamaktadır. Hekimler ve gıda uzmanları, sütün terkibinde sodyum, potasyum, kalsiyum, magnezyum, fosfor, bakır, kükürt ve klor gibi madenî tuzlar ile protein, şeker ve yağ gibi besinlerin mevcut bulunduğunu, bu hususiyetiyle onun hem hayatî bir beslenme kaynağı hem de pek çok hastalık için şifa vesilesi olduğunu ifade etmektedirler.

Nitekim, Sâdık u Masdûk (sallallahu aleyhi ve sellem) Efendimiz, "Yüce Allah bir kişiye süt nasip ederse o kimse onu içeceği zaman, 'Allahım, bu sütü bereketli kıl ve bize daha çok süt ver!' diye dua etsin. Çünkü, yiyecek ve içeceklerin yerini tutan, açlığı ve susuzluğu gideren, sütten başka bir gıda bilmiyorum." demiştir.

Aslında, sütün işkembe ile kan arasından çıkıp insanlar için hâlis bir içecek halini alması başlı başına bir ihsan-ı ilahîdir ve ibret nazarıyla bakılması gereken bir hadisedir. Bundan dolayıdır ki, Cenâb-ı Hak, Kur'an-ı Kerim'in muhtelif ayetlerinde sütten bahsetmiş; onu rahmaniyetinin ve rezzâkıyetinin delilleri arasında saymıştır. Bu itibarla da süt, tabiîliği, yeni doğanlara temel gıda olma keyfiyeti, ihtiva ettiği unsurlar açısından zenginliği, insanların yanı sıra çoğu hayvanlar için de besin kaynağı oluşu ve bir yönüyle rahmet hazinesinden doğrudan gönderilişi gibi hususiyetleriyle "fıtrat"a çok benzemektedir.

Misal Âleminde Süt Sembolü

Mirac Şehsuvarı'nın o kutlu seyahatini sadece misal âleminde yapılmış bir yolculuk olarak görmek çok yanlıştır; fakat, Mirac ile alâkalı hadis-i şeriflerde resmedilen levhaların misal âlemine ait bazı berzahî semboller taşıdığında şüphe yoktur. Rasûl-ü Ekrem (sallallahu aleyhi ve sellem) Efendimiz o levhaların ve sembollerin mahiyet-ü nefsi'l-emriyelerine, yani hakikatlerine muttali olmuştur; lâkin, onları ümmetine anlatırken bazı hikmetlere binâen yine o berzahî resim, remiz ve işaretleri kullanmıştır. İşte, süt de Rasûl-ü Ekrem'in ve ümmet-i Muhammed'in (aleyhissalatü vesselam) üzerinde bulunduğu fıtrat-ı asliyeyi sembolize etmektedir. Rehber-i Ekmel, misal âlemi itibarıyla sütün fıtrata delâlet ettiğini bildiğinden dolayı onu seçip almıştır.

Ayrıca, Allah Rasûlü (sallallahu aleyhi ve sellem) süt ile ilgili şöyle bir rüya anlatmıştır: "Uykuda iken bana bir kadeh süt getirildi. Ondan öyle içtim ve o kadar doydum ki, süte kandığımı tâ tırnaklarımın ucunda hissettim. Daha sonra artığımı Ömer b. Hattab'a (radıyallahu anh) verdim." Ashâb-ı Kirâm'ın, "Yâ Rasûlallah! Onu ne ile te'vîl ettin?" sorusu üzerine, Hikmetin Lisân-ı Fasîhi "İlim ile" diyerek mukabelede bulunmuştur.

Demek ki, süt bir yönüyle fıtratın remzi olduğu gibi, diğer bir yönüyle de ilm u irfanın sembolüdür. Aslında, ilimden maksadın İslam fıtratına ve yaratılış hikmetine uygun yaşamak olduğu düşünülürse,

ilim ile fıtrat arasında da derin bir münasebet bulunduğu anlaşıla-
caktır. Bu açıdan, rüyada bir insana süt verilmesi ya da içirilmesi
onun hem fıtrata çağrılması hem de ilahî marifet hâsıl edecek ilimle
şereflendirilmesi demektir. Evet, misal âlemine göre süt, başlangıçta-
ki ilim ve marifet ile neticedeki fıtrat ufkunu temsil etmektedir.

Süt, İçki ve Bal Arasındaki Tercih

Selef-i Salihîn, rüyada görülen şarabın (içkinin) haylazlığa, taşkınlı-
ğa, mala-mülke ve dünyevî makama-mansıba delâlet ettiğini söyle-
mişlerdir. Nitekim, mevzuyla alâkalı bir hadiste, Cibril-i Emîn'in Ra-
sûl-ü Ekrem Efendimiz'e "Şayet şarabı almış olsaydın, ümmetin az-
gınlaşırdı!.." dediği rivayet edilmektedir. Bu söz de, şarabın misal
âleminde taşkınlık işareti olduğunu desteklemektedir. Şarap, hurma
ve üzüm gibi meyvelerin mayalanmasıyla elde edilmektedir ki, aslın-
da mayalama işi de bir yönüyle tabiî olandan uzaklaşma ve mahiyet
değişikliği hâsıl etme ameliyesidir. Halbuki sütte, tabiîlik, saflık ve
duruluk hâkimdir ki, Kur'ân da onu katkısız, katışıksız, saf ve duru
demek olan "hâlisen" sözüyle vasfetmektedir. Bu itibarla, şarap ile
süt arasındaki tercih, kokuşmuşluk ile saflık, değişikliğe uğrama ile
özü muhafaza, dalâlet ile hidayet, sapıklık ile istikamet ve mahiyet
deformasyonu ile selim fıtrat arasındaki bir tercihtir.

Rasûl-ü Ekrem (aleyhi ekmelüttehâyâ vetteslimât) Efendimiz'e
Mirac'da sunulan ikramlar arasında bal bulunmasında ve onun ter-
cih edilmeyişinde de ince bir ima vardır. Haddizatında, bal çok fay-
dalı ve şifalı bir gıda olsa da, süt kadar tabiî ve her zaman herkesin
istifadesine açık değildir. Dahası, ekser ulemâ, rüyada görülen balı,
dünya metaı ve zenginlik şeklinde yorumlamışlardır. Demek ki, hem

her mekanda ve her mevsimde arıcılık yapmanın mümkün olmadığı, hem balın içecek olarak kullanılması için süt ya da su ile karıştırılıp şerbet haline getirilmesi gerektiği, hem de onun berzahî resim ve levhalarda mal' ü menâle karşılık geldiği nazar-ı itibara alınırsa, süte nisbeten onun da sadelikten uzaklaşma ve dünyevîleşme emaresi sayılması söz konusudur.

Cenâb-ı Hakk'ın, Nahl Suresi'nde süt, içki ve balı peşi peşine zikretmesi de sadedinde olduğumuz mevzuyu daha iyi anlamamıza yardımcı olabilir. Ayet-i kerimelerde mealen şöyle denilmektedir: "Doğrusu sağmal hayvanlarda sizin için ibretler vardır: Zira size onların karınlarındaki işkembe ile kan arasından, hâlis bir süt içiriyoruz ki içenlerin boğazından âfiyetle geçer. Hurma ve üzümden hem sarhoşluk veren içki, hem de güzel gıdalar elde edersiniz. Şüphesiz bunda da aklını çalıştıran kimseler için alacak ibret vardır. Bir de, Rabbin bal arısına şöyle vahyetti: 'Dağlardan, ağaçlardan ve insanların kurdukları çardaklardan kendine göz göz ev (kovan) edin. Sonra da her türlü meyveden ye de Rabbinin sana yayılman için belirlediği yolları tut!' İşte, onların karınlarından da renkleri çeşit çeşit bir şerbet çıkar ki onda insanlara şifa vardır. Elbette düşünen kimseler için bunda da büyük bir ibret mevcuttur." (Nahl, 16 / 66-69)

Üzerinde çokça tefekkür edilmesi gereken bu ilahî beyan, aynı zamanda sarhoş edici içeceklerle ilgili olarak inen ilk vahiydir. Bununla içki henüz haram edilmemiştir; fakat, güzel rızkın karşısına konarak, dolaylı yoldan onun makbul bir içecek olmadığı anlatılmıştır.

Diğer taraftan, Rasûl-ü Ekrem (sallallahu aleyhi ve sellem) Efendimiz rüyalardaki kötü sahnelerle alâkalı olarak, "Hoşunuza gitmeyen bir şey gördüğünüz zaman üç defa sol tarafınıza tükürün, üç kez de 'Euzû billahi mineşşeytanirracim' deyin ve onu kimseye anlatmayın!" buyurmuştur. Çünkü, rüyayı anlatma ve te'vil etme, onun yapılan yorum istikametinde gerçekleşmesi için davetiye çıkarma manasına gelmektedir. Âdet-i sübhaniye açısından, misal âlemine ait manzaralar iyi ya da kötü te'villerine göre gerçek hayatta cereyan etmektedir.

Bu açıdan, Hazreti Ruh-u Seyyidi'l-Enâm (aleyhi elfü elfi salâtin ve selâm) Efendimiz'in sütü alması, onun Cebrâil aleyhisselam tarafından fıtratı seçmek şeklinde açıklanması ve Allah Rasûlü'nün bu hadiseyi anlatması, o hakikatin te'vil edildiği şekilde dünyaya taşınması ve bu âlemde aynıyla gerçekleşmesi için hükme bağlanması manasına da gelmektedir.

Fıtrata En Uygun Din

Allah Rasûlü'nün ve ümmet-i Muhammed'in (sallallahu aleyhi ve sellem) fıtrat üzere olmalarından maksat ise; İslam'ın, sevdirme ve kolaylaştırma esaslarıyla gelmiş, ifrat ve tefritin kökünü kesmiş, bütün insanlara ancak güçlerinin yeteceği sorumlulukları yüklemiş ve gönderildiği ilk hâl üzere muhafaza edilmiş, insan tabiatına en uygun din olmasıdır.

İslâmiyet, kendine has üslûbu, metotları ve beşerî problemlere çözüm teklifleri açısından, semavî ve gayr-i semavî bütün sistemlerden farklıdır ve o her yönüyle tam bir mükemmellik örneğidir. Çünkü İslam, insanın bütün temel hususiyetlerini, zihnî, fikrî, rûhî melekelerinin hepsini nazara alarak onu çok geniş bir çerçeveye oturtur; ne bazı felsefî ekoller gibi sadece onun aklına ve fikrine yönelerek hislerini ihmal eder, ne de aklını ve mantığını görmezlikten gelerek onu, sırf hissî bir varlık gibi değerlendirir. Aksine, İslâmiyet insana, küllî nazarla bakar.. onun iç ve dış duygularının bütün isteklerini cevaplandırır.. ve onu, varlığının maddî-manevî bütün unsurlarıyla dünyevî-uhrevî mutluluğa ve Cennet'e ehil hâle gelmeye hazırlar.

İnsan düşüncesinin ürünü ne kadar hayır, saadet ve mutluluk vesilesi ya da yolu varsa bunların hemen hepsi muvakkat ve eskimeye mahkûmdur. Zira, bu kabil yol ve vesileler, her zaman insandan insana, toplumdan topluma değişip duran, zamanla deformasyona uğrayan, sürekli yanılma ve tashih ameliyeleriyle aşınan, nisbî, izafî, konjonktürel hayırlar vaadeden, hattâ vaadediyor görünen bir kısım sistemciklerdir ve insanoğlunun beklentilerini kat'iyen verememişlerdir.

Fakat, Din-i Mübîn, ebed için yaratılan, ebede namzet bulunan ve sonsuz saadet hülyalarıyla oturup kalkan insanoğlunun bütün isteklerini karşılayabilecek mesajlarla gelmiştir. O, ne beşerin mahiyet ve özüne ters bir teklifte bulunmuş ne de onun arzu ve isteklerinden herhangi birini ihmal etmiştir. Evet, bu dinde insanın emel ve beklentileri konusunda hiçbir boşluk ve cevapsızlık bulunmadığı gibi, tekvînî emirler ve onların yorumlanmalarında da herhangi bir çelişki söz konusu değildir. Bu itibarla da, hem dünyevî istek ve ihtiyaçlarımızı karşılayan hem de bize uhrevî saadet vaadinde bulunan bu din, mahiyetimiz, kabiliyetlerimiz, emellerimiz ve temayüllerimiz açısından fıtrata en uygun şekilde vaz' edilmiş Hak ve hakikat kanunlarının mecmuasıdır.

Nazarîden Amelîye İlahî Ahlak

Soru: Hem nazarîyi inkişaf ettirerek amelîye taşıma, hem de amelde sebat ederken sürekli yeni kalma hususlarında inananlara misal olacak ve yol gösterecek bir âdet-i ilâhiyeden söz edilebilir mi? Bu zaviyeden, "Levh-i Mahv u İsbat" hakikati mü'minlere ne ifade etmektedir?

Cevap: Meselelerin nazarî yanında bir icmal ve düzlük mülahazası hâkimdir; matlup olan, onların amelî planda tafsile ulaştırılmalarıdır. Yalnız fikir hâlinde bulunan ve tatbik sahasına çıkarılmamış olan bir bilgi, inkişaf ettirilmedikçe, pratiğe dökülmedikçe ve fiilî olarak ortaya koyulmadıkça asıl tesirini icra edemez ve semeredâr olamaz.

Nazarînin bir kısmı belli ölçekte bir kıymeti hâizdir; diğer bir kısmı ise, çok kıymetlidir. Mesela; iman pek değerli bir nazarîdir; fakat, onun da bir inkişaf alanı vardır. O alan sâlih ameldir; onun derinliği ise ihsan şuuruna ulaşmaktır. İman çok ehemmiyetli olsa da, onun vaadettikleri ancak amelle bilinir; iman, amel sayesinde inkişaf ettirilmeyince, duyulması lazım gelenler duyulamaz, sezilmesi gerekenler sezilemez ve imanın hakiki tadına varılamaz. Bu itibarla, önce iman amelle tafsile ulaştırılmalı, sonra sâlih amelde sebat edilmeli ve derinleşme peşine düşülmeli; akabinde ise, canlılığın hep korunması ve hiç heyecan yorgunluğu yaşanmaması için o amele sürekli yenilenmeler, renkler ve farklı desenler katılmalıdır.

Levh-i Mahfuz ve İlahî Plan

Haddizatında, nazarîden amelîye geçiş meselesi bir yönüyle ilahî ahlak ve ilahî icraatla irtibatlıdır. Belki aynı kelimeleri ve aynı terminolojiyi esrâr-ı rububiyet ile alâkalı mevzularda kullanmak uygun düşmeyebilir; fakat, nezd-i uluhiyete ait meselelerin de nazarî yanlarının bulunduğunu söylemek yalnış olmasa gerektir. Evet, geçmiş ve gelecek her şey bizim bilemeyeceğimiz bir program çerçevesinde Levh-i Mahfuz'da nazarî olarak kayıtlıdır. Bunlar daha sonra bir manada amelî sahaya aktarılmakta, Levh-i Mahv u İsbat'a dökülmektedir. Akabinde ise, Allah Teala, hadiseleri çok çeşitli kıyafetler içerisinde, çok farklı kalıplarda ve değişik şekillerde ortaya koyarak müşahitlerin nazarlarına sunmakta ve onlarda her zaman yeni bir heyecan uyarmaktadır.

"Levh-i Mahfuz"; Allah tarafından üzerine maddî-mânevî, canlı-cansız her şeyin kayıt ve tesbit edildiği mânevî bir levha veya bütün bu hususlara bakan ilm-i ilâhînin bir unvanıdır. Onun için herhangi bir tebeddül ve tagayyür söz konusu olmadığından ötürü ona "Levh-i Mahfuz" denilmiştir. Bu mânevî âlem, hem bu dünya ve ondaki mevcudatın, hem de ukbâ ve ötesindekilerin bütün vasıflarıyla içinde bulundukları mânevî bir defter-i muhîttir.

Şu kadar var ki, Levh-i Mahfuz'daki nazarî bilgileri düşünürken bazı sofilerin ve kelamcıların yanlışlıklarına düşmemek icap eder. İlmî vücudu olan şeyleri, ilm-i ilahîde —hâşâ— belirsiz, karmakarışık ve bir bulamaç şeklindeymiş de daha sonra belirlenmiş olarak tasavvur etmek hatadır. İlmî vücutlar itibarıyla, her şey ilim sıfatının tecellî alanı sayılan kuşatıcı atlasta mücerred birer resim, birer mana ve birer öz mahiyetindedir. Bu atlasta bulunan her nesne kademe kademe farklı taayyünlerden geçerek, maddî-mânevî kendi arş-ı kemâlâtına yükselir. Dolayısıyla da, taayyün, karmaşık bir yapı içerisindeki belirsiz bir şeyin ortaya çıkması değil; onun, Levh-i Mahfuz-u Hakikat'a muttali olan varlıklar nazarında belirgin hâle gelmesi demektir. Yoksa, ilm-i ilahîde karmaşa, kaos ve bulamaç hâllerinden asla söz edilemez. Evet, her şey o ilahî ilimde mevcuttur; fakat, bir çekirdekte ağacın programının belirlendiği ya da bir gende bütün belirleyici unsurların mündemiç bulunduğu gibi mevcuttur. Doğrusu, bu misaller de, kevnî, fizikî ve dünyevî olmaları itibarıyla ilm-i ilahîdeki enginliği kat'iyen aksettiremezler; ama "dîk-ı elfaz"dan dolayı bu yakışıksız benzetmelerle meseleye yaklaşmakta zaruret vardır.

İlm-i ilahîde ilk taayyünün muhatabı Hakikat-i Ahmediye (aleyhissalatü vesselam)'dır. Nübüvvetle serfiraz olmadan evvel, İnsanlığın İftihar Tablosu'na "Ahmed" deniyordu. Hazreti İsa da ondan bahsederken "Ahmed" diyordu. Risaletten sonra ise, o gök ehlince de "Muhammed" namıyla anılır oldu. Artık onun unvan-ı zişanı "Ahmedûn Rasûlullah" değil, "Muhammedûn Rasûlullah" idi. Bu itibarla da, ilk taayyün Hakikat-i Ahmediye ile ifade edilmektedir. İlk yaratılanın akıl ve kalem olduğunu belirten hadislerde de aslında Hakikat-i Ahmediye'ye işaret vardır. Çünkü, Nur Müellifi'nin yaklaşımıyla, şu kâinata büyük bir kitap nazarıyla bakılacak olursa, Peygamberimiz'in (aleyhi ekmelüttehâyâ) nuru, o kitabın kâtibinin kaleminin mürekkebidir. Şayet bütün varlık büyük bir canlı farz edilecek olursa, O'nun nuru, bilumum varlığın ruhu demektir.

Levh-i Mahv u İsbat ve Sürekli Değişimler

Dolayısıyla, bu ilk taayyünle beraber, fizikî ve metafizikî dünyalarla alâkalı her nesne Levh-i Mahfuz'da bir taayyün görmüş, belirlenmiş ve mevsimi gelince de, oradaki programa uygunluk içinde ortaya çıkmıştır. İşte, bu noktada, İslam alimleri, Levh-i Mahfuz'un yanında, "Allah dilediğini mahv u isbat eder ve ana kitap (Ümmü'l-Kitap) O'nun nezdindedir." (Ra'd, 13/39) âyetinin delâletiyle, bir de "Levh-i Mahv u İsbat"tan bahsetmişlerdir.

Zira, Levh-i Mahfuz-u Hakikat'ta olan o şeyler daha sonra irade, meşiet ve kudret tezgahlarından geçerken, tekvinî emirler mevzuunda çok değişiklikler olmaktadır. Evet, Allah Teâlâ, gerek tekvînî emirlerde, gerek teşriî disiplinlerde, "hikmet-i bâliğa"sı gereğince dilediği şeyleri silmekte, değiştirmekte, farklı kalıplara ifrağ etmektedir; hem sistemler arasında hem de arz üzerinde bir kısım tebdil ve tağyirlerde bulunmakta ve o kuvvet-i kâhiresiyle bütün kâinatları, umum yeryüzünü cemalî ve celâlî tecellîleriyle Levh-i Mahv u İsbat'ın mecâlîsi olarak müşahitlerin müşahedesine arz etmektedir.

"Allah dilediğini mahv u isbat eder." mealindeki ilahî beyanda muzari sîgasının (geniş zaman kipinin) kullanılmış olması süreklilik ifade etmektedir. Evet, mahv u isbat, Cenâb-ı Hakk'ın her zamanki âdet-i sübhaniyesidir. Öyle ki, varlık ve hâdiseler haricî vücutla tanıştığı andan itibaren sürekli bir mahv ve isbat devr-i dâimi içinde olmuşlardır: Varoluşları ölümler, bir bir gelmeleri peşi peşine gitmeler ve rengârenk tüllenmeleri sararıp solmalar takip etmiş; kanunlar ve kurallar izafî gerçeklikleriyle devam edip dursalar da, zamanın arkasındaki hakikat de diyeceğimiz "mahv u isbat" hiç mi hiç durmamıştır.

Dünden bugüne ister kimi antropologlar, ister bir kısım jeologlar, isterse de bazı biyologlar, varlığa sadece bu fizikî âlem açısından bakmakta ve genellikle, her şeyin bu madde âleminin var edilmesiyle başlamış olduğuna inanmaktadırlar. Sonra da bu varoluşa bir zaman takdir etmekte ve meseleleri bu takdire göre değerlendirmektedirler.

Oysa, dile getirilen zaman beş milyar sene, hayır elli milyar sene, hatta yüz milyar sene de olsa, o nâmütenâhiye nisbeten deryada damla kalır; farzedilen sürenin kıymeti ancak sonsuz rakamlar karşısında sıfırın değeri kadardır. Çünkü, Cenâb-ı Hak, zamandan ve mekandan münezzehtir; O ezelden beri vardır. Allah ezelîdir, ezelî olduğu için de ebedîdir. Allah'ın ezeliyeti mevzuunda mülahaza dairesi açıksa, ebediyeti mevzuunda da mülahaza dairesi açık sayılır ki, böyle bir düşünce insanı küfre sürükler. Evet, Allah ezelîdir, O sonradan oluşmuş değildir. "Allah vardı ve beraberinde hiçbir nesne yoktu." şeklinde şerefsudûr olan beyan-ı nebevî de bu hakikati nazara vermektedir. Bazı meseleleri zamana ve mekana bağlayarak ifade etmek ise, dilin darlığına rağmen, hakikatleri insanî idrak seviyesine göre ortaya koyma cehdinden kaynaklanmaktadır.

Arş Amâ Üzerindeydi!..

Binaenaleyh, bir hadis-i şerifte "Allah'ın Arşı en önce amâ üzerindeydi." buyurulmaktadır. Arş, Cenâb-ı Hakk'ın tekvînî ve teşrîî emirlerinin mahall-i tecellîsi, kudret ve azametinin matla-ı münevveri; sıfât-ı sübhaniye ve esmâ-i fiiliyesinin câmi' bir aynası ve canlı-cansız bütün varlığı şekillendirdiği -tabir caizse- bir tezgâhıdır. Diğer bir hadiste, başka bir dönemden bahsedilirken "O'nun Arşı su üzerindeydi." denilmektedir. Buna göre, ilk nebevî beyanda geçen "amâ" sözüyle sudan başka bir mana kastedilmektedir. Demek ki, hiçbir şey yokken Cenâb-ı Hakk'ın Arşı "amâ" denilen bir şeyin üzerindeydi; yani, Hâlık-ı Kâinat icraat-ı ilâhîyesini ve hükmünü atomların ve moleküllerin teşekkülünden önce "amâ" adlı esîr gibi bir şey üzerinde yürütüyordu. "Amâ"ya partiküller âlemi deseniz, kendi kafanıza göre bir şey yakıştırmış olursunuz; onu iyonlar âlemi kabul etseniz yine işi karıştırmış sayılırsınız. Amâ'yı nano teknolojiyle keşfedilebilecek âlemler çizgisinde değerlendirseniz veya iyon ötesi ya da iyon berisi olarak düşünseniz, meseleyi iyice daraltmış olursunuz.

Bu açıdan, amâ'nın keyfiyeti bizim için meçhuldür; fakat, Arş'ın onun üzerinde olması, ilahî hükmün oradan ve oraya uygun şekilde icra edildiğini göstermektedir. Öyleyse, Allah Teâlâ bir dönemde amâ üzerinden nazarîyi bir yönüyle amelîye çıkarmış; ona göre bazı şeyleri mahv, yeni bir kısım şeyleri de isbat etmiştir. Ne var ki, bu mahv u isbatı sadece Kendisi görmüş ve bilmiş; bir de bazı ruhânî mahlukatına göstermiş ve bildirmiştir. Alvar İmamı bir şiirinde, "Melekutta olan esnaf / Cemalin hayran değil mi?" der. Evet, melekuta dair değişik sınıflar vardır ve belki amâ üzerindeki icraata sadece onlar şahit olmuşlardır. Çünkü, o âlem partikül, elektron, nötron ve atom gibi şeylerle örgülenmiş bizim bildiğiniz âlem gibi değildir; o âlem, bizim âlemimizden çok farklıdır.

Aslında, benzer âlemler şu fizikî dünya içinde de mevcuttur. Einstein meseleye boyutlar zaviyesinden yaklaşmış; dördüncü boyut, beşinci boyut, altıncı boyut... gibi farklı buudlara dikkat çekmiştir. Hazreti Üstad da, vücut mertebelerinin muhtelif olduğunu anlatmış; ayrı ayrı vücut âlemlerinden bahsetmiştir. Mesela; "Âlem-i şehadetten olan kafadaki hardal kadar kuvve-i hafıza, âlem-i mânâdan bir kütüphane kadar vücudu içine alır." diyerek iç içe alemlerin bulunduğunu ve bunlar arasındaki büyüklük-küçüklük ölçülerinin farklılığını nazara vermiştir. Dolayısıyla, bu fizikî âlemin tırnak ucu kadar bir yerinde başka âlemlere dair cihanlar kadar şey mündemiç olabilir.

İşte, bir zaman Arş amâ üzerindeydi. Allah Teâlâ bir dönemde onunla bazı şeyleri mahv u isbat ettiği gibi, onu da silip yerine başka bir şeyi yerleştirdi. Cenâb-ı Hak, semavât ve arzı yarattı, iradesini Arşa çevirdi; ona "istiva" buyurup hâkimiyeti altına aldı, onunla yüceliğini, yüksekliğini, mâlikiyetini ve kudretini ifade etti. Bir manada, Mevlâ-yı Müteâl, bu defa iradesini bedene, cismaniyete ve hayata yönlendirdi. Su ve toprak buluşunca, Cenâb-ı Hakk'ın Arşı su üzerine kuruldu. Bir dönemde "amâ" üzerinde icraatı görülen "Allah dilediğini mahv u isbat eder" hakikati, bu defa da "mâ" (su) üzerinde tasarrufunu devam ettirdi/ettiriyor.

Amâ'dan da Öte Mâ'dan da...

Bu fasıllardan her biri "eyyâm-ı ilahiye"den bir gündür. Cenâb-ı Hak, zamanla mukayyed değildir, O zaman ve mekan üstüdür. Fakat "eyyâmullah" tabirini kullanıyoruz; çünkü, bizim idrakimiz açısından bir dönem söz konusudur ama onun da anlayabileceğimiz bir sınırı yoktur. Sistemlerin yaratılması mevzuunda zikredilen elli milyon, milyar, trilyon... senelerin hepsi ilahî icraat itibarıyla bir günden ibarettir; fizik âlemi günü, madde âlemi günü, cismaniyet âlemi günü... Bunların her biri bize göre çok uzun dönemlerdir; fakat, hilkat açısından sadece bir gündür.

Cenâb-ı Hak dilerse, bizim içinde yaşadığımız bu faslı da kapatır ve farklı bir vetire başlatır. Nitekim Kur'an-ı Kerim, "Gün gelir, yer bambaşka bir keyfiyete, gökler de şimdikinden farklı bir mahiyete çevrilir. Bütün insanlar kabirlerinden kalkıp tek hâkim olan Allah'ın huzuruna çıkarlar." (İbrahim, 14/48) buyurmaktadır. Evet, bir gün yer ve gök öyle bir tebeddül ve tagayyüre uğrayacaktır ki, ne yer, ne gök, ne atom, ne elektron, ne de nötron kalacaktır; bunların yerlerini berzah, mahşer, Cennet, Cehennem ve öteki âlemlere has unsurlar alacaktır. Böylece, "Allah dilediğini mahv u isbat eder" hakikati bir kere daha zuhur edecektir.

Mevlâ-yı Müteâl, tekvînî emirlerdeki bu türlü tasarruflarının yanı sıra, mahv u isbat âdet-i sübhaniyesiyle, teşriî ahkâmında da, dünkü bazı hükümleri kaldırmış, onların yerine yenilerini ikâme buyurmuştur: Bir dönemde suhuf-u Âdem ile, sonra da Hazreti Nuh'a indirdiği sayfalarla mesajlarını âleme duyurmuştur. Bir müddet de murad-ı sübhânîsini Hazreti İbrahim'e gönderdiği vahiyle dillendirdikten sonra, onu yeni ilâvelerle değiştirmiş, bir kitap hâline getirmiş ve Hazreti Musa'ya sunmuştur. Akabinde onda da Zebur'la ayrı bir derinlik ortaya koymuş ve Hazreti Davud'un sesiyle makasıdını bir kere daha cihana ilân etmiştir. İncil'le, büyük ölçüde Tevrat'takinden ayrı, tamamen ledünnî bir farklılığı seslendirmiş ve Hazreti Mesih'in lisanıyla o büyük değişikliğin mümessili Hazreti Ahmed'i müjdelemiştir. Mevsimi gelince, o güne kadar cereyan eden tebeddül ve tagayyürleri sona erdireceği işaretini vererek, "Ben bugün sizin dininizi kemale erdirdim. Size olan nimetimi tamamladım. Sizin için din olarak da İslâm'dan hoşnut oldum." (Mâide, 5/3) beyan-ı sübhânîsiyle İnsanlığın İftihar Tablosu'nu (sallallahu aleyhi ve sellem) ve ümmetini sevindirmiştir.

Evet, tekvînî esaslar ve ekosistem, asırlar ve asırlar boyu devam edegelen tebeddül ve tagayyürlerle günümüzdeki şekle ve desene ulaştığı gibi; teşriî emirler mecmuası olan din ve diyanet de değişe değişe, yenilene yenilene hâlihazırdaki tamamiyet ve mükemmeliyete erişmiştir. Bütün bunlar ne şekilde ve hangi esbabın perdedarlığı çerçevesinde cereyan ederse etsin, dünden bugüne her nesnenin ve her hâdisenin çehresinde bir mahv ve isbatın nümâyan olduğu açıkça görülmektedir.

Nazarîden Amelîye Yol Haritası

Aslında, Levh-i Mahfuz'daki ilahî plan, sonra Mahv u İsbat hakikatinin tecellileri ve nihayet birbirini takip eden yenilenmeler, Allah'ın ahlakıyla ahlaklanması gereken beşerin önüne, yapacağı bütün işlerde esas alabileceği bir yol haritası koymaktadır.

Demek ki, insan ne yaparsa yapsın, önce nazarî planda her şeyi iyice belirlemeli; koca bir ağacın programının bir çekirdekte saklandığını göz önünde bulundurarak, o işin her adımını düşünce ve tasavvur bakımından icmâlen vuzuha kavuşturmalıdır. Bir işe başlarken onu karmakarışık, bir kaos hâlinde ve bulamaç şeklinde ele alıp rastgele yola çıkmamalı; evvela niyetini, maksadını, hedefini ve o işin her basamağını çok iyi belirlemeli, güzelce planlamalı ve o konuda eksiksiz bir proje hazırlamalıdır. Plan ve programını yaparken sebepler açısından her türlü ihtimali nazar-ı itibara almalı ve herhangi bir hata meydana gelmemesi için fevkalâde bir hassasiyetle işin nazarî kısmını tamamlamalıdır. Fakat, madem ki, ilahî ahlak meseleyi sadece plan ve programda bırakmıyor, onu inkişaf yörüngesine çekip amelîye irca ediyor; öyleyse, insan da sadece nazarîde kalmamalı, faydalı bulduğu plan ve projeleri mutlaka amelîye taşımalıdır. Evet, her işin arızaya meydan vermeyecek şekilde inceden inceye planlanması, kontrol altına alınması ve sonra da mutlaka amelîye taşınması hem inancın gereğidir, hem âdet-i ilahiyeye mutabakatın remzidir ve hem de ilahî ahlakla tahalluk etmenin ifadesidir.

Günümüzde meselelerin nazarî yanını ifade eden çoktur; bilhassa bazı sosyologlar, psikologlar ve tarih felsefecileri sürekli nazarî ile meşgul olmaktadırlar. Hatta şimdilerde bir kısım gazete köşelerini tutup her gün ütopik analizler döktüren; yirmi dört saat gibi kısa bir sürede yüce devletler kuran, eşsiz nizamlar vaz' eden ve insanlığa huzur vaadinde bulunan öyle kimseler mevcuttur ki, bunlar ütopyacıları dahi hayrette bırakacak plan ve projelerden dem vurmaktadırlar. Heyhat ki, nazarînin kahramanları gibi görünen bu aklıevvellerin çok küçük çapta olsun başlattıkları ve pratiğe döktükleri bir iş yoktur; böyleleri, o kocaman kocaman planlarla ufak bir köy inşa etmeyi dahi başaramamışlardır.

Bu itibarla da, büyük büyük laflar etme ve insanları hayallere salacak ütopyaları seslendirme değil, asıl mesele aksiyondur. Kur'an-ı Kerim, en önemli nazarî saydığımız imanı dahi hemen her zaman amel ile beraber ele almakta; inancı aksiyona bağlamaktadır. "İman edenler" dedikten sonra "sâlih amelde bulunurlar" ilavesini yapmaktadır. Ayrıca, iman-amel münasebetini vurgularken çoğu zaman meseleyi fiil kipiyle ifade etmekte ve böylece amelde devamlı olmak gerektiğine de dikkat çekmektedir.

Şu kadar var ki, mü'min, iman ve amelde sebat etmelidir; fakat, sebatta bir tür monotonluk bulunduğunu da unutmamalıdır. Dolayısıyla, o, sebat ve temadisine sürekli yenilenmeler, farklı renkler ve değişik desenler katmalıdır ki, bıkkınlığa düşmesin, ülfete yenilmesin, heyecan yorgunluğuna düçar olmasın ve muhataplarını da bıktırmasın.

Tabii ki, diyanet açısından sabit tavır ve davranışlarımız da vardır, onlar temel beslenme kaynaklarımızdır. Allah'ın emrettiği ve ubudiyet dairesinde yapmamızı istediği bütün vazifeler sabittir; bunlarda bir değişiklik söz konusu değildir. Bununla beraber, dine ve imana hizmet için kullanılan vesilelerde bir kısım yeniliklere gidilebilir; çağa, şartlara ve konjonktüre göre bazı şeylerin formatıyla oynanabilir. Şayet, yer yer format değişikliği yapmaz ve mesajınızı sunmak için farklı farklı şekiller kullanmazsanız, zamanla hem kendiniz ülfetten kurtulamazsınız hem de muhataplarınızın bıkkınlık yaşamalarına mani olamazsınız.

İsterseniz bu hususu da ilahî ahlaka irca edebilirsiniz: Cenâb-ı Hakk'ın Arşı önce "amâ" üzerindeydi ama daha sonra "mâ" üzerine kondu. Demek ki, Allah Teâlâ icraat-ı sübhaniyesini hep farklı şekillerle cereyan ettiriyor. O, Arşını bir dönemde "amâ", sonra "mâ" ve nihayet kıyametle beraber ne "amâ" ne de "mâ", bambaşka bir dünya üzerine kuruyor. Öyleyse, ilahî meşiet formatlarla oynayarak meseleyi, farklı farklı desenlerle ve değişik değişik şivelerle ortaya koyuyor. Böylece, müşahit ruhânîlere ne zevkler ne zevkler yaşatıyor; esnaf-ı melekûta ne doyumsuz hazlar aldırıyor.. ve kim bilir, ruhuyla kanatlanıp ruhanîlerle atbaşı giden ehl-i Hak bunların hepsini hangi ulvî hislerle müşahede ediyor.

Bu açıdan, nazarîyi amelîye taşımanın ve amelde temadînin yanı sıra, zamana ve şartlara göre format değişiklikleri yaparak ve çeşit çeşit aksiyonlar ortaya koyarak hep zinde ve heyecanlı kalmaya çalışmak da gerekmektedir.

Planlar Sebeplere Göre Olmalı!...

Nazarînin amelîye ulaştırılmasında çok önemli bir husus da şudur: Meşiet-i ilahiyeyi ve murad-ı sübhanîyi kimse aşamaz. Ancak O'nun olmasını dilediği şeyler olur. Hazreti İbrahim Hakkı'nın ifadesiyle, "Hakkın olacak işler / Boştur gam u teşvişler / Ol hikmetini işler / Mevlâ görelim neyler / Neylerse güzel eyler." Allah Teâlâ, bir kimseye "Yürü kulum!" demişse, artık onun karşısına koca bir ordu da çıksa beyhudedir; hiç kimse O'nun yürüttüğünün önünü alamaz. Cenâb-ı Hak, istediğine yolları öyle açar ki, onun önünde her şey tuz buz olur. Bu fevkalâdeden bir lütuftur; beşerî hesap, plan, proje ve programları aşar. Şayet, insanın teveccühü tam olursa, Yüce Yaratıcı ona bu türlü inayetlerde de bulunabilir.

Ne var ki; plan ve projeler fevkalâdeden inayet blokajı üzerine tesis edilmez; onlar esbab dairesi içinde sebepler göz önünde bulundurularak ortaya konur, sonra yine vesileler kullanılarak gerçekleştirilir. Gerçi, inanan bir insan, Allah'a teveccüh etmekle beraber, esbabın gereğini de yerine getirirse, Cenâb-ı Hak çoğu zaman samimiyet, ihlas ve vefasından dolayı o kuluna sürpriz ihsanlar da gönderir. Fakat, hiçbir peygamber planlarını mucizeler üzerine kurmadığı gibi, mü'minler de projelerini harikulâde hâl ve ziyade lütuf beklentilerine bağlamamalıdırlar.

Hâsılı, bir işin semereli olması, önce sağlam bir projeye, sonra inkişaf sevdalısı adanmış ruhların o projeyi hayata geçirme gayretlerine, akabinde bazen çok uzun sürmesi de muhtemel olan aksiyon döneminde sebata ve nihayet, amelde devamlı olmanın yanında, format değişiklikleriyle temadîyi renkli, canlı, cazip tutmaya bağlıdır. Adanmış ruhlar, her türlü muvaffakiyet için meşiet-i ilahiyeyi esas bilmekle beraber, dilbeste oldukları yüce hakikatleri herkese duyurma yolunda zikredilen sebepleri de yerine getirirlerse, Allah'ın izniyle, dünyada hiç kimsenin yapamayacağı işleri başarabilirler. Onlar, ellerinden geleni ihlasla ortaya koyarlar; Cenâb-ı Hak da onlara güçlerinin yetmediği ya da akıllarına gelmeyen pek çok meselede inayette bulunur. Bir manada, Mevlâ-yı Müteâl, bu defa da bu kutlularla bir kısım şeyleri mahv, bazı şeyleri de isbat eder: Küfrü zayıf düşürüp alçaltır, imanı tutup kaldırır; dalaleti giderir, hidayeti getirir; ilhadı kökünden siler, inancı yerleştirir; nifak ve şikaka son verir, vifak ve ittifakı güçlendirir; zâlimleri kederlendirir, mü'minleri sevindirir ve tiranları yerlerde süründürür, mazlumların yüzlerini güldürür.

Siz Kendinizi Değiştirmedikçe...

Soru: Kur'an-ı Kerim'de, mealen "Bir toplum, özündeki güzel meziyetleri değiştirmedikçe Allah Teâlâ da onlara lütuf buyurduğu nimetlerini ve iyi hâli değiştirmez" buyuruluyor. Bu açıdan, değişip başkalaşmaktan korunabilmemiz ve kendimiz olarak kalabilmemiz için neler tavsiye edersiniz?

Cevap: İnanan insanlar, sürekli tekâmül peşinde bulunmalı, kalbî ve ruhî hayatları itibarıyla hep "diriliş"ler yaşamalı; fakat, aynı zamanda kendi öz değerlerine bağlı, değişme fantezisinden uzak ve durdukları yerde "sabit-kadem" olmalıdırlar. Onlar, her gün yeni bir duyuş, yeni bir seziş, âfak ve enfüse ait yeni bir keşif ve yepyeni tahlil ü terkiplerle imanlarını bir kere daha derinden duymalı, Hak tevfîkine dayanarak inançlarını yeniden inşa etmeli ve sonra da irfanlarının derinliği ölçüsünde bir aksiyon sergilemelidirler. Evet, onlar tekvînî ve teşriî emirlerin mana, muhteva ve özünde bitevî derinleşmeli; böylece, değişimi daha bir olgunlaşma şeklinde anladıklarını ortaya koyarak iç içe inkişaflar gerçekleştirmelidirler. Ne var ki, kendi kimliklerinden uzaklaşma, farklı kültürlerin tesirlerinde kalarak başkalaşma ve öze yabancı bir hâl alma anlamlarına gelen bir "değişim"den korkmalı; bu manadaki bir değişikliği bozulma saymalı ve kendilerini ondan korumak için farklı vesilelere sığınmalıdırlar.

Başkalaşma Marazı

Zira, böyle bir deformasyon, nimetlerin bütün bütün kesilmesine ve hem insanların hem de toplumun ilahî azaba uğramasına sebebiyet verebilir. Kur'an-ı Kerim, "Bir millet kendilerinde bulunan güzel ahlâk ve meziyetleri değiştirmedikçe Allah da onlara verdiği nimeti, güzel durumu değiştirmez." (Enfal, 8/53); "Bir toplum özündeki güzellikleri değiştirmedikçe, Allah Teâlâ da onlara lûtuf buyurduğu nimetlerini ve iyi hâli tağyir etmez." (Ra'd, 13/11) buyurarak bu hususa dikkat çekmektedir. Bir toplum, kendisine bahşedilen nimetlere mazhar olduğu andaki iman, marifet, safvet, samimiyet, azim, kararlılık ve hasbîlik gibi yüce hasletlerini yitirmedikten sonra, -ilahî âdete göre- o nimetlerin alınması ve o toplumun derbederliği asla söz konusu değildir.

Aksine, bir heyet-i içtimaiye kendini yücelten ve ayakta tutan bu üstün vasıfları kaybedince, orta sütun çökmüş ve toplum çatısında tamiri imkânsız yıkıntılar meydana gelmiş demektir. Şayet, insanlar, kendilerine bahşedilen nimetlere vesile olan fıtrî misak, güzel ahlâk ve sâlih amel gibi meziyetlerden uzaklaşır, bir deformasyona uğrar ve inanmışlığa yakışan iyi huylarını değiştirirlerse, Cenâb-ı Allah ilahî âdeti muktezasınca o topluluğa ihsan ettiği nimetlerini keser ve onların kötü hâle düçar olmalarını hükme bağlar. İçten içe çürüyen, bozulan ve adeta mahiyet değiştiren bir toplum kıymetli bir emanetin emanetçisi olamayacağından dolayı, Allah Teâlâ İslamiyeti yüreklerinde taptaze duyacak yeni bir kavim getirir ve emanetini değişikliğe uğramış kimselerden alıp onlara teslim eder.

Bu itibarla, değişmemek ve hatta değişikliğin en küçüğüne karşı dahi tavır almak çok önemlidir. Unutulmamalıdır ki, bir çeşit başkalaşan her çeşit başkalaşabilir. Diğer bir vesile ile zikrettiğim gibi; İmriü'l-Kays'a isnad edilen bir sözde, "İki şey vardır ki, onları başlatanlar da nerede durduracaklarını bilemezler: Bunlar, savaş ve yangındır." denilir. Bu söze üçüncü bir hususun daha ilave edilmesi gerektiğini düşünüyorum ki, o da "başkalaşma"dır; evet, bir türlü başkalaşan her türlü başkalaşabilir, dolayısıyla, o kapı hiç aralanmamalıdır.

Bazen başlangıçtaki çok küçük bir değişim, ileride pek büyük başkalaşmalara sebep olabilir. Bu mevzuda bir sızıntının meydana gelmesine bile fırsat vermemek lazımdır. Evet, atalarımızdan tevarüs ettiğimiz dinî ve millî değerlerimizden herhangi biri ile alâkalı en küçük bir kayma, daha sonraları önü alınamaz inhiraflara dönüşebilir. Kimseyi rencide etmek istemediğimden, "şu mesele, bu mesele" diyerek tavzihte bulunmayı düşünmüyorum. Fakat, herkes kendi şahsî hayatı adına öz değerlerimize bağlılığını bir kere daha sorgulamalıdır. Şayet, insan bu mevzuda nefsiyle hesaplaşırken, vazifeleri icabı bir zaruret bulunmamasına rağmen, kendi üzerinde başkalaşma emareleri ve başkalarına benzeme temayülleri görüyorsa, nimetlerin zevalinden çok korkmalı ve henüz fırsat varken yeniden kendi kimliğine ait hususiyetlere bürünmeye çalışmalıdır.

Teşebbüh ve İltihak

Rasûl-ü Ekrem (sallallahu aleyhi ve sellem) Efendimiz, "Kim bir kavme benzemeye çalışırsa, o da onlardan sayılır." buyurmuştur. Bu hadis-i şerifin metninde "başkalarına benzemek" ile alâkalı olarak "teşebbehe" fiili kullanılmıştır ki, bu kelime tefa'ul babındandır. Bu babın hususiyeti de tekellüf ifade etmesidir. Bu açıdan, kerih görülen ve yasaklanan "teşebbüh", insanın başkalarının adetlerine, geleneklerine, göreneklerine özenmesi; kendini sürekli onlara benzemeye zorlaması ve onlar gibi yaşamak için özel çaba harcaması demektir.

Diğer bir ifadeyle, "teşebbüh", insanın, kendi kültürünün ve tabiatının dışına kayarak, hatta öz değerlerini hafife alarak, saç-baş, kılık-kıyafet, yeme-içme ve günlük hayat bakımından olduğundan farklı görünmesi, zorla başkalarına benzemeye çalışmasıdır ve sonuç itibarıyla "iltihak"a varıp dayanabilecek bir marazdır. Bu mevzuda, biraz esnek ve gevşek davranan bir insanın, ilk çıkış noktasını unutacak kadar merkezden kopması, zamanla kendinden bütün bütün uzaklaşması, hiç farkına varmadan özendiği ve benzediği o kimselere katılması ve Hak nezdinde de onlardan biri addedilmesi söz konusudur. Binaenaleyh, Nur Müellifi, teşebbüh ve taklit hastalığına yakalananlara şöyle seslenmiştir: "Ey uykuda iken kendilerini ayık zannedenler! Umûr-u diniyede müsamaha veya teşebbühle medenîlere yanaşmayın. Çünkü, aramızdaki dere pek derindir; doldurup hatt-ı muvasalayı temin edemezsiniz. Ya siz de onlara iltihak edersiniz, veya dalâlete düşer, boğulursunuz."

Nitekim, bazı milletlerin teknik ve teknolojik üstünlükleri karşısında başı dönen, bakışı bulanan, medeniyet ve modernite adına gidip gırtlağına kadar onun erâcifine gömülen; özünü, şahsiyetini, benliğini yitirmiş günümüzün bir kısım ruh hastalarının hâllerinde bu "iltihak"ı görmek mümkündür. Böyleleri, kat'iyen kendileri olarak duyamaz, kendileri olarak düşünemez ve kendileri olarak zevk alamazlar. Çünkü onlar, inanç, düşünce, kültür, hayat felsefesi, giyim-kuşam ve evin döşemesine kadar her meselede özden uzaklaşmış ve yabancılaşmışlardır. Dolayısıyla da, bütün bir tarih boyunca birikip gelişen örfler, âdetler, dînî duygu ve düşünceler, san'at ve edebiyatın bize ait semereleri onlara hiçbir mana ifade etmez.

Hatta, bazıları kendi değerlerine karşı tiksinti duyacak kadar başkalaşmış ve akl-ı selimi hayrette bırakacak ölçüde fikir inhiraflarına düşmüşlerdir. Camilere sıra koyma ve secde edilecek yerlere tahta döşeme gibi teklifler bu düşünce kaymalarının tezahürleridir. "Ubudiyet izhar etmemek ve ibadet maksadıyla da olsa asla eğilmemek lazımdır; çünkü, insanlarda ubudiyet duygusu geliştikçe ve secde etme isteği pekiştikçe başkalarına köle olma hissi de inkişaf etmektedir. Onun için, çok ciddi bir isyan ahlakı ile kulluğa başkaldırmak gerekmektedir ki köleliğin önü alınabilsin!.." sözü, şayet bu milletin bir ferdinin dudaklarından dökülüyorsa, bir insanın ne ölçüde başkalaşabileceğinin hazin bir misali değil midir?

Öz Değerlere Sadâkat ve İrşadda Üslup

Şu kadar var ki, kendi değerlerimize bağlı kalmamız, içinde yaşadığımız çağın gereklerini gözetmemize mani değildir. Eğer, insan yüce bir dava uğrunda, üzerine farz olan bir vazifeyi eda ederken, "Giyim ve kuşamımdan dolayı dışlanmayayım; ilk bakışta ürkütücü olmayayım!" düşüncesi ve niyeti ile, toplumun telâkki, örf, adet, gelenek ve göreneklerine göre davranıyorsa, bunda bir mahzur yoktur; hattâ böyle bir düşünce, takdir ve tebcile lâyık sayılır.

Zaman ve mekana göre, ilk planda insanlara tuhaf gelecek, onları ürkütecek ve kaçıracak hâl, tavır, davranış ve fiillerden sakınmak lazımdır. Bu mevzuda da "illa böyle olmalı" diyerek tekellüfe girmemek esastır. Evet, atalarımızdan tevarüs ettiğimiz kaftanımız, cepkenimiz... çok hoşumuza gidebilir. Fakat, bunlar bugün bazı kimselere başka şeyler çağrıştırıyor, bir kıyafetin ötesinde manaları hatırlatıyor ve ürkütücü oluyorsa, -dinimizin ve kültürümüzün temel sınırlarını aşmamak kaydıyla- görüntümüzle de başkalarını kaçırmamaya özen göstermemiz gerekmektedir. Bir gün muhataplarımız bizi genel karakterimiz, ahlakımız ve evrensel insanî değerlerimiz ile tanıdıktan sonra, artık ne giyersek giyelim, nerede ve nasıl olursak olalım, anlayışımıza, hâlimize ve davranışlarımıza saygı duyacaklardır ve Allah'ın izniyle ondan sonra bir problem kalmayacaktır.

Ne var ki, önde, ortada ve sonda sunulacak şeyler birbirinden farklıdır ve birbirine karıştırılmamalıdır. Uzlaşma, uzlaştırma, hayatı paylaşma ve eşsiz değerlerimizi âleme duyurma gibi yüce gayelerin tercih hakkı vardır ve bunlar mutlaka öne alınmalıdır. Bu gayeleri gerçekleştirmeye matuf olarak yürünülen yolda, füruat kabilinden olan hususlar -dinin esasatını ihlal etmemek şartıyla- ortaya ve sona bırakılmalı; böylece onların en önemli hakikatlerin duyurulmasının önünde birer engel teşkil etmesine mani olunmalıdır.

Tabiî, kültürümüze ait olmayan şeylerin üzerimizde birer âriye gibi durduğuna inanmamız da bizim için bir esastır. Yer, konum ve vazifelerimiz itibarıyla mecbur kaldığımız ya da fayda mülahaza ettiğimiz kılık-kıyafet, hâl ve davranışların üzerimizde muvakkaten ve zarurete binaen olduğunu hatırdan dûr etmememiz lazımdır. Mesela; "Şunu sırtıma geçirdim ama şöyle bir maslahat gözeterek bunu yaptım!" düşüncesi zihinde hep canlı tutulmalıdır. Aksi hâlde, öz kültürümüze ait olmayan hususları benimseme ve "iyi oldu" demek de hadis-i şerifte ifade edilen teşebbüh kategorisine girer. O meseleyi bizim aslî hayat felsefemizin ve dünya görüşümüzün bir parçası gibi algılamak bizi bizliğimizden koparır ve sürükleyip götürür. Böyle bir durumda, insan değişim rüzgarının saçıp savurduğu kupkuru bir yaprak hâline gelebilir.

Ruhsatları His ve Hevesler Belirlememeli!..

Bu itibarla, dilimizden dinî ve millî telakkilerimize kadar bize ait her şey her zaman çok güzeldir. Bunlar yürümemiz gerekli olan şehrahın işaret taşlarıdır. Şayet, onlarla sınırlanan sahanın dışına adım atacak isek, bu hareketimiz getirisi çok yüksek bir maslahata matuf olmalıdır.

Ne var ki, bazen his ve heves fikir suretine girebilir ve insan yanılarak mefsedeti maslahat zannedebilir. Bu sebeple, yüce bir mefkureye adanmış bir ruh, hiçbir zaman sadece kendi içtihat ve istinbatıyla "Şu işte maslahat var." dememelidir. Kendi hissiyatına bağlı karar vermekten ve dolayısıyla yanlış hükme varmaktan korkmalı; meseleyi mutlaka işin ehli olan kimselerle istişare etmeli ve başka alternatifler arayarak muhtemel zararı en aza indirmeye çalışmalıdır. Gerçekten de düşündüğü şekilde davranmasında bir maslahat olabilir; fakat, acaba o maslahat bir maslahat-ı mutebere mi, ya da maslahatı mürsele mi, yoksa maslahat-ı merdude midir? İşte, hâlis bir mü'min, bu farklılıkları muhakkak gözetmeli ve doğru hüküm verebilmek için kat'iyen o işin öncü ve rehberlerine danışmalıdır.

Selef-i Salihîn efendilerimiz, İslam'a karşı insafın hakkını vermek ve temel dinamiklere aykırı düşmemek için en küçük bir meselede dahi şakakları zonklayacak kadar müzakere yapmış ve ancak ilim ehli olan herkesin fikirlerini aldıktan sonra nihaî hükmü beyan etmişlerdir. Ebu Hanife Hazretleri'nin yüzlerce, belki bazen binlerce talebesiyle sabahtan akşama kadar belli mevzularda görüş alışverişinde bulunduğu bilinmektedir. İmam Ebu Yusuf, İmam Muhammed ve hatta İmam Züfer gibi talebelerinin ona muhalif beyanlarda bulundukları; bir hakikatin vuzuha kavuşması için -Üstad Necip Fazıl'ın ifadesiyle- öz beyinlerini burunlarından kustukları ve İmam-ı

A'zam'ın onların mülahazalarını da dinleyip büyük bir hakperestlikle "İşin hakikati şudur" diyerek, kendi düşüncesine ters de olsa doğrunun yanında yer aldığı herkesin malumudur.

Öyleyse, günümüzün dava erleri de, herhangi bir meselede, hususiyle ileride eda edeceği fonksiyon açısından gaye-i hayale bağlı görülen ve getirisinin büyük olacağı tahmin edilen bir ruhsat söz konusu olduğunda, kendi hisleri ile hareket etmemeli, şahsî yorumlarını esas kriterlerin yerine koymamalı ve mutlaka istişarenin hakkını vermelidirler.

Zira, Hazreti Üstad'ın dualarından bir tanesi de "Yâ Rab, kusurumuzu affet. Bizi kendine kul kabul et. Emanetini kabzetmek zamanına kadar bizi emanette emin kıl." şeklindedir. Evet, nefsimiz, dinimiz, imanımız... her şeyimiz emanet olduğu gibi, hizmet düşüncemiz, dünya görüşümüz ve hayat felsefemiz de bize emanettir. Bunlar, dün başkalarının omuzlarına konmuştu; bugün bizim üzerimizde bulunuyor; yarın da sonraki nesillere aktarılacak. Bu emanetleri deformasyon görmüş bir hâlde devretmek doğru değildir. Şayet, biz emanetlere sahip çıkmaz, onları gereğince korumaz ve sağlam bir şekilde haleflerimize teslim etmezsek, istikbalin sahiplerini bir ruh travmasına maruz bırakmış oluruz ki, bu hem davaya hem de yarının insanlarına karşı büyük bir haksızlıktır.

Başkalaşmaya Karşı Dostluk Halkaları

Diğer taraftan, insanoğlu kendi sıfat ve tavırlarının çocuğudur. Onun iyi veya kötü vasıflarından hangisi galebe çalarsa, o da o türden hâl ve davranışlar göstermeye başlar. Bazen öyle melekleşir ki, ruhanîleri bile gıptaya sevk eder. Bazen de şeytanları utandıracak şirretlikler sergiler. Hazreti Mevlânâ, "Bazen melekler bizim nezaket ve inceliğimize imrenirler; bazen de şeytanlar küstahlığımızdan ürperirler!" derken, zannediyorum, insanoğlunun birbirine zıt bu iki yanını vurgulamak istemiştir. Evet, insan kimi zaman yerin derinliklerine doğru çekilecek bir ağırlığa ve arzîliğe bürünür; kimi zaman da adeta melekler gibi kanatlanır ve semavîliğe yürür.

Dolayısıyla, bu ölçüde farklılıklar sergileyen ve şerre de hayra da açık duran insan hem kötülük hem de iyiklik hesabına hiçbir şeyi hafife almamalıdır. O, iyiliğin en küçüğünü dahi yapmaya çalışmalı; kötülüğün de küçüğünden büyüğünden yılandan çıyandan kaçar gibi kaçmalıdır. Aksi hâlde, insan hiç farkına varmasa da, en küçük bir kötülük ciddi deformasyonlara sebep olur. İçten içe bozulup çürümeler de Allah'ın nimetlerinin çekilmesine yol açar. Bu açıdan da, hususiyle dine hizmet eden mü'minler, i'la-yı kelimetullah yolunda mücahede etme nimetine mazhar oldukları andaki kıvamlarını sürekli korumalıdırlar; yoksa, ruh ve mana hayatı adına üst üste çatlamalar ve kırılmalar yaşamaları kaçınılmaz olur.

Binaenaleyh, başkalaşmamanın en önemli dinamiği, en küçük bir değişmeye karşı çok kararlı durmak ve değişmemek için sürekli takviyeye başvurmaktır. Takviye vesilelerinin başında ise, hayırlı bir çevre ve arkadaşlık halkası gelir. İnsanın vefalı, samimi ve sâdık dostlarının olması büyük bir bahtiyarlıktır. Nitekim, Hazreti Ömer (radıyallahu anh) halife seçildiği gün, "Ey insanlar! Ben haktan ve adaletten ayrılırsam ne yaparsınız?" diye sormuş; "Şayet eğrilir ve haktan inhiraf edersen, seni kılıçlarımızla doğrulturuz!" cevabını alınca da "Elhamdülillah! Eğrilirsem beni kılıçları ile doğrultacak arkadaşlarım varmış!" diyerek şükretmiştir. Hazreti Ebû Bekir (radıyallahu anh) de hilafet mesuliyetini üzerine alır almaz, halka hutbe vermiş ve sözlerini "Ey insanlar! Eğer iyi işler yaparsam beni destekleyin; yok eğrilirsem, o zaman da beni doğrultun!" cümlesiyle bitirmiştir. Evet, her insanın, "Kendi kendime ayakta duramayabilirim; fakat, eğer düşersem, şu arkadaşlarımın omuzlarına düşmeliyim!" diyebileceği ve kendilerine itimat edebileceği dostları olmalıdır.

İnsanlığın İftihar Tablosu zamanında böyle kardeşlik köprüleri kurulmuş ve dostluk halkaları oluşturulmuştur. İlim ve zikir gayesiyle biraraya gelen ve omuz omuza veren insanlar mescidde halkalar ʿeşkil etmiş ve herkesi onlardan birine dahil olmaya çağırmışlardır. Bu meselenin ehemmiyetine dikkat çekme sadedinde kaynak kitaplarda zikredilen "halka hadisi" çok ibret vericidir:

Rasûl-ü Ekrem (sallallahu aleyhi ve sellem) Efendimiz, Ashab-ı Kiram ile beraber bir halka halinde mescidde otururlarken, içeriye üç kişi girmiştir. Sonradan gelen o üç kişinin ikisi Rasûlullah'ın huzurunda durmuş; bilâhare onlardan biri halkada bir boşluk bularak oracığa oturmuştur. Diğeri de, halkaya dahil olmasa bile cemaatin hemen arkasında bir yere oturmuştur. Üçüncü şahıs ise, mescidde durmamış, arkasını dönüp gitmiştir. O esnada Ashabına nasihatte bulunan Rehber-i Ekmel Efendimiz, anlatmakta olduğu meseleyi bitirince şöyle buyurmuştur: "Bu üç kişinin halini size haber vereyim mi? İçlerinden biri Allah'a sığındı, Cenâb-ı Hak da onu ilahî himayesine aldı. Diğeri (arkadaşlarına sıkıntı vermekten) utandı, Allah da ondan (ona azap etmekten, Şanına yaraşır şekilde) haya etti. Öteki ise (o meclisten) yüz çevirdi, Allah da ondan (Zâtına has bir mahiyette) yüz çevirdi."

Evet, Sâdık u Masdûk Efendimiz, mü'minlerin meclisine sırt dönmeyi Allah'tan ve kendisinden uzaklaşma saymıştır. Demek ki, mutlaka halkaya dahil olmak ve onun içinde yer almak lazımdır. M. Lütfî Hazretleri'nin -daha önce başka bir münasebetle zikrettiğim- şu sözü de bu hakikatin farklı bir beyanıdır:

"Ey tâlib-i feyz-i Hudâ gel halkaya, gir halkaya.!
Ey âşık-ı nûr-i Hudâ gel halkaya, gir halkaya!"

Rahmet ve Bereket Cemaattedir!..

Mü'minlerin arasında bulunmak ve cemaat halinde yaşamak insana manevî bir kuvvet kazandırır. İnsan, cemaat içindeki temiz simaları tanıdıkça ve hâlis kulların ubudiyetteki derinliklerini gördükçe etrafına ve diğer Müslümanlara daha farklı nazar eder. Çoğu zaman bir kardeşini, arkadaşını ya da büyüğünü düşünüp "Davanın hakkaniyeti için bu insanın bu dairede olması yeterli bir hüccettir" diyerek kalbî itminana ulaşır. Hatta içinde bulunduğu dairenin verdiği ilhamla, kendi namaz kıldığı mekandan Ka'be'ye, oradan da bütün cihana kadar uzanan saflara bakıp "Bu düşünce, inanç ve teveccühte yalnız değilim; bunca insan benim gibi düşünüyor. Hele bu saflar arasında öyle zatlar var ki, onların her biri adeta Dinin bir hüccetidir; İslam'ın hak olduğuna, yalan üzere birleşmeleri mümkün olmayan bu insanların mevcudiyeti bile tek başına delildir. Bu yüce kâmetler benim için de referanstır ve onlarla aynı çizgide bulunmam bir bahtiyarlıktır." der ve hamd ü senâ duygularıyla dolar.

Ayrıca, Allah Rasûlü (sallallahu aleyhi ve sellem) "Allah'ın inayet ve kudreti cemaatle beraberdir." buyurmuştur. Demek ki, Cenâb-ı Hakk'ın cemaate özel bir teveccühü vardır; mü'minler arasında yer almak, nihayetsiz acz ü fakr içinde bulunan insanın sonsuz güç ve kudret sahibi Mevlâ-yı Müteâl'in inayeti ile yürümesine ve iş yapmasına vesiledir.

Diğer taraftan, çok defa kendi iman, marifet, muhabbet, aşk ve iştiyakımız bizi canlı tutmaya yetmeyebilir. Kimi zaman, bakışlarımız bulanabilir ve kalbimiz katılaşabilir; günlük hayatın çok çeşitli meşgaleleri içinde aşk u heyecanımız sönmeye yüz tutabilir. Bu muvakkat hâlin neticesinde -Allah korusun- sefahate düşebilir, özümüzden uzaklaşabilir ve yabancılaşma temayülleri gösterebiliriz. Fakat, şayet en az üç kişilik bir cemaat hâlinde olursak, o zaman diğer iki arkadaşımızdan hiç olmazsa birinin aşk u şevkinden beslenir, bir müddet onun marifet ve muhabbet çeşmesinden su içer ve yine kendi atmosferimizin havasını teneffüs edebiliriz.

Bu itibarla da, her zaman arkadaşlarımızla beraber olmaya çalışmalı; böylece cemaatin bereketiyle hem kendimizi hem de kardeşlerimizi değişip başkalaşmalardan korumalıyız. İnsanın tek başınayken yüzde doksan ihtimalle düşebileceğini ama bir cemaat içinde düşme ihtimalinin belki ancak yüzde on olduğunu hatırdan çıkarmamalıyız.

Evet, iki kişinin bir kötülük üzerinde anlaşması da, zayıf bir ihtimal bile olsa mümkündür. İnanan üç insanın fenalıkta anlaşıp bir araya gelmesi ise âdeta imkansızdır. Nitekim, Allah Rasûlü, "İki kişi de şeytandır; üç kişi ise cemaattir" buyurmuştur. Bu açıdan, insanın kendisini sağlama alabilmesi için arkadaşlarına dayanması, onlardan kuvvet alması ve "Şayet, eğrilirsem beni düzeltin!.." diyerek onlara kendisini ikaz etme selahiyeti vermesi şarttır.

Hikmetin Lisan-ı Fasihi (aleyhi elfü elfi salâtin ve selâm) Efendimiz, "Din nasihattir." buyurmuştur. Nasihat; hayırhahlık demektir; bir kimseye doğru yolu göstermek, yapması ve yapmaması gereken şeylere dikkatini çekmek ve onun hakkında hep hayır dileğinde bulunmak manalarına gelmektedir. Nasihat, insanları Allah'a, Rasûl-ü Ekrem'e ve Din-i Mübîn'e yönlendirmektir; onları, dünya ve ahiret hayatları hesabına faydalarına olacak işlere sevketmektir. İşte, başkalaşmamak ve bir deformasyona uğramamak için, insanın, yüreğini coşturup yumuşatacak, dumura uğramış duygularını canlandıracak, likâullaha (Allah'a kavuşmaya) iştiyakını kamçılayacak ve fikir dünyasını aydınlatacak nâsihlere de her zaman ihtiyacı vardır.

Sözün özü; kâinatta, kudret ve iradenin tecellileri olarak bildiğimiz "şeriat-ı fıtriye"ye ve kelâm sıfatından gelen ilâhî kanunlar mecmuasına riayet etmeyen toplumların veya manevî hayatlarında iç değişikliğine uğrayan milletlerin -bugün hâkim olsalar da- yarınki mahkûmiyetleri kaçınılmazdır. Geçmişte inkıraza uğramış ümmetlerin mezarı sayılan tarih, âvâz âvâz bu gerçeği haykırdığı gibi, "Bir toplum iç dünyası itibarıyla kendini değiştirmedikçe, ruh ve manada deformasyona uğramadıkça, Allah bahşettiği lütufları geri alarak o toplumun iyi hâlini tağyir etmez" ilahî beyanı da, hakimiyet-mahkumiyet, izzet-zillet hususlarında önemli bir hakikati ve Müslümanların halihazırdaki ciddi bir problemlerini hatırlatmaktadır. Binaenaleyh, mü'minler için, başkalarına şirin gözükmek değil, kendileri olarak gönüllere girmek esastır; aksi halde, teşebbühü bir başkalaşmanın ve iltihakın takip etmesi kaçınılmazdır.

Ruhbanlık ve İstikâmet

Soru: Ruhbanlık ne demektir? "İslam'da ruhbaniyet yoktur" hadis-i şerifinden maksat nedir?

Cevap: Uzlet yolunu seçerek insanlardan uzaklaşan, dünyevî zevklere karşı adeta ölüm orucuna niyetlenerek kendini bütünüyle ibadete adayan ve bu şekilde ruha kendi gücünü kazandıracağına inanan kimselere "ruhban" denilegelmiştir. Genel olarak, "ruhbanlık" dünyadan tamamıyla el etek çekerek, evlenme, ev-bark edinme gibi nimetlerden vazgeçerek ve hatta meşrû lezzetleri de topyekün terkederek bütün ömrü inziva ve ibadet üzere geçirmek şeklinde tarif edilmiştir. Ne var ki, bazı dinlerde ya da din görünümlü organizasyonlarda, ruhbaniyetin çok yanlış yorumlanması, ruhban sınıfının zamanla imtiyazlı bir konum kazanması ve bunların kendilerini Yaratıcı'nın vekili gibi görmeleri, dolayısıyla kendilerinin rehberliği olmadan günlük ibadetlerin bile yerine getirilemeyeceğine halkı inandırmaları ve böylece bir manada Ma'bud ile kul arasına girmeleri de ruhbaniyet mevzuu içerisinde ele alınıp incelenmelidir.

Akîde ve Diyanet Açısından Ruhbanlık

Bilhassa Hristiyanlıkta, -bazı istisnâî ekollerin mevcudiyeti mahfuzhem din ve akîde açısından, hem de ibadet ve diyanet zaviyesinden ruhbanlık söz konusudur: Akîde yönüyle ruhbaniyet; ruhban sınıfına dahil kimselerin Yaratıcı'nın yeryüzündeki temsilcileri olarak görülmeleri ve hususiyle belli seviyedeki din adamlarının sözlerinin ilahî beyan gibi kabul edilmesidir.

Onların inançlarına göre; Hazreti Mesih, zenb-i aslî sebebiyle doğuştan günahkar olan insanlığın kurtuluşu için gönderilmiş ve bu uğurda kurban olmak suretiyle kendisine inananların temizlenmelerini sağlamıştır. Çarmıha gerilmesi, onun bu fedakârlığına hakkıyla inanan ve gönlünü ona veren insanların günahlarına keffaret olmuştur. Bunu böyle kabul etmek tek kurtuluş vesilesidir. Hazreti İsa'dan sonra ise, âbâ-i kenâise (kilise babaları) diye de anılan ruhban sınıfının seçkin üyeleri onun yerini almışlardır. Bir ölçüde, onların sözleri de vahiy gibi kabul edilir hâle gelmiştir. Vaftiz etme ve günah çıkarttırma, hatta bazı fiilleri helal ya da haram sayma yetkileri onlara geçmiştir.

Bir yönüyle, temelde Zât-ı ulûhiyete dair bazı hususiyetler önce Hazreti Mesih'e isnat edilmiş; daha sonra da Seyyidina Mesih'e ait görülen bir kısım özellikler, onun temsilcileri olarak kabul edilen âbâ-i kenâiseye yakıştırılmıştır. Neticede, bir insanın, Yaratıcı ile münasebete geçmesi için mutlaka bir vasıtaya muhtaç olduğu; bir din adamının aracılığına başvurmadan Rabb'e ulaşamayacağı, günahlarından sıyrılamayacağı ve Cennet'e giremeyeceği inancı gelişip yaygınlaşmıştır. Bir manada, helal ve haramın sınırlarını tesbit yetkisini kendinde gören ve Cennet'in anahtarlarının kendi ellerinde olduğunu zanneden kimseler nefislerini ilâh ve rab yerine koymuş; onların kendilerine biçtikleri bu konumu tanıyıp kabul edenler de ruhban sınıfından olanları adeta rab edinmişlerdir.

Diyanet yönüyle ruhbaniyet ise, dinin doğrudan doğruya bir kısım ruhanî insanlar tarafından temsil edilmesi; günah çıkarttırma, vaftiz ve aforoz etme gibi işlerin mutlaka kendilerini rububiyet ve ulûhiyet esrarını keşfe adamış, Rabbi tanıyıp tanıtmayı esas maksat yapmış âlim ve muallim rabbanîler tarafından yapılmasıdır. Onlarla olmadıktan sonra bir insan başını yere koyamaz, bir yerde içini Allah'a dökemez ve bir ibadeti yerine getiremez. Dinî ayin ve merasimler, ancak belli bir sınıfın idaresinde ve yine onlar tarafından belirlenen bir formatla yapılabilir. Çünkü, ruhbanlar Yaratıcı ile kullar arasında köprüdürler; onlar, ulûhiyet esrarına açık önemli temsilciler ve vasıtalardır; dolayısıyla, onların olmadığı yerde Rabb'in teveccühü de olmaz.

Fıtratın Ruhbaniyetten İntikamı

Umumi manadaki akîde ve diyanet açısından ruhbanlığın yanı sıra, bir de onun daha çok bilinen üçüncü çeşidi vardır ki, aslında bu tür ruhbanlık insanların ferdî hayatları ile alâkalıdır; fakat, bu telakki de zamanla müesseseleşmiş ve Hristiyanlık gibi bazı dinler ile bir kısım dine benzer sistemlerin genel anlayışı olarak zuhur etmiştir. Bazı din müntesipleri, iyice yaygınlaşan dünya hırsı, şehvet ve kötü ahlâka karşı aşırı tepki göstererek, özellikle üçüncü asırdan itibaren bekâr kalmayı, yoksulluğu ve zühdü ideal hâline getirmişlerdir. Dünyaperestliğe o kadar şiddetle karşılık vermişlerdir ki, çok küçük bir dünyalığa sahip olmayı dahi ahlâksızlık gibi bir günah kabul etmişlerdir.

Cenâb-ı Hak, uzlet ve riyazet yolunu katı bir ruhbaniyete dönüştürerek bir çıkmaz sokak hâline getiren kimseleri şöyle anlatmaktadır: "Sonra bunların ardından peş peşe peygamberlerimizi gönderdik. Özellikle Meryem'in oğlu Îsâ'yı arkalarından gönderdik, kendisine İncîl'i verdik ve ona uyanların kalblerine şefkat ve merhamet yerleştirdik. Uydurdukları ruhbanlığı ise Biz kendilerine farz kılmadık, lâkin Allah'ın rızasına nail olmak için kendileri icad ettiler. Kaldı ki ona gereği gibi de riâyet etmediler. Biz de onlardan iman edenlere mükâfatlarını verdik, onların çoğu ise büsbütün yoldan çıkmışlardır." (Hadîd, 57/27)

Kısaca mealini verdiğim bu âyete göre, aslında ruhbaniyet Hazreti Îsâ'nın dininde de farz değildir. Ne var ki, Hristiyanlığın bazı müntesipleri bu mevzuda iki kez yanlışlık yapmışlardır. Önce, Allah'ın emretmediği bir şeyi nefislerine vacip kılmışlar; sonra, Yüce Yaratıcı'nın rızasını kazanma niyetiyle çıktıkları yolda fıtrata ters düştüklerinden dolayı, nefislerine vacip kıldıkları o şeyin hakkını da verememişlerdir.

Dahası, Cenâb-ı Hakk'ın vazettiği dinin özündeki dengeden uzaklaşma ve fıtrat kanunlarını gözetmeme neticesinde ifratlar tefritleri takip etmiş ve çeşit çeşit ruhbanlık anlayışları başgöstermiştir: Değişik çilelerle insan vücuduna eziyet vermekten Rabb'i sevmeye aykırı bularak vücut temizliğini ruhun cenabeti saymaya, evlilikten kaçınmayı ve bir köşeye çekilmeyi en güzel ahlâkî değer şeklinde yorumlamaktan aile fertleri arasındaki muhabbet ve hürmete dayanan her türlü münasebetin yasaklanmasıyla Hakk'ın rızasının kazanılacağına inanmaya kadar farklı farklı ruhbaniyet telakkileri ve ekolleri gelişip yayılmıştır.

Neticede, bütün bu ruhbanlık çeşitlerinde öz itibarıyla fıtrata karşı savaş açıldığından dolayı çok büyük hezimetler görülmüştür. Çünkü, fıtrat, her zaman kendisine karşı savaş açanlardan intikamını almıştır/almaktadır. Ruhbanlık adı altında ölçüsüzlüklere girilince, helaller haram, haramlar da değişik yorumlarla helal sayılınca, sadece bazı kimseler için sübjektif olarak ve muvakkat bir surette kabul edilebilecek bir kısım çile ve riyazetler objektif kaidelermiş gibi herkese ve uzun süreli olarak teklif edilince ve böylece insan tabiatında bir deformasyona gidilince, fıtratın intikamı öyle şiddetli olmuştur ki, dünyevîliğe, şehvete ve ihtirasa en fazla gömülenler, ruhbaniyet iddiasında bulunanlar ve onların soylarından gelenler arasından çıkmıştır.

Evet, zikredilen ayet-i kerimede de vurgulandığı üzere; ruhbaniyeti ihdas eden din adamları, ruha kendi gücünü kazandırma niyetiyle de olsa, Cenâb-ı Hakk'ın emretmediği bir kısım kurallar uydurmak suretiyle sonu hüsran olan bir yola girmiş ve fıtrata yenik düşmüşlerdir. Çünkü, dinin temelindeki denge prensibini ihmal etmiş, tabiîlikten çıkarak hayatı yaşanmaz hâle getirmişlerdir. Dahası, kendi belirledikleri usullere de riayet edememiş ve dalâlete sürüklenmişlerdir.

Cenâb-ı Hakk'a Vasıtasız Teveccüh

İşte, Rasûl-ü Ekrem (sallallahu aleyhi ve sellem) Efendimiz, "İslamiyet'te ruhbaniyet yoktur" diyerek, hem akîde, hem diyanet ve hem de zühd anlayışı açısından ölçüsüzlüğü, dengesizliği, fıtratla zıtlaşmayı ve haddi aşmayı reddetmiştir.

İslam dininde, din adamları sınıfının hakimiyeti, vasıta oluşu ve mutlak rehberliği bir yana, böyle imtiyazlı bir sınıftan bahsetmek bile mümkün değildir. Hatta "din adamı" tabiri dahi bir yönüyle yanlış bir ifadedir. Çünkü, her Müslüman Rabbi ile doğrudan münasebet hâlindedir; herkes Kur'an ve Sünnet'in bizzat muhatabıdır. Din hizmeti ve vazifesi tek tek her mü'minin omuzuna yüklenmiştir. Namazda imamet gibi, ibadetlere müteallik bir rehberlik söz konusu olduğunda illa din hizmetini meslek olarak seçmiş, bir makam tarafından tayin edilmiş ve ücreti ödenmiş bir insan bulmak

...ıldir. Dine ait vazifelerin eda edilmesi esnasında, dinî bilgisi yeterli olan herkes imamlık yapabilir. Ayrıca, bir mü'minin, ibadetlerini yerine getirmesi, dua etmesi ve mağfiret dilemesi için hiçbir aracı kurum ya da kişiye ihtiyacı yoktur. İslam'da bütün yeryüzü bir mescittir ve her Müslüman dilediği her yerde ve her zaman ibadet edebilir. Günün her saatinde, her hâl ve şartta Rabb-i Rahim'e ellerini açıp matlubunu O'ndan isteyebilir. Din-i Mübin'de bir hocanın ya da mürşidin günahları bağışlaması da asla mevzubahis değildir; Cenâb-ı Hak'tan başka hiç kimse dilediğini affedemez ve istediğine Cennet'te yer gösteremez.

Bir Müslüman, tepeden tırnağa günahla kirlense de, hiç kimsenin görmediği bir yerde ciddi bir nedamet içinde, yüreği hoplayarak ve gözleri yaşararak içini Allah'a döktüğü an arınmış olabilir. Cenâb-ı Hak'tan mağfiret dilenmek için onun ille de bir aracı bulmasına lüzum yoktur. Hatta, insanlar arasında günahlarını sayıp dökmesi ve başkalarını masiyetlerine şahit tutması ayrı bir cürümdür.

Belki farklı farklı uygulamaları vardır ve herkesi aynı kategoride mütalaa etmek doğru değildir; fakat, geçen gün televizyonda görmüştüm. Bir adam, insanî onurunu ayaklar altına alarak ve rezil rüsvâ olarak telefonda bir rahibe günahlarını anlatıyor, bağışlanma diliyor ve günah çıkarma merasimi için yaptığı hayırların kabul edilip edilmediğini soruyordu. Telefonun öbür tarafındaki kendini peygamber zanneden zavallı, üç-dört saniye kadar gözlerini kapadı, anında arş-ı Rahman ile münasebete geçmiş gibi yaptı ve "Affedildin, yaptıkların makbul sayıldı!.." deyiverdi.

Zannediyorum, bu onların kültüründen ve ruhbaniyetin yanlış yorumundan kaynaklanıyor. Dinimizde asla böyle bir şey yoktur. İnsanlığın İftihar Tablosu (sallallahu aleyhi ve sellem) Allah'ın Rasûlü olduğu hâlde bazen kendisine yöneltilen bir sorunun cevabını öğrenebilmek ya da bir müşkili halledebilmek için günlerce vahiy beklemiştir. Mesela, İfk hadisesinde hem kendisi, hem Hazreti Aişe validemiz ve hem de Ebu Bekir, Ümmü Ruman, Hazreti Esma gibi insanlık âleminin yüz akları elli gün ilahî hükmü intizar etmiş ve ızdırap çekmişlerdir. Keza, ruh ile alâkalı sorular sorulup ruhun mahiyetinden haber vermesi istendiğinde de Rasûl-ü Ekrem Efendimiz günlerce vahiy beklemiştir. Zira, vahy-i ilahî herhangi bir insanın keyfine, hevasına ve hevesine bağlı olarak cereyan etmemektedir. Ötelerle irtibat mevzuunda, ihtiyaç anında hemen bir düğmeye basma ve merak edilen mesele hakkında malumat sahibi olma söz konusu değildir. Peygamberin bile Cenâb-ı Hakk'ın tavzih edici beyanını bazen uzun süre beklemesi ve sonunda ona göre bir cevap vermesi gerekmektedir.

Hele mağfiret talebi ve günahların bağışlanması meselesinde Allah ile kul arasına kimse giremez. Herkes Cenâb-ı Hakk'a bizzat teveccüh eder ve O'ndan yarlığanma diler. Bir dönemde, ilahî mesajı getirme ve dini kemale erdirme adına Nebiler Serveri elçilik yapmıştır, başımızın tacı o Rasûl'e canlarımız kurban olsun; fakat, Hazreti Sâdık u Masdûk (aleyhissalatü vesselam) Efendimiz'in dâr-ı bekaya irtihalinden sonra risâlet vazifesi de sona ermiştir. Artık, o türlü bir elçilikten bahsetmek de mümkün değildir. Hatta velilerin ilhamları, varidatları ve mevhibeleri de objektif ve herkesi bağlayıcı kabul edilemez; şayet onlar dinin muhkematına uygunsa, o şahısların kendileri tarafından değerlendirilebilir ama diğer insanları bağlamaz. Evet, Abdülkadir Geylanî, Muhammed Bahauddin Nahşibend, Hasan Şazilî, Ahmet Bedevî ve Ahmet Rıfaî hazretleri gibi en büyük veliler dahi, "Cenâb-ı Hak'tan bana şu geldi!" deseler, bir kısım ilhamlardan ve mevhibelerden bahsetseler, yine de bu türlü sözlerin bağlayıcılık keyfiyetleri yoktur. Bunlar, muhkemâta muvafık düşmeleri şartıyla, sübjektif bazı işaretler olarak algılanabilir; lâkin sadece o zatlar kendi adlarına o varidâtla amel edebilirler.

Ruhban Sınıfı ve İslam Âlimleri

İslam dininin başlıca kaynağı Kur'an-ı Kerim ve Sünnet-i Seniyye'dir. İslam âlimleri ancak bunları esas alarak bazı sınırlı konularda ictihad yapabilirler; fakat, kat'iyen kendi re'yleri istikametinde dîne ilâvelerde bulunamazlar. İslâm'da olmayan bir hususu dine sokmak ve kendinden bir hüküm koymak bir yönüyle Rububiyet iddia etmek sayılmıştır. Bu itibarla, ulema ile ruhban arasında bir ayniyetten bahsedilemez.

Aslında, âlim olmak da izafîdir. Bir yönüyle, Emsile, Bina, Maksut ve İzhar okumuş bir insan âlim olarak görülebilir. Onların üstünde bir nahiv bilgisine sahip olan kimse ondan daha âlim kabul edilir. Belagât ilimlerini bitirmiş bir insan biraz daha büyük âlim addedilir. Sonra Hadis, Tefsir, Fıkıh, Usul-ü fıkıh, Usul-ü hadis ve Usul-ü tefsir tahsil etmiş bir ilim adamı oldukça büyük bir âlim sayılır. Onun da ötesinde, Kur'an-ı Kerîm başta olmak üzere Rasûlullah'ın hadîslerini ve bütün sünnetini bilen, diğer İslâmî ilimlerden gerektiği şekilde haberdar olup ileri seviyede bir bilgi birikimine sahip olan, dinî metinleri ve meseleleri mukayese seviyesine ulaşmış bulunan fikir mimarı ise gerçek manasıyla "âlim"dir; âlim kelimesinin çoğulu da "ulema" olarak gelir. Ulemanın vazifesi, dini bilmeyen insanlara İslam'ın esaslarını öğretmek, belli meselelerle alâkalı verilmiş fetvaları onlara intikal ettirmek, Kur'an ve Sünnet'e dayalı hükümleri ve öteden beri fukahanın ictihadlarına bağlı ahkamı bildirmek, müphem ve muğlâk mevzuları açıklayarak halkı aydınlatmak ve bir ilmihal çerçevesinde de olsa onları bilgilendirmektir.

Müslümanlıkta işte bu manada bir ulema zümresi vardır ama onları ruhban sınıfındakilere benzetmek doğru değildir. Fakat, onlardan bazıları esas vazife ve sorumluluk alanları ile alâkalı şeyleri bırakarak, bir kısım âbâ-i kenâisenin yaptıkları gibi, -hafizanallah- insanların günahlarının affedilmesi mevzuunda da vasıta olmaya kalkarlarsa ve "Bize dayandırılmayan, bizim arkamızda olmayan ve ortaya koyduğumuz formatlara göre gerçekleştirilmeyen hiçbir amel kabul olmaz!" derlerse, böyle kimseler de ruhban sınıfına dahildirler, onlar ulema olmaktan çıkarlar. Şu kadar var ki, bazı bâtıl mezheplerin sapık müntesipleri istisna edilirse, İslam dünyasında bu türlü fikir inhiraflarına düşen kimse olmamıştır denilebilir.

Rehber-i Ekmel'in Objektif Yolu

Diğer taraftan; Cenâb-ı Hakk'ın tayin ve takdir buyurduğu mübahlarda bile nefse karşı müsamahasız davranarak, dinin emirlerini arızasız, eksiksiz ve kusursuz şekilde yaşamak bazı âlihimmet insanlar için bir hedef olabilir. Ne var ki, hususiyle umum insanlık söz konusu olduğunda dini yaşanmaz hâle getirmemek lazımdır. "Bu din kolaylık üzere vazedilmiştir. Hiç kimse kaldıramayacağı mükellefiyetlerin altına girerek dini geçmeye çalışmasın; galibiyet dinde kalır" mealindeki hadis-i şerifi hatırlatarak her fırsatta vurgulamaya çalıştığımız gibi, din kolaylık üzerine müessestir. Onu şiddetlendiren ve ağırlaştıran kendi aleyhine bir iş yapmış olur ve yenik düşer.

Nitekim bir sahabînin "Ben bütün gece boyunca namaz kılacağım!", başka birinin "Ben her gün oruç tutacağım!" ve bir diğerinin

"Ben hiç evlenmeyeceğim!" dediğini işiten Rasûl-ü Ekrem (sallalla-
hu aleyhi ve sellem) Efendimiz, "Allah'ı en iyi bileniniz ve O'ndan en
çok korkanınız benim. Bununla beraber, ben ubudiyete ait vazifele-
rimi yerine getiriyorum ama hanımlarımın hukukunu da gözetiyo-
rum. Gece ibadetimi yapıyorum fakat istirahat de ediyorum. Bazı
günler oruç tutuyor, diğer günleri ise oruçsuz geçiriyorum. Bu, be-
nim yolumdur. Kim benim yolumdan yüz çevirirse, o benden değil-
dir" demiş ve getirdiği dinde ruhbanlık anlayışındaki gibi fıtrata ters
bir zühd telakkisinin olmadığını beyan buyurmuştur.

Ayrıca, Rasûl-ü Ekrem Efendimiz, ümmetini evliliğe teşvik etmiş;
mesela, "İzdivaç ediniz, çoğalınız. Çünkü, ben kıyamet gününde si-
zin çokluğunuzla iftihar ederim." demiştir. İnsanlığın İftihar Tablo-
su, seyyidü'l-ma'sûmîndir, günahın semtine bile uğramayan bir iffet
abidesidir. Aslında O'nun izdivaca hiç ihtiyacı olmamıştır; fakat, İki
Cihân Serveri fıtrata uygun bir sünnet vazetmiş; o sünneti kendisi de
uygulamış ve onun tatbik edilebilir bir sistem olduğunu ümmetine
göstermiştir. O, en mükemmel rehber olduğundan objektif esaslar
ortaya koymuştur. Bizim için örnek alınacak ve yoluna uyulacak ye-
gâne insan da O'dur. Dolayısıyla, İslam'da dünyadan tamamıyla el
etek çekerek hiç evlenmeme ve çoluk-çocuğa karışmama şeklinde bir
ruhbaniyet de yoktur. Evlilik konusunda tabii ve esas olan, Rasûl-ü
Ekrem Efendimiz'in sünnetine iktida etmektir. Normal şartlarda her
Müslüman yuva kurmalı, çocuk sahibi olmalı; Peygamber sevgisiyle
dolu bir neslin yetişmesini, devamını ve çoğalmasını temin etmelidir.

Şu kadar var ki, Hazreti Üstad gibi bazı fedakâr ruhlar, "İslâmiyet-
te ruhbaniyet yoktur" hadis-i şerifinin mücerred yaşamayı, dünyayı
kalben terk etmeyi, muvakkat inzivaları ve celvete hazırlık halvetle-
rini yasaklamadığı; belki "İnsanların en hayırlısı onlara en faydalı
olandır." hadîsi sırrınca insanlığa hizmet etmek için halkın arasına

karışmak gerektiğini nazara verdiği kanaatindedirler. Zira, Selef-i Sâlihînden binlerce ehl-i hakikat muvakkaten inzivaya çekilmişler ve dünyanın fâni güzelliklerinden istiğna ve tecerrüt etmişlerdir, tâ ki, hayat-ı ebediyelerine tam hizmet etsinler.

Nitekim Asrın Çilekeşi, "İzdivacı hiç düşünmediniz mi?" diye soranlara "Âlem-i İslâm'ın dertlerini düşünmek kendimi düşünmeme fırsat vermedi; Ümmet-i Muhammed'in derdi bana onu unutturdu!" demiştir. İslam tarihinde, Cenâb-ı Hakk'ın ekstra lütuflarıyla serfiraz böyle kâmet-i bâlâlar da mevcuttur. Hatta, bu iffet âbideleriyle alâkalı, ilmi ve davayı izdivaca tercih eden ve hayatları boyunca hiç evlenmeyen âlimler manasına gelen "el-Ulemaü'l-Uzzâb" unvanıyla kitaplar yazılmıştır.

Ezcümle, İmam Nevevî dünyayı elinin tersiyle itmiş, hatta yeme-içme için yaratılmadığını düşünerek ve sofra başındaki vaktini dahi zâyi sayarak ömrünün büyük bir bölümünde günde sadece bir bardak süt ile iktifa etmiş; hayatını ilme ve dinin neşrine adamış ve her gün bir kısım hakikatleri kaleme alarak bir ömre raflar dolusu kitap sığdırmıştır.

Bu mefkure kahramanları, kendileri hesabına bir tane bile civcive sahip olmamışlardır; fakat, ümmet-i Muhammed adına pek çok civciv çıkarmışlardır. Onlar, i'lâ-yı kelimetullahtan başka hiçbir emel beslememiş ve varlıklarını sadece bu sevdaya vakfetmişlerdir. Bu arada, kendi hususî hallerini bir esas ittihaz etmemiş, herkesi bağlayan bir nümune şeklinde âleme sunmamış; bilakis, başkalarının nazarlarını dinin objektif disiplinlerine çevirmiş, talebelerini kendileri evlendirmiş ve onların yurt-yuva kurmalarına yardımcı olmuşlardır. Kanaatimce, şahsî haz ve lezzetleri adına hiçbir mülahazası olmayan, nâm-ı celîl-i Muhammedî'nin her yanda duyulması için maddî-manevî nimetlerden fedakarlıkta bulunan bu kahramanlar mutlaka takdirle anılmalıdır. Ne var ki, onların özel durumları, objektif kural olarak kabul edilmemeli ve herkese uygulanmamalıdır. İradenin hakkını verebilen o dava adamlarının hallerinin sübjektif olduğu nazar-ı itibara alınmalı ve meseleye dinin ruhundaki denge zaviyesinden yaklaşılmalıdır.

Gecelerin Ruhbanı, Gündüzlerin Fürsanı

Bu mevzuda son olarak, "Hak erleri geceleri ruhban, gündüzleri fürsan gibi olmalılar!" sözüne değinmek istiyorum: Lügat itibarıyla, ruhbaniyetin bir manası da, akıbet endişesiyle ve havf duygusuyla toplumdan uzaklaşmak, nefsi ıslah maksadıyla ormanlara, dağlara çekilmek ve sabah-akşam ibadet ü taatle meşgul olmaktır.

İslam tarihinde de, bazı dönemlerde, içtimaî hayattaki çalkantılar ve özden uzaklaşmalar sebebiyle genel atmosfer insanların kalbî ve ruhî terakkileri için namüsait bir hâl almıştır. Umum insanların aşırı serâzad, pek lâubâli ve çok çakırkeyf bir hayat tarzına alıştıkları böyle dönemlerde, gönülleri Allah'a yönlendirebilmek için uzlet ve halvet ihtiyacı hasıl olmuştur. Dolayısıyla, dünden bugüne benzer şartlar altında bazı mürşitler çıraklarını uzlete çağırmışlar, onlara halveti işaret etmişler ve hatta belli kaideler çerçevesinde Halvetiye mesleğini başlatıp geliştirmişlerdir.

Keza, hayatının bazı dönemlerinde Hazreti Üstad'ın da benzer mülahazaları olmuştur. Fakat, o mahviyet insanı, bu düşüncenin bile hakkında şefkat tokadına sebebiyet verdiğine inanmış ve bu kanaatini, "Vakta ki, neme lâzım dedim, kendi nefsimi düşündüm, âhiretimi kurtarmak için Erek Dağı'nda harabe mağara gibi bir yere çekildim, o vakit sebepsiz beni aldılar, nefyettiler; Burdur'a getirildim." sözüyle seslendirmiştir. Cenâb-ı Hak, adeta hadiselerin diliyle ona "Sen bir köşeye çekilmek için ilim tahsil etmedin, sadece kendi ahiretini kurtarmak için onca badireden geçirilmedin!" demiş ve sürgün gibi zâhiren çirkin bir hadise vesilesiyle misyonunu eda etme imkanı vermiştir.

Evet, özellikle nübüvvet mesleğinin vârisleri için halktan tecerrüd ve uzlet asla söz konusu değildir. Onlar için makbul halvet, kesrette vahdeti yakalamak, halk içinde Hak ile beraber olmak; Mevlânâ'nın ifadesiyle, bir pergel gibi, ayağının birini lâhût ufkuna perçinleyip diğeriyle insanlık âleminde seyahat etmektir. Zira, halvetten murâd, kalb hânesini ağyârdan temizleyip Yâr ile hemdem bulunmak olduğuna göre, halk içinde ve kesretin en uç noktalarında dahi sürekli tevhidi kollayan gönüller hep halvette sayılırlar. Buna mukabil, bütün ömrünü uzlette geçirdiği halde, kalbini ağyârdan temizleyememiş ve içinden mâsivâyı söküp atamamış kimsenin halveti bir aldanmışlıktır ve beyhûdedir.

Bu itibarla, İslâm'da asıl olan insanlardan uzaklaşmak değil, onlarla kaynaşmaktır; halktan kaçmak değil, cemaatin bir ferdi olarak yaşamaktır. Nitekim, İnsanlığın İftihar Tablosu (sallallahu aleyhi ve sellem) şöyle buyurmuştur: "İnsanların arasına karışan, onların eza ve cefalarına katlanan mü'min, halktan uzak duran ve onların eziyetlerinden emin olmaya çalışan mü'minden daha faziletlidir."

Bu açıdan, samimi bir dava erinin uzleti, onun kalbî, rûhî, hissî ve şuurî tezkiyeye ulaşması açısından tamamen irşâda hazırlanma gayreti sayılır. Bu gayretin zamanı da bilhassa gecelerdir. Binaenaleyh, mefkure kahramanları, gece boyunca tam birer rabbanîdirler; herkesin derin uykuya daldığı demlerde onlar kendilerini ibadet ü taate verirler, mukaddes ızdırapla ağlar dururlar, aşk u iştiyakla Cenâb-ı Hakk'a yalvarıp yakarırlar. Gündüz ise, cihad meydanındaki bir yiğit süvari misillü heyecanla kıpır kıpırdırlar; yerlerinde sessiz sakin kalamazlar, irşad adına yapılması gerekenleri yerine getirmek için sürekli şevkle koşarlar.

Aslında, Söz Sultanı'nın "Bu ümmetin ruhbanlığı Allah yolunda mücahededir." beyanı da bu ufka işaret etmektedir. Evet, ümmet-i Muhammed'in (aleyhissalatü vesselam) ruhen ve manen yükselişi dünyayı kesben terketmekle değil, i'lâ-yı kelimetullah ile mümkündür. Dolayısıyla, mü'minlerin, zamanın fitnelerinden korkarak ormanlara, dağlara ve mağaralara çekilmek yerine, uygun bir üslup kullanarak iyiliği emredip kötülükten sakındırmak suretiyle fitne ve fesadı ortadan kaldırmaya çalışmaları gerekmektedir.

En Güzel'e Giden Yol

Soru: İbadet hayatımızın istikrarlı olması ve kulluk yolunun bizim için kolay yürünür bir cadde hâlini alması hangi hususlara bağlıdır?

Cevap: İbadetin şuurluca yapılmasıyla onun temâdîsi (sürüp gitmesi, devamlı olması ve kalıcı tesirler bırakması) arasında "sâlih daire" söz konusudur. Çünkü, her şer aynı zamanda başka bir şerre çağrı ve her kötülük sonraki bazı kötülüklerin mukaddimesi olduğu gibi; her hayır da, diğer bir hayrın davetçisi ve her güzel amel başka iyiliklerin vesilesidir.

Sâlih Daire

Nasıl ki, insan bir günah işlemekle hakiki imanın nezih atmosferinden bir adım uzaklaşmış, küfre bir adım yaklaşmış ve şerre daha açık, günaha daha meyilli hâle gelmiş olur; bir hayır yapmakla da günahların bunaltıcı havasından biraz daha sıyrılmış, imanını daha bir perçinlemiş, dolayısıyla da küfre karşı kendisine yeni bir sera daha oluşturmuş ve o ölçüde dalâletten korunmuş olur. Ayrıca, yaptığı o hayır sayesinde gönlünde başka iyiliklere karşı daha güçlü bir istek bulur. Şayet, şerrin şer doğurmasıyla hasıl olan kötülükler zincirine "fâsid daire" ya da günümüzün moda tabiriyle "kısır döngü" diyeceksek, bir hayrın daha başka hayırlara vesile olmasına ve sonraki iyiliklere zemin teşkil etmesine, böylece sürekli hayırlar meydana gelmesine de uydurma dildeki "doğurgan döngü"nün karşılığı olarak "sâlih daire" diyebiliriz.

Evet, şuurluca eda edilen her ibadet ü taat, arınmaya ve Cenâb-ı Hakk'a yaklaşmaya vesile olur. Arınma yaklaşmayı, yaklaşma da arınmayı netice verir. İnsan, ibadet ü taat sayesinde beşerî kirlerden temizlenir, günahlarından arınır ve Allah Teâlâ'ya kurbet kesbeder. Allah'a yakınlaşma da insanın gönlünde ibadet iştiyakını ve hayır yapma duygusunu coşturur. Böyece, samimâne ve şuurluca ortaya konan ibadet ü taat ve hayr ü hasenât ile arınma ve kurbet kazanma birbirini takip edip durur; bu şekilde kullukta temâdî sağlanmış olur. Devam ve temâdî kalb ve ruh hayatında derinleşmeyi temin eder; derinleşme de, şuurda ve vicdanda ayrı bir enginliğe kapı aralar; insanı farklı bir marifet ufkuna ulaştırır.

Bu sâlih daire, insanın marifetten muhabbete, hatta bazen muhabbetten de lezzet-i ruhaniyeye kadar pek çok güzelliği duyup hissetmesini sağlar. Öyle ki, ibadet iştiyakı onun ruhunu bütün bütün sarar ve kulluk onun için ruhanî bir zevke dönüşür; artık o, bal-kaymak yiyor gibi ibadet eder ve ibadete bir türlü doymaz.

Gerçi, insan lezzet-i ruhâniyenin ve manevî zevklerin talibi olmamalıdır; fakat, o peşine düşmese de bunlar kulluğun bir semeresi olarak ziyade bir lütuf şeklinde esip gelebilir. Nitekim, Nur Müellifi, "Hilkatin en yüksek gayesi ve fıtratın en yüce neticesi iman-ı billahtır. Ve insaniyetin en âli mertebesi ve beşeriyetin en büyük makamı, iman-ı billah içindeki marifetullahtır. Cinn ü insin en parlak saadeti ve en tatlı nimeti, o marifetullah içindeki muhabbetullahtır. Ve ruh-u beşer için en halis sürur ve kalb-i insan için en safi sevinç, o muhabbetullah içindeki lezzet-i ruhâniyedir." derken bir hedef göstermekten daha çok tabiî bir neticeyi nazara vermiştir. Hazreti Üstad, hakiki saadetin, hâlis sürurun, en şirin nimetin ve safi lezzetin marifetullah ve muhabbetullahta olduğunu belirtmiş ve bir insan marifet ve muhabbet ufkuna ulaşırsa, onun ekseriyetle lezzet-i ruhaniyeyi de derinden duyup tadacağına işaret etmiştir.

Yoksa, ibadeti ve genel olarak kulluğu -ruhânî de olsa- zevke ve lezzete bağlama bizim mesleğimize uygun değildir. Hâlis bir mü'min, haccını, orucunu, namazını, teheccüdde gece karanlıklarını yırtan âh u vahlarını ve i'lâ-yı kelimetullah hesabına iştirak ettiği hayırlı faaliyetlerini zevk almaya, lezzet-i ruhâniye ile dolmaya ve doyma bilmeme gibi hâllere mazhar olmaya bağlamamalı; bütün amellerini sadece ve sadece Cenâb-ı Hakk'ın emrini yerine getiriyor olma mülahazasıyla ve O'nun rızasını arama duygusuyla ortaya koymalıdır. Vakıa, insan bu konuda hâlis niyetini ve istikamet çizgisini korursa, onun bir kısım ekstra lütuflarla mükafatlandırılması da her zaman söz konusudur; o talep etmese de zaman zaman lezzet-i ruhâniye meltemleri eser gelir ve onun ruhunu sarar. İşte, bu marifet, muhabbet ve lezzet-i ruhâniye esintileri de insana o sâlih daire adına bir adım daha attırır; vicdanına "Hadi şunu da yap, bunu da tamamla, o hayırlı işi de eda et!.." dedirtir. Böylece, şuurlu amel temâdîye, temâdî derinleşmeye ve derinleşme de başka hayr ü hasenâta vesile olur.

İnsan, ibadet ettikçe manen yükselir, terakkî ettikçe de ibadet iştiyakıyla daha bir gerilir. Bir hadis-i şerifte de işaret edildiği gibi, mü'min Kur'an okudukça yükselir, yükseldikçe Kur'an-ı Kerîm'e karşı iştiyakı artar. Dahası, bu terakkî onu ötede de Kur'an sayesinde yücelip yükselme ufkuna ulaştırır; orada kendisine "Oku, yüksel!" denilir ve dünyada öğrenip hıfzettiği her ayete bedel ona biraz daha yücelme mükâfatı bahşedilir. Evet, okuma yükselmeye vesile olur; sonra bu yükselme ruhta inşirah hasıl eder, daha çok okuma duygusunu tetikler. Böylece, okuma ve yükselme, ibadet ve terakkî arasında bir sâlih daire oluşur. İnsan o sâlih dairede dönüp durdukça ve o daire güzellikler üretmeye devam ettiği müddetçe kulluk yolundaki bir takım zorluklar da kolaylaşır, ibadet ü taat bir yük ve angarya olmaktan çıkar; aşılmaz gibi görünen engeller küçülür, üstesinden gelinebilecek bir keyfiyete bürünür.

En Kolay Yol ve En Emin Yolcu

Kur'an-ı Kerim, Leyl Suresi'nin şu mealdeki ifadeleriyle diğer mesajlarının yanı sıra bu hususa da dikkat çekmektedir: "Kim (Allah'ın kendisine verdiği şeylerden O'nun yolunda ve muhtaçlar için) harcar ve Allah'a gönülden saygı besleyip O'na isyandan kaçınırsa; ayrıca, (inanç, davranış ve bunların karşılığında verilecek mükâfat konusunda "hüsnâ"yı) en güzel olanı tasdik ederse, Biz de ebedî mutluluğa giden yolu (ve ahirette de hesabı) onun için kolaylaştırırız." (Leyl, 92/5-7)

Bu ayetlerdeki, "فَأَمَّا مَنْ أَعْطَى" "Kim (Allah'ın kendisine verdiği şeylerden O'nun yolunda ve muhtaçlar için) harcarsa..." ifadesi, sadece maddî imkanlardan infakta bulunmak gerektiği şeklinde anlaşılmamalıdır. Çünkü, insanların, kendilerine lutfedilen nimetlerin herbirine karşı, o nimetlerin kendi cinsinden bir nevi şükür edasına girişmeleri icap etmektedir. İşaratü'l-İ'caz'da da belirtildiği gibi, "...ve min mâ razaknâhum yünfikûn - Kendilerine ihsanda bulunduğumuz nimetlerden infak ederler." (Bakara, 2/3) ayet-i kerimesindeki "mâ" umumî bir manayı ifade etmektedir. Yani, infak sadece mala ve paraya münhasır değildir; ilim, fikir, kuvvet, kabiliyet ve amel gibi şeylerden de muhtaç olanlara infakta bulunmak gerekmektedir. Bu nükteye bağlı olarak meseleyi ele alırsak; Mevlâ-yı Müteâl bize hangi lütuflarda bulunmuşsa, onların hepsini insanlığın istifadesine sunmak üzerimize bir vazifedir; ilim vermişse ilimden, mal vermişse maldan veya üstün bir dimağ vermişse de ondan başka insanları da faydalandırmak Allah yolunda infakta bulunmak demektir.

" وَاتَّقَى " "Allah'a gönülden saygı besleyip O'na isyandan kaçınırsa..." sözünde üzerinde durulan takvâ; farzları yapıp günahları terk etmekle beraber haramlardan fevkalâde sakınma duygusu içinde bulunmak, günaha girme korkusundan dolayı bazı mübahlara el uzatırken bile titremek ve hatta şüpheli şeylerden kaçınarak, şöyleböyle kuşku hasıl eden her şeyi bırakıp, tamamen tereddütten uzak bir hayat yaşamak manalarına gelmektedir. Allah'ın rızasından başka hiçbir şeyi gâye-i hayal edinmeme, maddî-manevî her nimeti Allah'tan bilip hiçbir şeyi nefse mâl etmeme, her meselede dinin hükümlerini gözetme, Allah Rasûlü'ne bilâ kayd ü şart inkıyâd etme, Hak'tan uzaklaştıracak şeylere karşı sürekli tetikte bulunma, haramlara götürebilecek nefsî hazlar karşısında devamlı uyanık olma ve râbıta-ı mevti hayatın bir parçası hâline getirme gibi hususlar da takvânın çerçevesine dahildir.

Ayrıca, bizim telakkîlerimiz açısından, şeriat-ı fıtriye kanunlarına riâyet etmek, Cenâb-ı Hakk'ın kâinatın bağrına yerleştirdiği âdât-ı sübhaniyesini mütâlaa ederek tekvînî emirlerin gereklerini yerine getirmek ve âyât-ı tekvîniyeyi sürekli tetkik ve tefekkür ederek kalbî ve ruhî hayatı yenilemek de takvânın önemli bir buudunu teşkil etmektedir. Bir de, bu ayette kullanılan fiil kipi nazar-ı itibara alınacak olursa, "ittikâ" kelimesinin "iftial babı"ndan olduğu ve bunun da "mutâvaat" (dönüşlülük) ifade ettiği görülecektir. Bu açıdan takvâ; Allah'ın gazabından rahmetine sığınmak, teşriî ve tekvinî emirlere muhalefet etmemek suretiyle daima O'nun himayesinde kalmak, huzuru ve rahatı O'na yakınlıkta aramak, O'ndan korkarken bile yine

O'nun merhametine iltica etmek ve bu şuuru tabiatın bir derinliği hâline getirmek demektir.

"وَصَدَّقَ بِالْحُسْنَى", "Ayrıca, (inanç, davranış ve bunların karşılığında verilecek mükâfat konusunda "hüsnâ"yı) en güzel olanı tasdik ederse..." beyanında zikredilen "hüsnâ" tabiri, "ahsen" kelimesinin müennesidir ve "daha güzel" veya "en güzel" manasına gelen bir sıfattır. Hüsnâ ifadesini, Esmâ-yı Hüsnâ, Cenâb-ı Hakk'ın isimlerinin tecelli alanı, en güzel haslet sayılan iman ve ihsan veya en güzel kelime olan Kelime-i tevhid, yahut hepsini ihtiva eden Kur'an-ı Kerim ve en güzel mükâfat olan Cennet şeklinde tefsir edenler olmuştur. Genellikle müfessirler, "Lillezîne ahsenû'l-husnâ ve ziyâde - İyi ve güzel davranışlarda bulunanlara en güzel mükâfat ile daha da fazlası var." (Yunus, 10/26) ayet-i kerimesi gibi ilahî beyanlarda yer alan "hüsnâ" sözünü Cennet, "ziyâde" ifadesini de Allah'ın cemalini görmek şeklinde anlamışlardır.

Kanaatimce, hüsnâ tabiri, Cennet'i, oradan Zât-ı Uluhiyeti görmeyi ve o büyük pâyeye ulaştıran yolun erkânını bilcümle ifade etmektedir. Bu zaviyeden, mezkur ayette, Din-i Mübin'in esaslarını tasdik etmiş, iyiyi kötüyü öğrenmiş, fazileti rezilliği birbirinden ayırmış; dünyada ihsanda bulundukça daha çok iyiliğe mazhar olacağına, her hayr ü hasenâtın mizanda da mutlaka bir değer ifade edeceğine ve ötede mükâfatının fazlasıyla verileceğine kanaat getirmiş; iman ve ihsan üzere yaşadığı takdirde sonunda en güzel akıbete, ahirette Cennet'e ve Cemal'e erdirileceğine iman etmiş ve hayatını bu en güzel neticenin doğruluğuna inanmışlık içinde sürdürme gayretine girmiş bahtiyar insan nazara verilmektedir.

İşte, üç önemli vasfı sıralanan bu sadâkat kahramanına ilahî bir vaadde bulunulmakta ve şöyle denmektedir:

"فَسَنُيَسِّرُهُ لِلْيُسْرَى", "Biz de ebedî mutluluğa giden yo-

lu (ve ahirette de hesabı) onun için kolaylaştırırız." Demek ki, maz-
har olduğu nimetlerden infakta bulunan, takvâ dairesine sığınan ve
En Büyük Hakikati tasdik edip coşkun bir imanla O'nun vaad ettiği
mükâfata yürüyen bir insan, en hırçın dağlarda, dik tepelerde yase-
menlikte yürüyor gibi rahat yürüyecek, yürüyüp Allah'a gidecektir.
Beled Sûresi'nde bahsedilen ve başkaları için aşılması çok zor sarp bir
yokuş olan hayır yolu ve o yolun akabeleri onun için kolaylaşacak ve
ona boyun eğecektir. Nihayet, o önüne çıkan bütün engelleri -Al-
lah'ın inayetiyle- kolaylıkla aşacak, çok zorlanmadan hayırlı işler
yapmaya muvaffak olup saadet-i dâreyne erecektir.

Böyle bir insanın yürüdüğü yol, "kolay yol"dur; zira, o, Hâlık-ı kâ-
inatın rızasına ve insanın fıtratına çok uygundur. Ayrıca, bu yoldaki
her iyilik, insandaki hayır yapma duygularını daha da şahlandırır ve
yolun zorluklarını kolayca aşmaya vesile olur. Başlangıçta bazı emir
ve yasaklar nefse ağır gelse de ve meşakkat televvünlü bir kısım me-
suliyetler insanı zorlasa da, şayet insan dinin özündeki yüsr hakikati-
ne muvafık şekilde sorumluluklarının gereğini yerine getirmeye gay-
ret eder ve bu konuda heva ve hevesinin dizginlerini aklının, kalbinin
ve iradesinin ellerine verirse, zamanla ihsan ve takvâ şuuru o yolun
yolcusunun tabiatı hâline gelir. Öyle ki, o göz ucuyla harama bakacak
olsa, daha iradesi devreye girmeden ve kendi kendine "Burada ne yap-
malıyım, nasıl davranmalıyım?" demeden, hemen tabiatının tepkisiy-
le karşılaşır; tabiatı ona "Nazarına hâkim ol, bu memnudur!.." der.
Dudaklarından dökülebilecek nâhoş bir kelime aklının ucuna gelir
gelmez iradesinden önce tabiatı "Hayır, söyleme onu; telaffuz ettiğin
her şey kaydediliyor!.." diyerek ona mani olur. Hayaline küçük bir kir
bulaşacak olsa, daha tasavvur ve taakkul safhalarına varmadan yine
selim tabiatının dürtüleriyle o kirin önünü keser, "Allah Allah, ben ne
kadar vicdanı bozuk bir insanım ki böyle çirkin bir sahne benim içi-

me akabiliyor, tahayyül dünyama girebiliyor!.." diye içinden geçirir ve -tabiatının tepkisi sayesinde- o kötü hayali daha o safhada boğar, büyüyüp başka kirli tabloları zihnine davet etmesine ve hafızasını kirletmesine meydan vermez.

Evet, takvâ duygusunu tabiatının bir derinliği hâline getiren bir insan, artık dinin emirlerine karşı gayr-ı iradî olarak titizlik gösterir, yasaklara karşı da vicdanî tepki verir. Küfür, şirk, isyan, dalâlet ve günah şâibesi taşıyan her türlü, söz, tavır, davranış ve fiillerden tiksinti duyar. Haram mala el uzatmayı ateşi avuçlamak gibi görür; zinaya yaklaştıran her türlü fenalıktan cehennemin alevlerinden ürkmüşçesine kaçar. Namaz kılmak onun için angarya olmaktan çıkar; daha bir vaktin farzını eda eder etmez diğerinin programını yapar. Bir sabah uyanamasa ve namazını kaçırsa yemeden içmeden iştihası kesilir. Gönül hoşnutluğuyla zekâtını verir ama onunla da iktifa etmez; infakı hayatının vazgeçilmez bir esası kılar. Yaptığı her iyilik onu daha başka iyiliklere sevkeder; kaçındığı her kötülük ve günah sonrasında, o kötülük ve günahlara karşı iyice bilenir ve onlardan olabildiğine uzaklaşma azmini güçlendirir.

Böylece o insan tam bir sâlih dairenin içine girmiş olur. Artık o, öyle namaz kılar, öyle oruç tutar, öyle hacca gider, öyle mücahede eder ki, bu işin neşvesine akıl erdiremeyenler bakar da ona ya hayran olur veya "Bu delidir!.." derler. Zira, Allah Teâlâ iyiye giden ve sonu Cennet'e açılan yolu ona kolaylaştırmıştır ve onu çağlayan bir ırmak gibi akar hâle getirerek hedefine rahatlıkla varacağı bir kıvama ulaştırmıştır. Mevlâ-yı Müteâl ötede de onu "Hesabı kolayca görülür ve ailesine sevinç içinde döner." (İnşikak, 84/8-9) ilahî beyanıyla resmedilen bir mazhariyete erdirecek ve çok kolay bir hesap ile Cennet'e girmeye muvaffak kılacaktır.

Perişan Yolcu ve Sarp Yokuşlar

Diğer taraftan, sadece dünya hayatına bel bağlayan, ahiret azığı hazırlamaya hiç ihtiyaç duymayan, hem teşriî hem de tekvînî emirleri gözardı eden, her konuda kendini yeterli görüp nefsine güvenen, kendi menfaatlerinden başka hiçbir şey düşünmeyen ve -iyiliği tabiatına mâl etmek bir yana- hep kötülüklerle içli dışlı yaşayan kimseler ise, en geniş caddeleri bile patika gibi görürler; en selametli bir şehrah olan Din-i Mübin yolunda dahi rahatça yürüyemez, yönlerini bulamaz ve sonsuz saadet hedefine ulaşamazlar. Nitekim, Kur'an-ı Kerim, zikrettiğim ayetlerde sâlih dairenin hep iyiliklerle iç içe olan kahramanlarını anlattıktan sonra, akabindeki ayetlerde de bir fâsid dairenin girdabında debelenip duran zavallılara değinmiş ve onları sürekli kötülüklere sevkeden çirkin huylara karşı mü'minleri şöyle ikaz etmiştir: "Cimrilik yapan ve kendisini her konuda yeterli görüp Allah'a ihtiyacı yokmuş gibi davranan; bir de hüsnâyı, o en güzel kelimeyi (kelime-i tevhidi ve onu ikrarın gereklerini) yalanlayan kimseyi ağır bir sorguya ve ebedî helaka giden en güç yola sardırırız." (Leyl, 92/8-10)

"وَأَمَّا مَنْ بَخِلَ"ۖ "Cimrilik yapan" sözüyle zemmedilen "bahîl" insanın eli çok sıkıdır; o kendi rahatı ve ailesinin ihtiyaçları için çok cömertçe mal sarfetse ve bazen bu konuda müsrif davransa bile, hayırlı bir iş için cebinden beş kuruş dahi çıkarmaz. Hatta, kimi zaman o, aşırı mal hırsından dolayı kendisi ve ailesi için de harcamada bulunmaktan kaçınır; sadece mal biriktirmeyi ve daha çok servet sahibi olmayı düşünür.

Bu arada, infak sadece mala ve paraya münhasır olmadığı gibi, cimrilik de yalnızca maddî imkanlarla ilgili bir kavram değildir. İnfakla alâkalı mülahaza cimrilik hakkında da geçerlidir; ilim, fikir, kuvvet, kabiliyet ve amel gibi şeylerde de cimrilik söz konusudur.

Bildiğini öğretmeyen ve ilminden diğer insanları istifade ettirmeyen kimse de en az mal konusunda eli sıkı olan insan kadar cimri sayılır. « وَاسْتَغْنَى » "Kendisini kendine yeterli görüp Cenâb-ı Hakk'a bile ihtiyacı yokmuş gibi davranan" bu aldanmış adam, kendi heva ve hevesinden başka hiçbir şeyi umursamaz, hayır ve hasenâta karşı alâka göstermez ve sâlih kimselerle beraber olmaya dahi tenezzül etmez. Ahireti hiç düşünmez ve Allah'ın gazabından rahmetine sığınmayı asla aklına getirmez. Kulluk yolunda önüne çıkabilecek bütün engelleri aşmasını sağlayacak olan takvâ şuuruna karşı da bütün bütün bîgâne yaşar; dolayısıyla, günahlardan kaçınmaz, isyan deryasına dalmaktan sakınmaz.

Aslında âciz-i mutlak, fakîr-i mutlak ve muhtac-ı mutlak olduğu hâlde, adeta acz ü fakrdan hiç haberi yokmuş gibidir; nimetleri başından aşağı sağanak sağanak yağdıran Mün'im-i Hakiki'yi hiç düşünmemekte ve O'na şükretmemektedir; sanki şevk u şükürden de bütün bütün habersizdir, hamd ü sena hislerinden de mahrumdur. Hal ve tavırlarından, kendisini ulaşılabilecek en son noktaya ulaşmış, doyuma ermiş, en güzel neticeye vasıl olmuş ve artık hiçbir şeye ihtiyacı kalmamış bir insan olarak gördüğünün emareleri dökülmektedir.

Ah zavallı insan! Bu kibir ve gururu sebebiyle ne kadar da acınacak bir hâle düşmüştür. İstiğna gibi peygamberlik mesleğinin şiarı olan bir güzel vasfı nasıl da yanlış yorumlamış ve onu bir küfür sıfatına dönüştürmüştür. Evet, mü'min müstağnidir; fakat, o Allah'ın verdiği nimetlere kanaat ettiğinden dolayı kat'iyen başkasının eline bakmayan, hep gözü tok, gönlü zengin ve beklentisiz davranan insandır. Şu kadar var ki, mü'min acz ü fakrının hep farkındadır ve Cenâb-ı Hakk'a her an-ı seyyale muhtaç olduğunun şuuruyla yaşamaktadır. Zira, Mevlâ-yı Müteal'e karşı istiğna tavrı bir küstahlık, nankörlük ve hatta -derecesine göre- küfürdür.

Bu küstah ve nankör adam " وَكَذَّبَ بِالْحُسْنَى " "Bir de o en güzel kelimeyi, hüsnâyı yalanlamaktadır." Kelime-i tevhidi ve dinin sair esaslarını -bazılarını sözle, bazılarını da fiille- tekzib etmektedir. O her işini bir kâfir sıfatı olan yalana bağlamıştır. Pek çok meseleye gönülden inanmadığı hâlde, münafıkça davranmakta ve durumu idare etmeye çalışmaktadır. O hep olduğundan farklı görünen ve kalbinin sesi olmayan sözleri söyleyen tam bir şekil insanıdır; onun tavırları yalan, davranışları yalan ve sözleri de yalandır. O, birr ü takvânın Cennet'e götüren bir burak olduğuna, buradaki iyiliklerin karşılığının ahirette fazlasıyla verileceğine ve ihsan sahibi kimselerin ötede ebedî nimetlere, Cennet ve Cemal lütuflarına ereceklerine hiç iman etmemiş; bütün bu hakikatlere "yalan" demiş ve bu dünyayı kalıcı zannederek bütün bütün kaybedeceği bir yola girmiştir.

İşte, üç kötü vasfı sıralanan bu zavallı adama da şöyle ilahî bir vaîdde bulunulmaktadır: " فَسَنُيَسِّرُهُ لِلْعُسْرَى " "Onu ağır bir sorguya ve ebedî helaka giden en güç yola sardırırız!" O, hiçbir zaman aşamayacağı öyle bir yokuşla karşı karşıya getirilir ki, burada her durakta takılır yolda kalır; ötede de ateşe girmek gibi en zor ve en acı akıbete müstehak olur.

Tefsirciler, "en zor olan" manasındaki "usrâ" ifadesini, Allah'ın sevmediği ve işlendiği takdirde insanı cehenneme sürükleyen ameller şeklinde anlamışlardır. Dünyanın zahirî güzelliklerine tamah ederek bu yola giren ve nefsanî isteklerinin kölesi hâline gelen bir insan, bu yolun her adımında kendi fıtratının ve vicdanının tersine hareket eder. Cismanî arzularını tatmin etmeye çalışırken din, diyanet, ismet ve iffet sınırlarını birer birer çiğner; her zaman günahların peşinde sürüklenir durur. Haramların teşkil ettiği fâsid dairede debelenirken, ibadet ü taat ve hayr ü hasenât da ona çok zor gelir.

Kur'an-ı Kerim, pek çok ayet-i kerimesiyle, takvâ hissinden mahrum kulların önündeki bu zorluğa işaret etmekte ve –mesela– şöyle demektedir: "Sabır göstererek, namazı vesile ederek Allah'tan yardım dileyin. Gerçi bu çok zor bir iştir, fakat içi saygı ile ürperenlere değil." (Bakara, 2/46) Yine, bazı münafıkların, nifaklarını gizlemek için bazen mü'minlerle beraber saf tuttuklarını ve maddî imkanlarından infakta bulunuyormuş gibi gözükmeye çalıştıklarını, fakat, onların bu teberrûlarının Hak katında hüsn-ü kabul görmediğini vurgulamakta; sadakalarının kabul edilmeyişinin sebebini an-latılırken de aynı zorluğa ve onların, nefislerinden kaynaklanan bu zorluğun altında kalıp ezildiklerine dikkat çekmektedir: "Çünkü onlar Allah'a ve Rasûlüne karşı inkâr ve nankörlük içindedirler. Namaza ancak üşene üşene gelirler. Yardımda bulunurken de istemeye istemeye, gönülsüz verirler." (Tevbe, 9/54)

Aktif Marifet

Demek ki; din yolunun rahat yürünür geniş bir cadde olması ve ibadet ü taatin insana kolay gelmesi, selim bir kalbe sahip bulunmaya, infak ruhuyla hareket etmeye, takvâ şuuruyla donanmaya, Allah'a tam teveccüh edip sadece O'nun rızası için kulluk yapmaya ve dünyada ortaya konan zerre kadar bir iyiliğin ya da atom parçası ağırlığındaki bir şerrin karşılığının ötede mutlaka verileceğine gönülden inanıp, daima bu inanca uygun düşen ihsan duygusuyla yaşamaya bağlıdır. Acz u fakr hisleriyle dergâh-ı ilahinin eşiğine başını koyma, isteyeceklerini O'ndan isteyip, sürekli O'na el açma ve sonra şevk, şükür ve tefekkür sayesinde kullukta daha bir derinleşme de rıza-yı ilahiye varıp ulaşacak yolu kolaylaştıran hususlardandır.

Bugün, cihanın dört bir yanına mukaddes göç seferleri düzenleyen adanmış ruhların yaptıklarını bu hakikatler ışığında değerlendirmeden onları ve fedakarlıklarını anlayabilmek çok zordur. Evi-barkı, yurdu-yuvayı, anayı-babayı, yârı-yârânı arkada bırakıp haritada dahi yeri güçlükle bulunabilen diyarlara hicret etmek, onca sıkıntıya rağmen gece-gündüz demeden çalışıp didinmek, maddî-manevî füyuzât hislerinden fedakârlıkta bulunmak; bazen sıcaktan yanmak, kimi zaman soğukta donmak.. ama yine de imanla, aşkla, azimle ve ümitle ayakta kalmak.. koşmak, yorulma bilmeden hep Allah'ın hoşnutluğuna koşmak... Bunlar, ancak Cenâb-ı Hakk'ın yardımıyla ve aşılmaz gibi görünen zorlukları kolaylaştırmasıyla gerçekleşebilir.

Son olarak, önemli gördüğüm bir hususu bir kere daha hatırlatmak istiyorum: İster ferâiz kurbeti diyeceğimiz şekilde, farz ibadetleri şuurluca eda etmek suretiyle Cenâb-ı Hakk'a yaklaşmış olun, isterseniz de farzlarla beraber nafileleri de hiç aksatmayıp kurbetinize bir enginlik daha ilave etmiş bulunun; ne suretle ve ne seviyede olursa olsun, iyilikleri tabiatınızın bir derinliği hâline getirseniz ve oluşturduğunuz sâlih daire vesilesiyle sürekli bir hayırdan diğerine koşup dursanız da akıbetiniz mevzuunda teminatınızın olduğu söylenemez. Bugün Hazreti Abdülkadir Geylânî'nin kulluk mertebesi ölçüsünde bir noktayı ihraz etseniz de, bu sizin yarınınıza hiçbir şey miras bırakmayabilir. Her gün sizin için yeni bir gündür ve her yeni gün müstakil olarak inşa edilmesi gereken bir zaman parçasıdır. Dahası, her yeni günde siz de bir manada yeni bir insansınız ve ruhunuzun abidesini bir kere daha ikâme etmek zorundasınız. Öyleyse, her gün düşünce dünyanızı yeniden gözden geçirmeli, bir kere daha Allah yolunda infak duygusunun, takvâ şuurunun ve sadâkat ruhunun tabiatınıza mal olup olmadığını kontrol etmeli ve bu konuda cehd ü gayret ortaya koyarak Cenâb-ı Hak tarafından işi kolaylaştırılan ve önündeki engeller kaldırılan bir insan olmaya namzed hâle gelmelisiniz.

Binaenaleyh, Peygamber Efendimiz (sallallahu aleyhi ve sellem)

"Ceddidû imaneküm bi lâ ilahe illallah - İmanınızı Lâ ilâhe illâllah ile yenileyiniz." buyurmuş ve ümmetini sürekli tecdid-i imana davet etmiştir. Zira, Mektubat'ta da vurgulandığı üzere, nefis, hevâ, vehim ve şeytan az-çok her insana hükmetmekte; onun gafletinden istifade ederek, pek çok hile, şüphe ve vesveseyle iman nurunu kaplamaktadır. Onun için, her gün, her saat, hatta her vakit, imanı cilalamaya ihtiyaç vardır. Dün her açıdan tenevvür etmiş olsanız dahi, bugün de arınmalı, aydınlanmalı ve nurlanmalısınız. Dünkü zaman ayrı bir fasıldı; bugünkü zaman da tenevvüre muhtaçtır. Dünkü vücudunuzun zerrâtının bazıları ölüp gitti; Cenâb-ı Hak bugün bünyenizde yeni zerreler halketti, onların da imanın nurundan nasiplenmeye ihtiyacı söz konusudur. Duygularınızda değişmeler meydana geldi, bilgi adına yeni müktesebâtınız hasıl oldu, onların hepsinin sizin renginizi ve imanınızın desenini alması gerekmektedir. Bu açıdan, teminat altında olduğunuz mülahazasına asla kapılmamanız ve hep yenilenme peşinde olmanız icap etmektedir.

Unutulmamalıdır ki, bir bilgi hamalı olmak ve engin bir müktesebâta sahip bulunmak kulluk hesabına çok fazla bir mana ifade etmemektedir. O bilginin marifete dönüştürülmesi ve hatta o marifetin de "aktif marifet" hâline getirilmesi lazımdır. Aktif marifet ise, -bu tabir çok kullanılmamış olsa da şahsen bir mahzur görmüyorum- kendi içinde sürekli kaynayıp duran ve insanı hep muhabbet ufkunda dolaştıran vicdan kültürü demektir. Dolayısıyla, Allah'a kurbet açısından hangi seviyede bulunursanız bulununuz, size düşen vazife; teşriî ve tekvinî emirleri iyi okuyarak mütemadiyen imanınızı yenilemeniz, iman-ı billah içindeki marifetullaha ulaşıp onu tabiatınızın bir yanı hâline getirmeniz; fakat, yine de kendinizi teminat altında görmeyip, vicdanınızdaki marifet kazanını sürekli kaynatarak aktif marifeti elde etmeye ve hep muhabbetullah atmosferinde nefes alıp vermeye çalışmanızdır.

İnsaf

Soru: İnsaf ne demektir; insaflı olmanın tezahürleri nelerdir?

Cevap: İnsaf; kim tarafından seslendirilirse seslendirilsin, hak ve hakikati kabul ve itiraf etmek, herkese karşı merhamet ve adâletle muamelede bulunmak, kendi haklarının yanı sıra başkalarının hukukunu da gözetmek; nefis, heva ve hevese değil, vicdan, mantık ve evrensel insanî değerlere uygun davranışlar sergilemek ve hakkın en küçüğüne dahi riâyetkâr olmak demektir.

İnsaf Dinin Yarısıdır

Bazen hak, bazen adâlet ve bazen de doğruluktan hiç ayrılmama manalarını ifade etmek için kullanılan insaf tabiri, hak iddiasında bulunurken asla başkalarına karşı haksızlık yapmamanın, hatta kendi nefsi için elde etmeyi istediği bir şeyi diğer insanlar için de dilemenin ve gerekirse onlara öncelik tanımanın ve hakkı yerine getirme hususunda ifrat ve tefritten uzak kalarak her zaman dengeli davranmanın unvanıdır. Rasûl-ü Ekrem (sallallahu aleyhi ve sellem) Efendimiz, insafı güzel ahlakın temel unsurları arasında saymış; "Şu üç şey imandandır: Nefsin dürtülerine rağmen insafı elden bırakmamak, selamı herkese yaymak ve darlıkta dahi infakta bulunmak." buyurmuştur.

Halk arasında hadîs olarak iştihar eden "İnsaf dinin yarısıdır" sözü de, bizzat Allah Rasûlü tarafından dile getirilmemiş olsa bile, yine O'nun hak ve adaletle alâkalı mübarek beyanlarının hulâsası mahiyetinde bir kelâm-ı kibârdır. İnsan bir meseleyi kendi mantık ve muhakemesine göre belli bir şekilde değerlendirirken bazen ferdî mülahazalarını merkeze oturtup o mevzuya nefis ve cismaniyet açısından nazar edebilir. Bunu yaparken de çoğu zaman yanılabilir, yanlış hükümlere varabilir ve kendisini mutlak haklı sanabilir. Böyle bir durumda, şahsî duygu, düşünce, temayül ve istekleri farklı olduğu hâlde, insanın -işin aslına vakıf olur olmaz- hakkın yanında yer alması ve nefsine rağmen bir tavır belirlemesi insafın ifadesidir. Her zaman dine saygılı davranma, ahlakı hakperestlik hasletiyle yoğurma, hep doğrunun peşinde bulunma ve nefsânî meyillerin baskısına rağmen vicdanın sesine uyarak hakkı tutup kaldırma insaflı olmanın gereğidir.

İnsafsız adam, gaddardır, merhametsizdir; su-i zan etmek için her fırsatı kullanır; bir kötülükten dolayı belki onlarca iyiliği görmezlikten gelir ve hüsn-ü zandan hep nasipsiz kalır. İslam ahlakı insaf ve hüsn-ü zannı tavsiye ettiği hâlde, insafsız adam haksızlığı ve kötü düşünceyi esas alır. Dolayısıyla da, bir bahçedeki tek çürük elmaya takılarak bütün bahçenin çorak ve bozuk olduğu hükmüne varır. Haddizatında, devlet hazinesindeki bir silik para o hazineyi kıymetten düşürmez; fakat, insafsızın nazarında o silik para hükmündeki bir kötü hasletten dolayı insan denen hazine değersiz bir metaya dönüşebilir.

Bir Hata Onca Hasenâtı Örtmemeli!..

Halbuki, Hak katında hasenenin on, seyyienin ise bir sayılması sırrıyla, bir hatâ, onca hasenâta karşı kalbi bulandırmamalıdır. İnsaflı mü'min, her zaman güzel düşünmeye ve iyilikleri görmeye çalışmalı; bir insanı herhangi bir hatasından dolayı hemen ademe mahkum etmemeli ve belki onun bir iyiliğini bütün kötülüklerine keffaret bilmelidir. Mesela; munsif bir dava eri, aynı mefkureye dilbeste olmuş bir kardeşini değerlendirirken, "Falan şu olumsuz işi yaptı; fakat, onun dine ve imana hizmet yolundaki sadâkatini görmezlikten gelemem!" demeli, yol arkadaşına karşı fevkalâde vefalı olmalı ve hep hakkın hatırını âlî tutmalıdır.

Nitekim, daha önce başka bir vesileyle zikrettiğim şu hâdise, mevzuyla alâkalı çok önemli bir esası vurgulamaktadır: Bir sahabî, belki de içki ile şırayı tam tefrik edemediğinden, zaman zaman sarhoş olacak kadar mahmurlaşmakta ve her defasında da Rasûl-ü Ekrem tarafından te'dib edilmektedir. Bir gün yine aynı suçtan dolayı Rasûlullah'ın huzuruna getirilir. Cemaatten birisi, "Allahım şu adama lânet et! Bu kaçıncı defadır aynı günah yüzünden tecziye ediliyor ama bir türlü uslanmıyor." diye bedduada bulunur. Bu sözü işiten Müşfik Nebî (aleyhissalâtu vesselâm) "Arkadaşınıza lânet okumayın. Allah'a yemin ederim ki, o, Cenâb-ı Hakk'ı ve Rasûlü'nü çok sevmektedir!" der.

Evet, o sahabînin şahsî alâkasına bunca teveccüh gösterildiği nazar-ı itibara alınınca, i'lâ-yı kelimetullahın insana neler kazandıracağı ve Allah'ın adının kalblere nakşedilmesi için gayret gösteren bir insanın hata ve kusurları karşısında nasıl bir tavır takınılması gerektiği hakkında isabetli bir değerlendirme yapılabilir.

Hak Aşkı ve Hakikati Tenzih Arzusu

Günümüzde insafsızlığın en fazla boy atıp geliştiği ve müthiş bir maraz hâlini aldığı saha ise, garaz, cerbeze ve gurura istinad eden tenkit sahasıdır. Aslında, bir kimsenin ya da bir şeyin iyi veya kötü taraflarını, menfi veya müsbet yanlarını bulup meydana çıkarmak, ortada olanla olması gereken arasında mukayese yapmak demek olan "tenkit" ideale yürümede bir yoldur.

Müsbet manada tenkit etmek ve tenkide açık olmak ilmî esaslardan birisidir. Ne var ki, onun da bir üslûbu ve uygun bir şekli vardır. Her şeyden önce, tenkit eden kimse insaflı davranmalı, söyleyeceklerini nefsi hesabına değil, Hak rızası adına söylemeli ve hayır mülâhazasından başka bir niyeti bulunmamalıdır. Tenkidin sâiki, hak aşkı ve hakikati tenzih arzusu olmalıdır; insaflı bir münekkid sadece hak ve hakikatin inkişafını maksat yapmalıdır. Aksi hâlde, gurur ve cerbezeye inzimam eden insafsız tenkit hakikati tahrip eder ve haksızlıklara sebebiyet verir. Bildiğiniz gibi, herhangi bir hakikatin vuzuha kavuşması adına fikir teâtîsinde bulunma, belli kural ve kaideler çerçevesinde beyin fırtınası yaşama, müşterek düşünme, karşılıklı konuşma ve insaflı ifade sayesinde ferdî mülahazaları ortak akla havale etme ameliyesine "münazara" diyoruz. Maalesef, günümüzde münazara adına cereyan eden hemen bütün tartışmalarda da insafsızlığın tenkit televvünlüsüne şahit oluyoruz.

Bugün, fikir düellosu da diyebileceğimiz cidal, mugâlata ve demagoji platformlarındaki atışmalara iştirak eden hemen herkesin bir kısım ön kabulleri oluyor ve tartışmacılar, genellikle herhangi bir hakikatin tebellüründen daha ziyade ne yapıp edip kendi mülâhazalarını karşı tarafa kabul ettirmenin mücadelesini veriyorlar. Öyle ki, bu hususta ölesiye gayret sarf ediyor; yer yer kelime ve mantık oyunlarına giriyor; hasımlarını kışkırtma, ilzam etme ve mahcup düşürme gibi yakışıksız şeylere başvuruyor ve hakikate karşı hep kapalı duruyorlar. Hakikatlerin ortaya çıkmasından daha çok, karşı tarafın düşünce, ifade ve felsefesine zıt şeyler üreterek konuşmaları diyalektiğe çeviriyorlar ve artık münazırlar satranç oynuyormuşçasına birbirini mat etme, küçük düşürme ve devre dışı bırakma mülâhazasıyla hareket ediyorlar. Aslında, bu türlü tartışmalara kat'iyen münazara denmez; dense dense zihnî ve fikrî özürlülerin atışması denir. Heyhat ki, şimdilerde münazara meclisleri diyalektik meydanlarına dönüşmüş bir hâldedir.

Bu hastalığın yegâne çaresi; insafın elden bırakılmaması, hakkın hatırının her zaman âlî tutulması ve hiçbir hatıra feda edilmemesidir. Her münazırın kendi kendini itham etmesi ve nefsine değil daima muhatabına taraftar olmasıdır. Birbirini utandırmak bir yana, haklı çıkanın hasmını mahcup etmesinin dahi insanî değerlere saygısızlık sayılmasıdır. Nur Müellifi'nin nazara verdiği üzere; ilm-i münazara âlimleri arasında hakperestlik ve insaf düsturu şöyledir: Eğer insan, bir meselenin münazarasında kendi sözünün haklılığına taraftar olup kendi haklı çıktığına sevinse ve hasmının haksız ve yanlış olduğundan dolayı memnun olsa, insafsızdır. Çünkü, önemli olan haklı çıkmak değil hakkın ortaya çıkmasıdır. Hem kendi haklılığına ve hasmının yanlışlığına sevinen insan zarar eder. Zira, haklı çıktığı vakit, o münazarada bilmediği bir şeyi öğrenemez; dahası, belki gurura kapılıp ziyade zarara girer. Fakat, eğer hak hasmının elinde çıksa, hiçbir zarar ihtimali olmadan, bilmediği bir meseleyi öğrenip menfaattar olur ve nefsi de gururundan kurtulur. Demek insaflı hakperest, hakkın hatırı için kendi nefsinin hatırını kırar; hakkı hasmının elinde de görse, yine rıza ile kabul edip onun tarafını tutar.

Biz İnsaflı mıyız?!.

Diğer yandan; bazen başka din ve felsefelerin müntesipleri hakkında "Keşke bu insanlar biraz insaflı olsalar da, Kur'an-ı Kerim'e ve Rasûl-ü Ekrem Efendimiz'in mesajına da bir baksalar! İnsaf onların da gözlerini açabilir ve farklı yorumlara ulaşmalarına vesile olabilir. Keşke, ön yargılarından bir an kurtulsalar da, İslam'ı insafla ele alsalar!" şeklinde bir kısım mülahazalara dalıyor ve muhataplarımızı insafa çağırıyoruz. Fakat, onları insaflı olmaya davet ederken acaba insafın bize düşen kısmını hesaba katıyor muyuz? Acaba biz hakkı ve hakikati onlara ne seviyede götürebildik? İnandırıcı ve emniyet telkin edici bir tavır sergileyebildik mi? Onlardaki insaf duygusunu harekete geçirecek keyfiyette bir temsil ortaya koyabildik mi?

Müslümanlar olarak belki dünyanın pek çok ülkesine gittik; bazı yerlerde hatırı sayılır bir nüfusa da ulaştık. Fakat, o nüfusa denk bir nüfuza sahip olamadık. Çünkü, ekseriyetle dünyevî maksatlara bağlı olarak, bazılarının kapılarında halayık gibi çalıştık. Efendilerin kapıkullarını dinlemedikleri gibi, onlar da bizim sözlerimize kulak vermediler. Müslümanları genellikle birer köle gibi kullandılar ve işleri bitince de halayıklarını kapı dışarı etmenin yollarını araştırdılar. Bu itibarla da, Müslümanlar pek çok beldeye gitmiş olsa bile, İslam'ın mesajı o beldelerin insanlarına ulaşmış sayılmaz. Hele materyalizm ve naturalizmin hâkim olduğu bir dönemde, eşya ve hadiselere maddeci bir nazarla bakmaya alışmış insanların Din-i Mübin ve Kur'an mantığı ile tanışmış oldukları söylenemez. Dolayısıyla, bugün (yeryüzünü kana bulayan ve mazlumlara kan kusturan zâlimler güruhu istisna edilecek olursa) insaf beklediğimiz kimselerin çoğu bir yönüyle fetret devrinin insanları gibidirler.

Öyleyse, önce biz insaf etmeli değil miyiz? Dünyanın dört bir yanına doğru dürüst gidemediğimiz, inandırıcı bir hâl, tavır ve keyfiyet sergileyemediğimiz ve nazarî yönüyle çok güzel olan Kur'an hakikatlerini aynı güzellikte temsil edemediğimiz için evvela kendimizi sorgulamamız gerekmez mi? Şayet muhataplarımız "Anlatılanlar çok güzel, fakat o hakikatleri hayata hayat kılan bir cemaat göremedik. O ahlak-ı âliye ile mütehallik insanlara şahit olamadık. Kılı kırk yararcasına yaşayan fazilet âbidelerine rastlayamadık. Nerede günaha sonuna kadar kapalı ve kapanmaya da hâhişkar insanlar? Hani mü'mince yaşamanın canlı mümessilleri? Böylelerini görmeden biz inanamayız!.." diyorlarsa ve ötede bu mazeretlerini dile getirirlerse, Allah huzurunda biz ne yaparız? Bu açıdan, "insaf" diyerek başkalarını hakperest olmaya çağırırken, karşı tarafta o insaf duygusunu tetikleyecek bir görüntüye ihtiyacımız olduğu da unutulmamalıdır.

İnsaf Duygusunu Tetikleme Temsili

İnsanlığın İftihar Tablosu'nu görenler "Biz bugüne kadar Senin hiçbir yalanına şahit olmadık!.." demediler mi? "Senin emin ve güvenilir bir insan olduğun hususunda asla şüphe duymadık!.." ikrarında bulunmadılar mı? Evet, Rasûl-ü Ekrem (sallallahu aleyhi ve sellem) Efendimiz'in o muallâ ve mübeccel hâli bir yönüyle muhataplarının Kur'an-ı Kerim'e eğilmelerine, İslam'ın mesajına kulak vermelerine ve Sâdık u Masdûk'u dinlemelerine referans oldu. Rehber-i Ekmel'in eşsiz temsili vicdanlarda insaf duygusunu harekete geçirdi.

Bugün de gönüllere tesir eden ve insanları insafa getiren "temsil"dir. "Şu sözleri duyarak hakkı buldum!" diyen pek azdır; fakat, "Falan samimi mü'minin şöyle hâlis bir hâlini görüp hidayete erdim!" diyen insanların sayısı çoktur. Haddizatında, hidayete vesile sözler de hep gönül dili ve hâl şivesinin semeresi olan ifadelerdir. Zira, tebliğ, ancak hakiki temsil ile gerçek kıymetine ulaşır.

Amerikalı bir profesörün şu hatırası temsilin gücüne delalet eden yüzlerce hadiseden sadece biridir: Dinler tarihi sahasında uzman olan o zat, bir grup arkadaşıyla beraber Türkiye'yi ziyaret ediyor. Bir gün yolu, Urfa'ya, civanmert insanların himmetlerine başvurulan bir toplantıya düşüyor. Bir masanın etrafını çeviren kimselerden kendi yanına tevafuk eden bir Anadolu insanıyla kısaca tanışırken, bir aralık Güneydoğu Asya'dan yeni döndüğünü de söylüyor. Bunu duyan adamcağız, tevazu ve mahcubiyetle, profesörün kulağına "Öyle mi? Benim de Kamboçya'da bir okulum var!" diye fısıldıyor. Profesör, o hizmet aşığını anlatırken "Görünüş itibarıyla fakir bir insandı, çok mütevazıydı; fakat, hayret ki, neredeyse bütün kazancını belki de dünya gözüyle hiç göremeyeceği bir okula gönderiyordu. Kendi himmetinin de içinde bulunduğu fedakârlıklar sayesinde açılan okulda Kamboçyalı çocukların eğitim görüyor olmasından dolayı tarifi imkansız bir sevinç duyuyordu." diyor ve o günden sonra, adanmış ruhların ihlas ve samimiyeti hususunda başka delile ihtiyaç hissetmediğini dile getiriyor. O profesör ve emsali, Kur'an'a karşı habersiz kimseler değiller. Fakat, onlara temsil tesir ediyor. Yine tanıdığım birisi, belki on sene İslam ile alâkalı kitaplar okuyor ama hayat çizgisinde bir değişiklik meydana gelmiyor. Bir gün bir arkadaşınıza misafir oluyor; o samimi insanın her hâliyle "Allah" dediğini hissediyor; öyle gönülden bir mü'min ki, belki çok az konuşuyor ama hâl ve hareketleriyle otururken "Allah" diyor, kalkarken "Allah" diyor, bakarken "Allah" diyor, başını secdeye koyarken "Allah" diyor... ve inanmış insanın hâl dili o zata da çok tesir ediyor. İşte o zaman, kitaplarda gördüğü tafsilatı sağlam bir blokaja oturtabiliyor; "Bu hareketler şu temel disiplinlere dayanıyor!" diyor.

Bu açıdan, farklı anlayışların temsilcileri insafa davet edilirken, onları insafa getirebilecek bir temsilin sergilenmesinin lüzumu da gözardı edilmemelidir. Hakperestliğe çağırılan insanlara güzel bir temsil ile hakkı göstermek de munsif olmanın gereğidir. Hatta denebilir ki, bugün sevgi diliyle cihanın her yanına açılan muhabbet erlerinin yegâne vazifesi insaf duygusunu tetikleme temsilidir.

DİZİN